Table des matières

100 carrières de la santé et des services sociaux

L'abc de la création d'un médicament 38
Découvrez les grandes étapes de conception d'un médicament et les principaux
acteurs qui participent au processus.

Un réseau branché 42
Les solutions technologiques s'imposent de plus en plus comme un remède pour
le personnel débordé du secteur de la santé.

❯ DES PROFESSIONS ET DES TÉMOIGNAGES 46

Découvrez le quotidien de professionnels de la santé et des services
sociaux au moyen de leurs témoignages : leurs tâches, leur motivation,
leurs conseils et leur parcours.

❯ EN BREF

❯ CHERCHEZ ET TROUVEZ

❯ PÊLE-MÊLE

5

INDEX

DES PROFESSIONS ET DES TÉMOIGNAGES
› Par niveaux de formation

8

FORMATION UNIVERSITAIRE

9

ÉTUDES MÉDICALES

INDEX

11

13

Comment interpréter
l'information

100 carrières de la santé et des services sociaux

Les éditions Jobboom, division de Canoë et chef de file dans la création de contenus portant sur l'emploi, la carrière et la formation, sont fières de présenter ce guide d'exploration des carrières de la santé et des services sociaux.

100 carrières de la santé et des services sociaux se veut d'abord un outil permettant de faire un premier survol des possibilités de carrière dans le domaine, une sorte de «bougie d'allumage» pour tous ceux qui s'intéressent à ce secteur d'activité offrant d'excellentes perspectives d'emploi.

Nous tenons à remercier de leur précieuse collaboration les nombreuses personnes jointes au cours de cette recherche, plus précisément les responsables des services de placement dans les centres de forma-tion professionnelle, les cégeps et les universités, les personnes-ressources du ministère de la Santé et des Services sociaux du Québec et de plusieurs associations et ordres professionnels. Un merci particulier à la Fédération des médecins résidents du Québec et à l'Ordre des infirmières et infirmiers du Québec, qui nous ont mis en rapport avec plusieurs de leurs membres, ainsi qu'aux nombreux professionnels de la santé et des services sociaux qui ont bien voulu nous accorder de leur temps. Tous nous ont permis d'enrichir nos recherches, notre réflexion et l'information que nous publions dans ce guide.

ATTENTION

Le contenu de ce guide n'entend pas couvrir TOUTES les professions pratiquées dans le réseau de la santé et des services sociaux, celles-ci étant fort nombreuses et diversifiées. L'ouvrage vise plutôt à illustrer la plupart des professions liées aux principaux programmes d'études relatifs à ce secteur d'activité offerts dans le réseau public de l'éducation et à fournir quelques pistes sur les cheminements scolaires et professionnels qui mènent à ces postes (voir les encadrés «Mon parcours» dans les témoignages).

NOTRE DÉMARCHE DE RECHERCHE ET DE RÉDACTION

L'équipe des Éditions Jobboom a établi la liste des principaux programmes d'études liés à la santé et aux services sociaux offerts dans le réseau public de l'éducation aux trois ordres d'enseignement (formation professionnelle, collégiale et universitaire). Les professions illustrées dans ce guide sont celles qui sont généralement pratiquées par les diplômés de ces programmes. Pour compléter notre sélection, nous avons aussi jugé pertinent d'ajouter quelques professions périphériques au domaine de la santé et des services sociaux.

Nous avons ensuite fait appel aux services de placement dans les centres de formation professionnelle, les cégeps et les universités, de même qu'à plusieurs associations et ordres professionnels pour obtenir des coordonnées de diplômés ou de professionnels en emploi dans le domaine de la santé et des services sociaux.

Les recommandations reçues ont parfois été abondantes et nous avons dû faire un choix parmi l'ensemble. Nos critères de sélection ont été les suivants : diversité des milieux de travail représentés; ratio équilibré d'hommes et de femmes; représentativité de l'ensemble des régions du Québec. Nous avons aussi tenté de privilégier des professionnels récemment diplômés qui cumulent quelques années d'expérience sur le marché du travail (entre trois et cinq ans).

À PROPOS DE L'INFORMATION CONTENUE DANS LES TÉMOIGNAGES

Ces brefs portraits permettent au lecteur de se familiariser avec le rôle des professionnels de la santé et des services sociaux, de découvrir leurs motivations à œuvrer dans ce domaine et les principales étapes de leur cheminement scolaire et professionnel.

Ces contenus reflètent l'opinion et l'expérience du professionnel interviewé et ne représentent pas nécessairement toutes les facettes d'une même profession. En ce sens, la rubrique «Des milieux de travail potentiels» démontre bien qu'il est possible d'œuvrer dans d'autres milieux que celui illustré dans le témoignage. Les tâches et les responsabilités des professionnels peuvent alors varier.

• Répertoire des principales formations (page 174)

Ce répertoire regroupe les principales formations liées à la santé et aux services sociaux offertes aux ordres professionnel, collégial et universitaire au Québec et permettant de pratiquer les professions illustrées dans ce guide. L'information était à jour en avril 2008. L'offre des programmes peut avoir été modifiée depuis. Contactez les établissements qui vous intéressent pour vérifier l'offre de leurs programmes.

• Répertoire des principales associations et des ordres professionnels (page 186)

Ce répertoire regroupe les principales associations et les ordres professionnels québécois liés aux professions illustrées dans ce guide. Pour constituer cette liste, nous nous sommes basés sur les ordres et associations répertoriés dans le site **aveniransante.com** produit par le ministère de la Santé et des Services sociaux du Québec. Nous l'avons ensuite étoffée grâce à notre propre recherche. Notez que nous avons cherché à répertorier les grandes associations provinciales et que nous n'avons pas nécessairement inclus les associations régionales ou canadiennes. Ce répertoire contient aussi les coordonnées de quelques organismes clés du domaine de la santé et des services sociaux (ministère, etc.). Vous pouvez aussi le consulter en ligne à l'adresse **www.jobboom.com/sante**. L'information était à jour en avril 2008. ◎

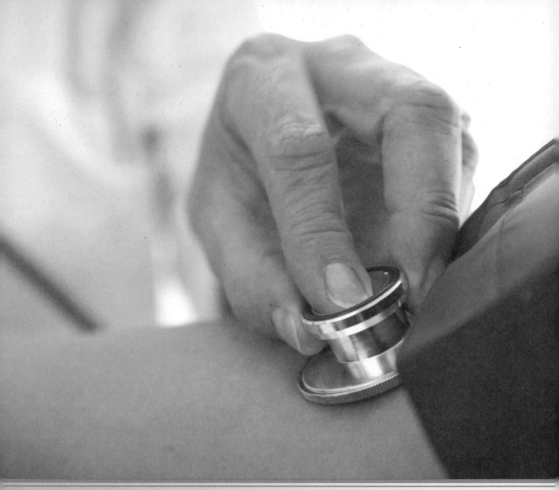

Les grands dossiers

BESOINS DE MAIN-D'ŒUVRE

Soigner la pénurie

Les besoins de travailleurs de la santé sont si importants au Québec que les diplômés du secteur n'arrivent pas à répondre à la demande. Les moyens se diversifient pour résorber ce manque de personnel... mais les pénuries persistent.

Par Anick Perreault-Labelle

Au Québec, le secteur de la santé occupe 255 000[1] personnes. Et le nombre de travailleurs ne cesse d'augmenter. Par exemple, pour l'année 2015, le ministère de la Santé et des Services sociaux du Québec (MSSS) estime que le réseau aura besoin de 26 000 travailleurs de plus. «On manque de main-

Le ministère de la Santé et des Services sociaux estimait en 2008 qu'il manquait 140 physiothérapeutes, une centaine d'ergothérapeutes et autant de technologues en radio-diagnostic dans les établissements de santé québécois pour répondre à la demande.

d'œuvre dans tous les domaines de la santé», précise Nancy Grenier, actuaire à la Direction de la planification et des soins infirmiers au Ministère.

Plus précisément, le MSSS estimait en 2008 qu'il manquait 140 physiothérapeutes, une centaine d'ergo-thérapeutes et autant de technologues en radiodiagnostic dans les établissements de santé québécois pour répondre à la demande. Le réseau avait besoin de 200 orthophonistes et de 600 pharmaciens supplémentaires au début de cette même année, suivant les calculs respectifs de l'Ordre des ortho-phonistes et audiologistes du Québec (OOAQ) et de l'Ordre des pharmaciens du Québec (OPQ). Il manquait également 800 médecins, selon la Fédération des médecins omnipraticiens du Québec (FMOQ), et plus de 1 500 infirmières, selon le MSSS. Enfin, «nous aurions besoin de 840 préposés aux bénéficiaires ▸

19

> **Les universités ont ouvert 25 places supplémentaires en orthophonie en 2008-2009 et 85 places de plus en physiothérapie. Par ailleurs, il y aura près de 100 places supplémentaires disponibles au baccalauréat en pharmacie en 2009-2010 et on comptera 115 inscriptions de plus en ergothérapie d'ici à 2010-2011.**

▶ additionnels», prédisait Yola Dubé, chef de service de la planification et du développement de la main-d'œuvre au Ministère, en février 2008.

Par ailleurs, «le MSSS favorise les soins à domicile, ce qui accroît la demande de titulaires du diplôme d'études professionnelles *Assistance à la personne à domicile*», prévient Serge Pelletier, conseiller pédagogique au Centre de formation professionnelle Pavillon-de-L'Avenir, à Rivière-du-Loup.

La pression monte

Ce manque de personnel dans le système de santé est préoccupant puisque les répercussions sont grandes. Une personne mal soignée, par exemple, perd en productivité au travail et ailleurs. «À cause du manque de physiothérapeutes, seuls les cas graves sont traités. Or, un problème mineur, comme une tendinite à l'épaule, peut devenir chronique et empêcher quelqu'un de vaquer à ses occupations quotidiennes», soutient Louise Bleau, secrétaire générale de l'Ordre professionnel de la physiothérapie du Québec (OPPQ). «S'il manque d'orthophonistes pour traiter, avant l'âge de un an et demi, les enfants qui ont un problème de langage, ceux-ci vont prendre du retard dès leur entrée à l'école», avertit Claude Côté, directeur du Département de réadaptation de l'Université Laval.

Par ailleurs, la pénurie de pharmaciens «augmente les risques que des interactions médicamenteuses néfastes ne soient pas détectées», prévient Claude Mailhot, professeure à la Faculté de pharmacie de l'Université de Montréal.

Et, bien sûr, le manque d'employés alourdit la tâche de ceux qui sont en place dans tout le réseau. Au bout du compte, cela affecte la qualité des soins.

Élargir l'admission

Une des solutions mises de l'avant pour freiner ces pénuries est l'augmentation des admissions dans les différents programmes de formation, notamment à l'université. Selon les chiffres des divers ordres professionnels, les universités ont ouvert 25 places supplémentaires en orthophonie en 2008-2009 pour un total d'environ 120 inscriptions, et 85 places en physiothérapie pour un total d'environ 300. Par ailleurs, il y aura près de 100 places supplémentaires disponibles au baccalauréat en pharmacie en 2009-2010 et on comptera 115 inscriptions de plus en ergothérapie d'ici à 2010-2011. Et toutes les places seront prises, assurent les porte-parole des différents ordres. «Seulement à l'Université Laval, nous avons reçu en 2008, 100 demandes d'inscription en orthophonie, 700 en physiothérapie et 400 en ergothérapie!» dit Claude Côté.

Mais grossir les cohortes entraîne une autre difficulté, indique Pierre Gingras, directeur des ressources humaines de l'Association québécoise d'établissements de santé et de services sociaux. Il devient alors ardu de trouver des milieux de stages à tous ces étudiants supplémentaires. Heureusement les milieux qui accueillent les stagiaires font généralement preuve d'ouverture pour régler l'impasse. «Nous devrons désormais envisager des stages la fin de semaine et la nuit, en plus de ceux de jour et de soir», précise Nicole Berthiaume, conseillère en développement des ressources humaines à l'Agence de services de santé et de services sociaux de l'Estrie.

Pour sa part, Louis Beaulieu, directeur général de l'OOAQ, rêve de voir des cliniques universitaires en orthophonie à l'Université de Montréal et à l'Université McGill. «Les élèves y soigneraient le grand public et, grâce à cette expérience pratique, ils auraient besoin de moins de supervision pendant leur stage. On pourrait donc peut-être en placer deux en même temps dans un seul endroit.»

Chacun son poste

L'autre grande solution pour contrer les pénuries de main-d'œuvre est de s'assurer que chaque diplômé effectue les tâches pour lesquelles il a été formé. «Par exemple, une infirmière doit laisser les préposés aux bénéficiaires donner les bains aux patients et s'occuper plutôt des plans thérapeutiques infirmiers, c'est-à-dire déterminer les besoins des malades et les soins à leur prodiguer», illustre Gyslaine Desrosiers, présidente de l'Ordre des infirmières et infirmiers du Québec. De même, seuls les pharmaciens sont en mesure de conseiller les médecins sur les médicaments prescrits. «Mais ils peuvent confier à un technicien en assistance pharmaceutique dûment formé le soin d'établir le profil médicamenteux d'une personne en dressant la liste de tous les médicaments pris», dit Manon Lambert, directrice générale de l'OPQ.

Les groupes de médecine familiale – qui touchent un médecin sur quatre au Québec – représentent aussi une forme avantageuse de réorganisation du travail, assure le Dr Jacques Ricard, directeur de la planification et de la régionalisation à la FMOQ. Plutôt que de travailler chacun dans leur bureau, ces professionnels se regroupent avec des infirmières. «Ces dernières se chargent du suivi des patients et avertissent les médecins lorsqu'un test présente un résultat anormal, par exemple.» Cela permet aux médecins de gagner du temps, donc de voir plus de patients.

Pas demain la veille

Malgré tous ces efforts, les pénuries de personnel en santé ne reculent pas. «Par exemple, le nombre de finissants en physiothérapie augmente en même temps que les besoins dans ce domaine s'accentuent», note Paul Castonguay, président de l'OPPQ. Ainsi, il manquera encore 740 de ces professionnels en 2015! La situation est semblable en pharmacie, «où le gros des départs à la retraite arrivera entre 2010 et 2015», dit Manon Lambert. En 2015, le Québec aura alors besoin de 1 700 pharmaciens additionnels, soit deux fois plus qu'en 2008.

Enfin, les prévisions du MSSS sur les besoins de main-d'œuvre ne reflètent pas toute la réalité, selon Françoise Rollin, présidente de l'Ordre des ergothérapeutes du Québec. «Leurs chiffres comptabilisent les postes existants qui demeurent vacants. Cela ne tient pas compte des postes futurs qui devront être créés pour répondre à l'accroissement des besoins, ni des places libérées temporairement suivant un congé de maternité, d'études ou de maladie.» Bref, les diplômés en santé sont attendus à bras ouverts, car les débouchés dans ce domaine sont loin de diminuer. ◎ 03/08

---

1. Direction des communications, ministère de la Santé et des Services sociaux.

La **grande séduction**

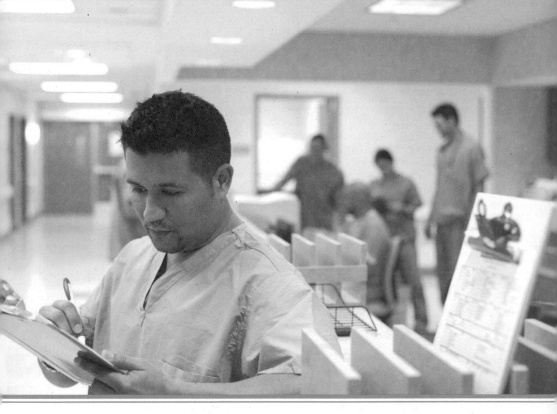

Les établissements de santé bossent fort pour recruter leur personnel. Programmes d'intégration rapide à l'emploi, formation continue, primes d'installation : les initiatives se multiplient pour attirer la relève... et surtout la maintenir en poste.

Par Julie Rémy

Il faut s'y prendre tôt pour inciter les jeunes à s'orienter vers les carrières en santé, affirme Pierre Gingras, directeur des ressources humaines à l'Association québécoise d'établissements de santé et de services sociaux. «Le recrutement s'annonce difficile pour les 15 à 20 prochaines années, notamment en raison des départs à la retraite, dit-il. Pour assurer la relève, il faut agir à l'étape de l'orientation, lorsque les jeunes sont en troisième et quatrième secondaire.» À ce titre, Pierre Gingras note que les professionnels comme les médecins et les infirmières sont de plus en plus sollicités pour aller parler de leur métier dans des classes du secondaire.

Il donne aussi l'exemple de l'Agence de la santé et des services sociaux des Laurentides qui, en plus d'organiser un salon de l'emploi pour les carrières en santé, dispose d'un nouvel outil Web pour promouvoir ces professions auprès des jeunes. Le site www.notreavenircesttoi.com présente une cinquantaine de métiers issus de la formation professionnelle, collégiale et universitaire. Des témoignages vidéo de jeunes diplômés expliquent les avantages de ces professions. Les médecins et infirmières des établissements de santé de la région utilisent ce site Web lors de leurs présentations devant des élèves du secondaire.

Accélérer la pratique

Quand on intègre les élèves au marché du travail durant leur formation, on les intéresse à leur profession future et on facilite leur embauche plus tard. C'est la stratégie visée par le projet pilote Partenariat régional d'intégration de la main-d'œuvre en santé (PRIMOS) regroupant des établissements de santé et d'éducation de l'Estrie.

Depuis 2006, ce programme a permis à près de 250 élèves du Cégep de Sherbrooke et du Centre de formation professionnelle 24-Juin d'obtenir un emploi d'été dans un des établissements de santé de la région. Le projet s'adresse aux jeunes inscrits en santé, assistance et soins infirmiers, en soins infirmiers, en techniques d'inhalothérapie, en techniques de réadaptation physique et en technologie d'analyses biomédicales. La première année, les élèves se familiarisent avec le milieu hospitalier en travaillant comme agents administratifs, préposés aux bénéficiaires, à l'entretien sanitaire ou au service alimentaire. L'été suivant, ils obtiennent un emploi plus directement lié à leur formation et acquièrent de l'autonomie grâce au jumelage avec un professionnel chevronné.

Denis Vallières, chef de soins et services du programme-clientèle soins cardio-pulmonaires au Centre hospitalier universitaire de Sherbrooke (CHUS), constate que les participants prennent rapidement de l'assurance. «Avec PRIMOS, on a vu des élèves démontrer des connaissances, des habiletés et une gestion du stress de loin supérieures aux autres finissants», dit-il.

C'est le cas de Patrick Hay, diplômé en soins infirmiers du Cégep de Sherbrooke. Le jeune homme a été embauché aux unités de soins de Denis Vallières après y avoir effectué deux stages d'été PRIMOS. «Ç'a été une expérience incroyable, notamment parce que j'ai bénéficié d'un encadrement efficace. J'ai gagné de la confiance en moi-même, car je sentais que mon travail était apprécié.»

Le programme permet aux participants de se faire embaucher rapidement à l'issue de leurs études, fait remarquer Michel Beaudry, chargé de projet PRIMOS au Cégep de Sherbrooke. «Avantagés par l'expérience pratique acquise sur le terrain, ils peuvent obtenir un poste permanent sans être soumis au processus habituel d'embauche.» Plusieurs jeunes retournent travailler là où ils ont fait leurs stages ▶

23

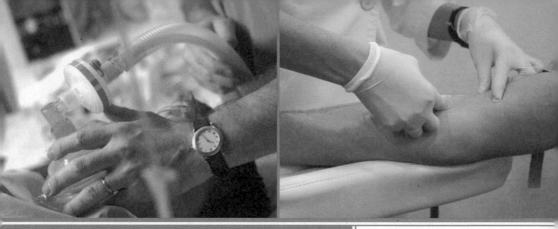

Le temps d'une fin de semaine, une dizaine d'élèves en soins infirmiers ont effectué des entrevues avec la direction du CSSS de Gatineau et obtenu des promesses d'embauche après leurs études, à des postes qu'elles ont elles-mêmes choisis.

▶ PRIMOS. Ce projet pilote, financé conjointement par le ministère de l'Éducation, du Loisir et du Sport et le ministère de la Santé et des Services sociaux du Québec, pourrait être étendu à d'autres régions du Québec.

Des expériences similaires appelées externat existent déjà à l'échelle de la province. Dans certains établissements d'enseignement, les élèves de deuxième année en soins infirmiers, en techniques d'inhalothérapie et en technologie d'analyses biomédicales de même que les étudiants de deuxième année du baccalauréat en sciences infirmières ont accès à des emplois d'été qui facilitent leur apprentissage pratique.

Le défi de la rétention

Les employeurs doivent aussi développer des stratégies pour retenir les nouvelles recrues. Dans plusieurs établissements de santé, les perspectives de formation continue constituent un attrait pour le personnel en place. Patrick Hay, par exemple, prévoit retourner aux études pour faire son baccalauréat en sciences infirmières. Son employeur, le CHUS, lui permettra de travailler à temps partiel pour étudier, une mesure offerte par plusieurs autres centres hospitaliers.

En Outaouais, il faut faire des efforts supplémentaires pour éviter que les professionnels de la santé n'aillent travailler en Ontario, où les emplois sont mieux rémunérés. «Notre situation géographique nous amène à offrir des mesures incitatives plus généreuses», précise Sylvain Dubé, directeur des communications au Centre de santé et de services sociaux (CSSS) de Gatineau. Grâce à une subvention spéciale, ce centre a mené, en janvier 2008, une opération de séduction auprès d'élèves en soins infirmiers du Cégep de Jonquière. Le temps d'une fin de semaine, une dizaine d'entre elles ont visité des établissements comme les hôpitaux de Hull et de Gatineau. Elles ont effectué des entrevues avec la direction du CSSS et obtenu des promesses d'embauche après leurs études, à des postes qu'elles ont elles-mêmes choisis.

Outre une prime d'installation de 3 000 $, un service d'aide au logement et d'aide à l'emploi pour leur conjoint, ces jeunes recrues auront droit à des services de garderie en milieu de travail. Elles pourront même se faire rembourser les droits d'inscription à l'université si elles réussissent leur baccalauréat en sciences infirmières. Qui dit mieux? ◎ 02/08

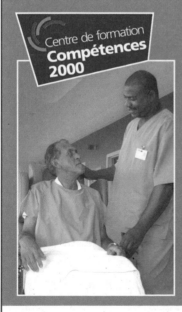

Infiltrez le réseau !

Pour quiconque s'intéresse au secteur de la santé et des services sociaux, le Québec offre des milieux de travail diversifiés : secteurs public ou privé, ou encore organismes sans but lucratif, il suffit d'y regarder de plus près!

Par Guylaine Boucher (mise à jour : Marthe Martel)

Le secteur public

Au Québec, c'est le secteur public qui présente la plus grande variété d'emplois en santé et services sociaux. Au 31 mars 2007, il regroupait à lui seul environ 255 000 employés, répartis dans 300 établissements[1]. Outre les 18 agences de la santé et des services sociaux, qui planifient les services pour chaque région, on y recense quatre catégories d'établissements : les centres de santé et de services sociaux (CSSS), les centres hospitaliers, les centres jeunesse et les centres de réadaptation[2].

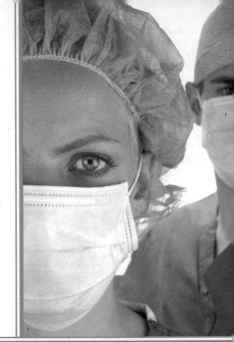

Depuis juin 2004, le réseau de la santé et des services sociaux peut compter sur la présence de 95 centres de santé et de services sociaux[3]. Ces nouvelles entités sont nées de la fusion administrative des centres locaux de services communautaires (CLSC), des centres d'hébergement et de soins de longue durée (CHSLD) et de certains centres hospitaliers de taille modeste.

Accessibles à l'ensemble de la population, les services assurés par les CSSS sont les mêmes qu'avant la fusion. Le volet CLSC dispense toujours des soins médicaux de base, de même que certains services à caractère social : consultation psychologique, accompagnement parental, etc. C'est aussi aux CLSC qu'incombe la responsabilité des soins à domicile et du service de consultation téléphonique Info-Santé.

Le volet CHSLD englobe quant à lui les services médicaux, psychologiques et d'hébergement aux adultes qui, pour des raisons de santé physique ou mentale, ne peuvent plus habiter chez eux. Les patients y séjournent pour des périodes allant de quelques semaines à quelques années. La majorité de la clientèle des CHSLD est âgée de plus de 65 ans, mais un adulte, souffrant par exemple du sida et requérant des soins continus, pourrait aussi avoir recours à leurs services.

> En raison de leur vocation sociale, les CSSS comptent dans leurs rangs bon nombre de travailleurs sociaux, de psychologues, de techniciens en travail social ou d'aides domestiques.

Finalement, le volet hospitalier assure les soins médicaux d'urgence : points de suture, radiographies, etc. Il inclut aussi les interventions chirurgicales mineures, le traitement d'une appendicite par exemple, ainsi que les hospitalisations de courte durée en cas de problème de santé grave, mais temporaire, telle une pneumonie.

Pour mener à bien leurs trois missions, les CSSS ont recours à un vaste éventail de professionnels. Les soins médicaux de base, de longue durée et l'intervention d'urgence exigent l'emploi de beaucoup de personnel médical : médecins et infirmières principalement. L'hébergement et l'hospitalisation commandent aussi le recours à des pharmaciens, des ergothérapeutes, des physiothérapeutes ou des techniciens en réadaptation physique, des infirmières auxiliaires et des préposés aux bénéficiaires, par exemple. En raison de leur vocation sociale, les CSSS comptent par ailleurs dans leurs rangs bon nombre de travailleurs sociaux, de psychologues, de techniciens en travail social ou d'aides domestiques. Plus rarement, le volet CHSLD fait aussi appel à des récréologues et à des techniciens en loisirs. ▶

27

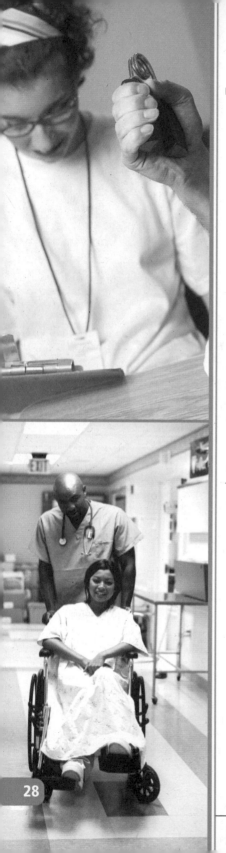

▶ Les centres hospitaliers qui n'ont pas été fusionnés avec les CSSS offrent, pour la plupart, des soins médicaux spécialisés comme la transplantation d'organes ou la cardiologie et traitent des maladies liées à la santé mentale, telles que la schizophrénie, la dépression ou encore l'anorexie. On y trouve notamment les médecins spécialistes, comme les neurochirurgiens et les cardiologues, un fort contingent d'infirmières et d'infirmières auxiliaires ainsi que d'autres professionnels de la santé, comme les perfusionnistes et les techniciens en radiologie, entre autres. En fait, la quasi-totalité des métiers liés à la santé peuvent mener à un emploi dans un centre hospitalier. La majorité des centres hospitaliers actuels ont aussi une vocation universitaire, c'est-à-dire qu'ils participent à la formation des futurs médecins.

Lorsqu'une situation d'abus ou de mauvais traitement nécessite le retrait d'un enfant de sa famille, ce sont les centres jeunesse qui interviennent. Ces derniers gèrent donc un imposant réseau de familles d'accueil. Ils agissent également auprès des personnes condamnées en vertu de la Loi sur les jeunes contrevenants. La médiation familiale, l'adoption et la recherche d'antécédents biologiques (lorsqu'un enfant adopté souhaite retrouver ses parents biologiques) sont aussi de leur ressort.

Venant en aide aux enfants de 0 à 18 ans ainsi qu'à leur entourage, les centres jeunesse emploient principalement des spécialistes de la relation d'aide, tels que les travailleurs sociaux, les psychologues, les criminologues, les techniciens en travail social, en éducation spécialisée et en délinquance. D'autres professionnels peuvent aussi être mis à contribution. C'est le cas des médecins omnipraticiens, des pédopsychiatres et des avocats qui voient à la bonne application de la Loi sur les jeunes contrevenants. Une grande partie de leur travail se fait directement sur le terrain, auprès des familles.

Les centres de réadaptation se divisent en trois grands groupes : les centres de réadaptation en déficience physique (CRDP), les centres de réadaptation en déficience intellectuelle (CRDI) et les centres de réadaptation pour personnes alcooliques et autres toxicomanes (CRPAT). Le Québec en compte une vingtaine dans chaque catégorie.

En déficience physique, c'est dans un CRDP qu'une personne récemment handicapée apprendra, par exemple, à marcher avec sa nouvelle prothèse ou à se mouvoir de son fauteuil roulant à son lit.

Les CRDI offrent pour leur part des services d'intégration, que ce soit en garderie, à l'école, au travail ou dans les loisirs. Les enfants peuvent aussi y bénéficier de stimulation précoce.

Quant aux CRPAT, ils proposent des services d'hébergement, de désintoxication, de consultation psychologique et d'intervention sociale.

Parce qu'on y travaille sur tous les aspects de la personne, les centres de réadaptation emploient tant du personnel médical que des professionnels de la relation d'aide. En réadaptation physique, ergothérapeutes, physiothérapeutes, techniciens en réadaptation physique et prothésistes côtoient

En réadaptation physique, ergothérapeutes, physiothérapeutes, techniciens en réadaptation physique et prothésistes côtoient donc les travailleurs sociaux, psychologues et techniciens en éducation spécialisée.

donc les travailleurs sociaux, psychologues et techniciens en éducation spécialisée. Les centres de réadaptation pour personnes alcooliques et autres toxicomanes emploient pour leur part à la fois des professionnels des relations d'aide, des médecins et des infirmières. Seuls les centres de réadaptation en déficience intellectuelle comptent presque exclusivement des spécialistes de la relation d'aide.

Le secteur privé

Il est difficile de connaître le nombre d'emplois générés par le secteur privé. On sait toutefois qu'il y a environ 1 500 cliniques médicales privées[4] en activité au Québec. La plupart offrent des services allant de la simple consultation médicale aux examens plus pointus, tels que les mammographies ou les échographies, mais certaines font aussi des chirurgies, surtout plastiques et orthopédiques. L'entrée en vigueur de la Loi modifiant la Loi sur les services de santé et les services sociaux et d'autres dispositions législatives, en janvier 2008, qui fait une place plus large au privé dans le but de raccourcir les listes d'attente, vient cependant changer quelque peu la donne. Les cliniques qui le désirent peuvent maintenant demander un permis leur accordant le droit d'étendre l'éventail des chirurgies offertes et de porter le nom de Centre médical spécialisé (CMS). La Loi prévoit également la mise sur pied de Centres médicaux spécialisés associés (CMSA), opérant en partenariat avec des hôpitaux (les médecins étant fournis par l'hôpital, le personnel et le matériel, par le CSMA).

Le Québec compte, par ailleurs, une quarantaine de laboratoires de biologie médicale privés, qui effectuent, entre autres, des analyses sanguines[5].

En janvier 2008, l'Association des résidences et CHSLD privés du Québec regroupait pour sa part 571 résidences membres[6]. Il s'agit surtout d'établissements conçus pour les personnes âgées autonomes ou en légère perte d'autonomie qui offrent des services d'hébergement, mais aussi certains services médicaux de base. Les CHSLD privés embauchent plus de 10 000 employés[7], notamment des infirmières, des infirmières auxiliaires et des préposés aux bénéficiaires.

Les organismes sans but lucratif

Au cours des dix dernières années, plus d'une centaine d'entreprises d'économie sociale spécialisées en aide domestique ont vu le jour. Elles proposent notamment des services de préparation des repas, de soins corporels, d'accompagnement et d'aide aux achats. Le ministère du Développement économique, de l'Innovation et de l'Exportation estime que ces entreprises emploient plus de 5 500 travailleurs, surtout des personnes ayant une formation en assistance familiale et sociale aux personnes à domicile[8].

Enfin, on dénombre au Québec plus de 4 000 organismes communautaires œuvrant en parallèle dans le secteur de la santé et des services sociaux[9]. Ils peuvent, notamment, offrir du répit aux parents d'un enfant handicapé ou encore permettre à des familles d'avoir accès à une alimentation de qualité par l'entremise des cuisines collectives. ◉ 02/08

1. et 2. Direction des communications, ministère de la Santé et des Services sociaux. 3., 4. et 9. Site Internet, *Portrait de l'organisation*, ministère de la Santé et des Services sociaux, février 2008. 5. Laboratoire de santé publique du Québec. 6. Association des résidences et CHSLD privés du Québec. 7. André Côté, directeur général de l'Association des établissements privés conventionnés. 8. Jocelyne Chagnon, Direction des coopératives, ministère du Développement économique, de l'Innovation et de l'Exportation.

Ai-je le profil?

C'est bien connu, les emplois ne manquent pas en santé. Par-delà les taux de placement intéressants, certaines qualités et aptitudes sont cependant nécessaires pour faire le travail. Côtoyer chaque jour la maladie et la détresse humaine tout en restant serein n'est effectivement pas donné à tout le monde... Portrait-robot des travailleurs de la santé.

Par Guylaine Boucher (mise à jour : Marthe Martel)

À 53 ans, Lise Danis fait figure de vétéran dans le réseau de la santé et des services sociaux. Infirmière auxiliaire, elle travaille en centre hospitalier depuis plus de 34 ans. «J'ai vécu la stabilité des années 1970, l'abondance des ressources humaines dans les années 1980 et le manque de personnel des années 1990. La pratique est plus difficile aujourd'hui qu'auparavant parce qu'on doit prendre en charge un nombre plus élevé de patients, mais je ne voudrais pas changer de métier pour autant. J'ai choisi de devenir infirmière auxiliaire parce que je voulais aider les gens. Quand je rentre chez moi après le travail et que je peux me dire que j'ai fait du bien à six, sept ou dix personnes dans ma journée, je suis comblée.»

De l'avis de Martine Lemonde, conseillère d'orientation au sein de la firme Brisson Legris, Révélateurs de potentiels, l'histoire de Lise Danis illustre bien le profil type des travailleurs de la santé. «Peu importe le poste qu'ils occupent, ceux qui œuvrent en soins de santé aiment généralement être près des gens et avoir le sentiment de pouvoir les aider. Ils ont aussi souvent un grand intérêt pour les sciences et tout ce qui concerne le corps ou le comportement humain. Ils cherchent à comprendre des phénomènes complexes et à savoir pourquoi ils surviennent. Ce sont également, en général, des gens curieux.»

Relation d'aide : un petit côté «sauveur»

Évidemment, selon les fonctions occupées dans le réseau de la santé et des services sociaux, certaines qualités particulières sont nécessaires. Ainsi, les personnes qui travaillent en relation d'aide, que ce soit à titre de psychologues, de travailleurs sociaux ou d'intervenants communautaires, doivent faire preuve de calme, d'empathie, de rigueur et d'un excellent sens de l'écoute.

La capacité de prendre du recul par rapport aux difficultés vécues par les patients est aussi essentielle, selon Michelle Arcand, psychologue et auteure de plusieurs livres sur le travail en relation d'aide. «Les personnes qui optent pour ce type de profession ont toutes un petit côté "sauveur". Elles sont, la plupart du temps, très responsables et généreuses. Par contre,

> Préposés aux bénéficiaires, infirmières, infirmières auxiliaires, médecins, tous doivent faire preuve d'écoute et de beaucoup de patience.

si elles souhaitent pouvoir faire ce travail longtemps, elles doivent apprendre à se ménager un peu, à mettre de la distance entre elles et leurs clients.»

Personnel soignant : en première ligne

Les qualités humaines considérées comme essentielles pour les professionnels des services sociaux sont aussi de rigueur pour le personnel soignant. Préposés aux bénéficiaires, infirmières, infirmières auxiliaires, médecins, tous doivent faire preuve d'écoute et de beaucoup de patience. «Quand nous devons prendre soin de douze personnes à la fois et que l'une d'entre elles refuse un traitement, on doit garder son calme, expliquer pourquoi les soins sont nécessaires, que cela ne fera pas mal, etc. Rassurer les gens fait partie de notre tâche. Si on est impatient et nerveux, cela ne marchera pas», explique Lise Danis.

Parce qu'il lui faut manipuler beaucoup d'appareils de précision, faire des injections, etc., le personnel en charge des soins doit aussi, selon Martine Lemonde, «pouvoir compter sur une excellente dextérité manuelle». Comme il a accès à des données personnelles, il doit par ailleurs faire preuve de discrétion. ▶

Êtes-vous fait
pour le secteur de la santé?

BrissonLegris
Révélateurs de potentiels

1. Je m'intéresse à la santé, mais je me sens plus à l'aise de travailler avec des données, des faits et des chiffres que d'être directement en contact avec des patients.
   Oui ☐   Non ☐

2. J'ai une bonne dextérité manuelle.
   Oui ☐   Non ☐

3. Le fonctionnement du corps humain me fascine.
   Oui ☐   Non ☐

4. Je m'intéresse aux politiques gouvernementales et à la gestion des organisations publiques.
   Oui ☐   Non ☐

5. Je suis rigoureux, précis et méthodique.
   Oui ☐   Non ☐

6. Je suis doté d'un bon sens de l'observation, d'une grande capacité d'analyse et de sens critique.
   Oui ☐   Non ☐

7. Je peux vivre au quotidien en ayant à prendre des décisions et en ayant à poser des gestes qui ont des implications de vie ou de mort.
   Oui ☐   Non ☐

8. Je m'intéresse davantage au fonctionnement psychologique qu'à la mécanique du corps humain.
   Oui ☐   Non ☐

9. J'aime communiquer avec les gens.
   Oui ☐   Non ☐

10. Je préfère réaliser des tâches que je connais bien que de constamment me retrouver face à des situations inconnues.
    Oui ☐   Non ☐

11. J'ai une excellente capacité d'écoute.
    Oui ☐   Non ☐

12. Je suis capable d'accomplir des tâches selon des directives déjà établies.
    Oui ☐   Non ☐

13. J'aime travailler de mes mains et manipuler des instruments.
    Oui ☐   Non ☐

14. J'ai du plaisir à planifier des activités, diriger, contrôler et organiser les tâches.
    Oui ☐   Non ☐

15. Je préfère travailler avec de l'équipement de bureau que des instruments médicaux.
    Oui ☐   Non ☐

Trouvez le ou les secteurs de la santé correspondant aux énoncés ci-dessus en consultant le tableau qui suit. Si vous avez répondu «oui» à la majorité des énoncés rattachés à un secteur, vous y découvrirez peut-être une carrière qui vous convient!

Attention : il est fort probable que les énoncés auxquels vous aurez répondu «oui» soient liés aux professions de plus d'un secteur. N'hésitez pas à explorer les carrières de la santé qui correspondent à chacun d'eux.

Secteur	Énoncés correspondants
Soins	2-3-4-6-7-8-13
Emploi technique ou de soutien	2-3-4-6-10-12-13
Relation d'aide	4-7-9-11-15
Recherche	1-2-6-7-13
Gestion	1-5-10-14-15

QUELQUES PROFESSIONS EN LIEN AVEC CHACUN DES SECTEURS :

Soins : acupuncteur, chiropraticien, ergothérapeute, kinésiologue, infirmière, omnipraticien, orthophoniste, pédiatre, physiothérapeute, sage-femme, technicien en réadaptation physique, etc.

Emploi technique ou de soutien : archiviste médical, assistant technique en pharmacie, auxiliaire familial et social, préposé aux bénéficiaires, secrétaire médical, technicien en électrophysiologie médicale, technicien en inhalothérapie, technologue en médecine nucléaire, technologue en radio-oncologie, etc.

Relation d'aide : psychologue, technicien en éducation spécialisée, technicien en travail social, travailleur social, etc.

Recherche : anatomiste, biologiste médical, généticien, immunologue, microbiologiste, pharmacologue, neurophysiologiste, virologiste, etc.

Gestion : chef des services financiers, contrôleur général, directeur administratif, directeur de la planification des services sociaux, directeur des soins infirmiers, directeur général d'un centre hospitalier, infirmière-chef, etc.

▶ Une bonne résistance physique et psychologique ne sont pas non plus à négliger, compte tenu des longues heures de travail et de la lourdeur de certains cas. «Il faut savoir reconnaître ses limites. On ne se dirige pas dans le domaine de la santé si l'on a soi-même une santé physique ou mentale fragile», dit Martine Lemonde.

Souvent employés d'organismes offrant des services 24 heures sur 24, il est possible que les professionnels des soins de santé et des services sociaux connaissent des horaires de travail irréguliers. En situation de crise, quand par exemple un enfant victime de mauvais traitement est signalé à la Direction de la protection de la jeunesse et qu'il doit être sorti de son environnement rapidement, leur journée se termine seulement lorsque le problème est résolu et qu'on a trouvé une famille pour accueillir l'enfant.

Gestion : prévoir l'imprévisible

Bien que les gestionnaires du réseau de la santé et des services sociaux aient en principe des horaires plus réguliers, dans la réalité, il arrive souvent que cela déborde du cadre établi en raison d'une charge de travail toujours plus grande et des imprévus, notamment lorsqu'il manque de personnel.

Le travail des gestionnaires étant davantage orienté vers les tâches administratives, le profil «aidant» est moins nécessaire dans leur cas. Le domaine de la santé est en perpétuelle évolution parce qu'il est axé sur les besoins de la population. La capacité de s'adapter, la créativité et le sens de l'initiative sont donc des aptitudes sur lesquelles on insiste

> **Les qualités et aptitudes indispensables aux tâches des chercheurs ne sont pas très éloignées de celles exigées pour le personnel de la santé en général.**

beaucoup lors de l'embauche de gestionnaires. Au ministère de la Santé et des Services sociaux, la Direction du personnel réseau et ministériel insiste aussi sur le leadership, le sens de la communication et la capacité de planification[1]. Rien de plus normal, si l'on considère que ce sont habituellement le directeur général d'un établissement et ses gestionnaires qui travailleront à développer des nouveaux services, à les organiser et à mobiliser le personnel nécessaire, même dans les périodes plus difficiles.

Recherche médicale : patience et curiosité

Parce qu'ils ne sont ni intervenants ni gestionnaires, les chercheurs en santé sont souvent considérés comme du personnel à part. Pourtant, les qualités et aptitudes indispensables à leurs tâches ne sont pas très éloignées de celles exigées pour le personnel de la santé en général. La patience est, là encore, primordiale. Développer de nouveaux médicaments, déchiffrer un gène ou analyser différentes substances peut en effet prendre beaucoup de temps et nécessiter de nombreux essais avant de parvenir au résultat recherché. Pour les mêmes raisons, la persévérance est essentielle, tout comme la curiosité. Enfin, la rigueur et l'esprit d'analyse sont indissociables du métier de chercheur. ◎ 03/08

---

1. Ministère de la Santé et des Services sociaux, Direction du personnel réseau et ministériel.
   Répertoire de compétences 2000+ (adapté CRDGC), 2007.

33

Un rôle aux

Les infirmières ne sont pas confinées qu'aux hôpitaux! La profession s'exerce dans une variété de milieux de travail. Elle offre aussi différents champs de pratique comme la recherche, le service-conseil et la gestion d'équipe.

Par Anick Perreault-Labelle

Hôpitaux, centres locaux de services communautaires (CLSC), centres de réadaptation, écoles ou groupes de médecine familiale : les quelque 65 000 infirmières* du Québec ont le choix en matière de lieux de travail! Elles peuvent aussi orienter leur pratique suivant leurs propres champs d'intérêt. Selon l'Ordre des infirmières et infirmiers du Québec, 87 % d'entre elles soignent des malades, 8 % gèrent des équipes d'infirmières et 5 % enseignent ou font de la recherche sur divers problèmes de santé comme la douleur chronique[1].

Les témoignages qui suivent illustrent la diversité des milieux de travail qui attendent les diplômées.

> «Il faut avoir beaucoup de compassion pour soigner sans jugement des gens qui ont commis des crimes.»
> — Alain Marcoux, infirmier dans un centre de détention

Au domicile des patients

Titulaire d'un diplôme d'études collégiales en soins infirmiers, Julie Ann Soucy effectue des visites à domicile pour le CLSC Basse-Ville-Limoilou-Vanier, dans la région de la Capitale-Nationale. «Je me rends au domicile d'un aîné pour évaluer s'il a besoin d'aide pour le bain. Je peux aussi aller changer le soluté d'un patient qui reçoit des antibiotiques par voie intraveineuse à la maison», illustre l'infirmière.

«J'apprécie le fait de m'occuper d'une personne à la fois, avoue-t-elle. Dans les hôpitaux, on est sollicité par plusieurs patients en même temps.» La qualité essentielle pour faire son métier? Être allumée pour percevoir des problèmes peu apparents. «Une patiente dont je devais changer le pansement manquait légèrement d'équilibre, raconte l'infirmière. Pour savoir pourquoi, je lui ai fait un bilan de santé complet. J'ai remarqué sa basse pression. J'ai appelé le médecin et il a réajusté sa médication.»

Au chevet des malades

Les infirmières qui travaillent dans les hôpitaux peuvent aussi choisir une spécialité suivant les différents départements de l'établissement. Lysane Paquette est **infirmière clinicienne** à l'unité de soins intensifs de l'Hôpital régional de Saint-Jérôme. Elle surveille un ou deux patients gravement malades qui ont besoin de soins soutenus. Elle vérifie notamment leur pression artérielle, fait des prises de sang et s'assure qu'ils sont à l'aise. «Je reste à l'affût du moindre changement dans leur état. Si l'un d'eux respire moins bien, par exemple, j'en avise le médecin.» ▶

mille facettes

100 carrières de la santé et des services sociaux

▶ Le plus important, ajoute la bachelière en sciences infirmières, c'est de faire des liens entre les symptômes d'un patient et son état. «S'il fait de la haute pression, c'est peut-être signe qu'il souffre beaucoup, illustre-t-elle. Une autre partie de mon travail consiste à aider les familles à composer avec l'éventualité d'un décès.»

Au service des infirmières

Titulaire d'un baccalauréat en sciences infirmières, Nathalie Gagné est quant à elle conseillère en prévention des infections au Centre de santé et de services sociaux de la Pointe-de-l'Île, à Montréal. «Si des patients dans des chambres contiguës d'un centre d'hébergement et de soins de longue durée ont des symptômes grippaux, par exemple, je les isole pour éviter que l'infection se propage», explique-t-elle.

Elle a choisi cet emploi parce qu'attirée par la nouveauté des fonctions de conseillère, après avoir travaillé six ans en soins périnataux. «C'est l'avantage de la profession : on peut occuper différents types de postes!»

Nathalie Gagné étudie actuellement au microprogramme de deuxième cycle en prévention et contrôle des infections à l'Université de Montréal. Et c'est le patron qui paie! «J'apprends notamment à organiser des formations pour le personnel sur le contrôle des infections.»

Dans un centre de détention

Alain Marcoux, pour sa part, a choisi le milieu carcéral. Il travaille à l'Établissement de détention de Hull. «Nous sommes 2 infirmiers pour veiller sur 230 détenus», dit le titulaire d'un diplôme d'études collégiales en soins infirmiers.

Au quotidien, il prodigue les soins recommandés par le médecin. Par exemple, il panse les plaies des prisonniers mêlés à une échauffourée ou soigne les maladies comme les **colites**. «Il faut avoir beaucoup de compassion pour soigner sans jugement des gens qui ont commis des crimes», confie-t-il. Le travail exige aussi une grande patience : bien des prisonniers ont la mèche courte, car ils sont en sevrage forcé de cocaïne ou de crack.

Dans le secteur de la recherche

En tant qu'associée de recherche à l'Hôpital de Montréal pour enfants, Christina Rosmus aide ses collègues à améliorer leurs pratiques. «J'aime leur faciliter la tâche et démythifier la recherche scientifique», dit la titulaire d'une maîtrise en sciences infirmières. Si une infirmière lui demande quel est le meilleur pansement pour une blessure complexe comme une plaie du thorax, elle cherche des articles scientifiques sur le sujet et l'aide à interpréter les résultats. «Si je ne trouve rien, je demande à d'autres hôpitaux ce qu'ils font dans ce cas.»

Christina Rosmus est aussi infirmière spécialisée en douleur chronique. À ce titre, elle soigne des enfants souffrants, en collaboration avec un médecin, un psychologue et un physiothérapeute. «Dans l'équipe, j'assure le suivi avec les familles.» En d'autres mots, comme toute bonne infirmière, elle accompagne et soulage les malades. ◎ 02/08

* Le métier d'infirmière étant en très grande majorité exercé par des femmes, nous avons utilisé le féminin dans cet article.
Les mots en caractères **gras** sont définis dans le glossaire (p. 166 à 172).

---

1. *Évolution de l'effectif de la profession infirmière au Québec*, Service des statistiques sur l'effectif, Direction des affaires externes et des statistiques sur l'effectif, OIIQ, novembre 2007.

Choisir sa formation

Du diplôme d'études collégiales à la maîtrise en passant par le baccalauréat, plusieurs formations mènent à la profession d'infirmière. Laquelle choisir? Une description des programmes et de leurs débouchés guidera votre réflexion.

Par Anick Perreault-Labelle

«Le diplôme d'études collégiales [DEC] en soins infirmiers donne principalement accès à des emplois d'infirmière dans presque tous les départements d'un centre hospitalier, comme l'obstétrique ou l'oncologie», dit Suzanne Durand, directrice du développement et du soutien professionnel à l'Ordre des infirmières et infirmiers du Québec (OIIQ). Ces infirmières administrent les médicaments, changent les pansements, donnent des conseils sur la santé ou évaluent les besoins des patients. Selon l'OIIQ, elles gagnent un salaire annuel de 40 000 $ à 60 000 $.

Le bac ou le DEC-bac?

Le baccalauréat en sciences infirmières est accessible principalement aux titulaires du DEC en sciences de la nature ou du DEC en soins infirmiers. Pour ces derniers, une formation intégrée DEC-bac permet de faire le programme universitaire en deux ans au lieu de trois.

Le baccalauréat forme des infirmières cliniciennes. Elles offrent des soins aux patients qui présentent des problèmes de santé plus complexes que ceux dont s'occupent les titulaires du DEC. «Précisément, elles ont des connaissances accrues en soins critiques, en soins d'urgence, en santé mentale et en santé communautaire», indique Johanne Goudreau, vice-doyenne aux études de premier cycle et à la formation continue de la Faculté des sciences infirmières de l'Université de Montréal. Elles peuvent aussi gérer des équipes ou enseigner. Elles gagnent jusqu'à 10 000 $ de plus par année que les diplômées du DEC, selon l'OIIQ.

La maîtrise

La maîtrise en sciences infirmières, accessible aux titulaires du baccalauréat, vise à former des infirmières praticiennes spécialisées. «Ces infirmières posent certains gestes réservés aux médecins», dit Suzanne Durand. Elles peuvent prescrire des examens diagnostics, des médicaments et des traitements dans un domaine spécialisé tel que la néonatologie, la néphrologie, la cardiologie et les soins de première ligne. Elles gagnent un salaire annuel qui varie de 45 000 $ à 84 000 $, calcule l'OIIQ. ◎ 02/08

37

L'abc de la création d'un médicament

La fabrication d'un médicament – de la recherche à la distribution – s'étale sur une quinzaine d'années et mobilise de nombreux scientifiques. Voici un aperçu des grandes étapes de conception et des principaux travailleurs qui participent au processus.

Par Carole Boulé

Recherche et développement

La recherche et le développement de médicaments se déroulent dans les laboratoires des compagnies pharmaceutiques et biotechnologiques et font appel à l'expertise d'une équipe de spécialistes composée essentiellement de biologistes et de <u>chimistes</u>. «Ces scientifiques cherchent des molécules qui seront à la base de la fabrication d'un médicament», explique Francine Gendron, directrice générale de Pharmabio Développement, le Comité sectoriel de main-d'œuvre des industries des produits pharmaceutiques et biotechnologiques.

Le biologiste teste en laboratoire des milliers de composés chimiques ou de molécules qui auront les effets thérapeutiques recherchés sur une cellule cancéreuse ou un virus, par exemple. Une fois les molécules choisies, le chimiste, spécialiste en procédés, les synthétise afin d'en produire en grande quantité pour les besoins de la recherche. Ensemble, ils évaluent les effets thérapeutiques du composé et son degré de toxicité, en testant les molécules prometteuses sur des organismes vivants comme des cellules de tissus humains.

Si une ou des molécules produisent les effets recherchés, les chercheurs préparent la documentation nécessaire pour le dépôt du brevet à l'Office de la protection intellectuelle du Canada. «Cela se fait avec l'agent de brevet qui traduit la découverte en termes légaux pour la protéger, précise Francine Gendron. Cet agent est généralement titulaire d'un baccalauréat ou d'une maîtrise en sciences, une formation qu'il a complétée par des cours de droit.»

La transformation de la molécule en médicament est ensuite élaborée par une équipe de <u>biochimistes</u>, de chimistes, de <u>pharmaciens</u>, d'ingénieurs en génie chimique et de <u>pharmacologues</u>. «À cette étape, on détermine s'il vaut mieux en faire une solution injectable, une crème ou une pilule», explique Yves Roy, président de Corealis Pharma, une entreprise spécialisée dans la **formulation** de médicaments. «On choisit le meilleur véhicule pour livrer le médicament au bon endroit, au bon rythme et en bonne quantité dans le corps humain.»

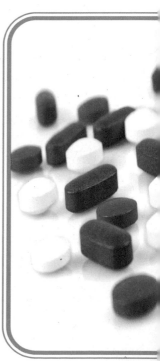

Tests précliniques

À cette étape, on teste le médicament sur de petits animaux pour observer ses avantages thérapeutiques et ses effets secondaires. «On administre des prototypes du médicament à des rats, des singes ou des chiens, indique Yves Roy. Selon les résultats des tests, on modifie la formulation pour améliorer la libération du médicament dans l'organisme.»

Ces essais requièrent les compétences de vétérinaires et de techniciens en santé animale pour prendre soin des animaux. Des titulaires d'un diplôme d'études collégiales en <u>techniques de laboratoire</u>, spécialisés en biotechnologies ou en chimie analytique, sont également mis à contribution pour analyser les résultats.

Les résultats des essais précliniques sont ensuite soumis aux autorités de la santé, dont Santé Canada et la Food and Drug Administration (FDA) aux États-Unis, selon le lieu où le médicament sera distribué, pour obtenir l'autorisation d'effectuer des essais cliniques sur les humains. C'est le spécialiste des affaires réglementaires de l'entreprise pharmaceutique, titulaire d'un diplôme universitaire en sciences, qui effectue les démarches. ▶

> «L'équipe de chercheurs [biologistes et chimistes], assistée de professionnels de la santé comme des infirmières et des médecins, vérifie la réaction des volontaires au médicament. Ils prennent la pression artérielle des volontaires, leur température et prélèvent des échantillons de leur sang, de leur urine ou de leur salive.»
>
> — Francine Gendron, Pharmabio Développement

▶ Étude clinique

Cette dernière étape compte quatre phases de recherche clinique sur les humains. La première consiste à tester l'**innocuité** du médicament sur un groupe d'environ sept ou huit personnes en bonne santé. «L'équipe de chercheurs [biologistes et chimistes], assistée de professionnels de la santé comme des infirmières et des médecins, vérifie la réaction des volontaires au médicament, mentionne Francine Gendron. Ils prennent la pression artérielle des volontaires, leur température et prélèvent des échantillons de leur sang, de leur urine ou de leur salive.» Ces échantillons sont étudiés par des chimistes et des biochimistes, puis analysés par des biostatisticiens et des bio-informaticiens. La deuxième phase se fait avec un groupe de sujets malades pour vérifier si le médicament soigne efficacement. S'il est efficace, on passe à la troisième phase d'essais cliniques sur un grand nombre de sujets sains (de 500 à 5 000 patients). «On note tous les symptômes ressentis par les volontaires, qu'ils soient liés ou non à la prise du médicament», dit Francine Gendron.

Si les résultats des tests cliniques démontrent l'efficacité et la sécurité du médicament, le spécialiste en affaires réglementaires s'adresse à Santé Canada ou à la FDA pour obtenir son **homologation**. «On transmet toutes les données cliniques du nouveau médicament démontrant son efficacité, son innocuité et ses effets bénéfiques sur la maladie», explique Carl Viel, directeur général de Montréal In Vivo, un regroupement d'entreprises et d'organismes de recherche.

Lorsque Santé Canada ou la FDA donne son autorisation, cela marque le début de la quatrième phase, appelée études en pharmacovigilance. Des patients sont alors traités par un médecin participant au protocole de recherche. Il les suit en notant les effets secondaires.

Les résultats de l'ensemble de l'étude clinique servent finalement à la rédaction de la **monographie**, soit un résumé des indications, des mises en garde et de la posologie du médicament.

Fabrication et distribution

Dès que la monographie du médicament est complétée, sa commercialisation est lancée. Le directeur de marketing et son équipe élaborent les stratégies de promotion du produit (publicités, affiches, dépliants, etc.). De plus, les représentants des ventes des compagnies pharmaceutiques rencontrent des médecins et des pharmaciens pour présenter le nouveau médicament.

Le médicament est fabriqué dans les usines des entreprises pharmaceutiques. Cette étape requiert notamment les compétences de machinistes, de mécaniciens et d'ingénieurs industriels. Les techniciens à la production pharmaceutique et les spécialistes en assurance et en contrôle de la qualité entrent aussi en action. «Ces derniers vérifient la conformité des médicaments, conclut Francine Gendron. Ils analysent des échantillons en laboratoire pour s'assurer de la qualité du produit.» ◉ 02/08

Les mots soulignés renvoient à des portraits de travailleurs (voyez l'index alphabétique pages 8 à 13).
Les mots en caractères **gras** sont définis dans le glossaire (p. 166 à 172).

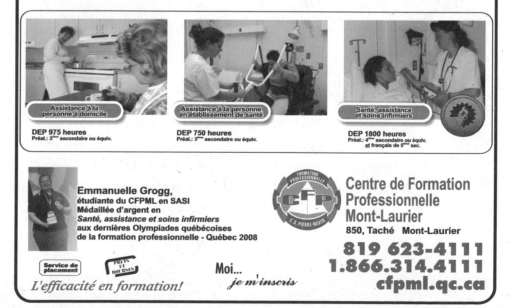

Un réseau branché

Les solutions technologiques s'imposent de plus en plus comme un remède pour le personnel débordé de la santé. Les dossiers informatisés et les interventions à distance, notamment, améliorent l'efficacité du travail et la qualité des soins.

Par Geneviève Dubé

En Norvège, à l'Hôpital universitaire Saint-Olav, les malades communiquent avec les infirmières au moyen d'un terminal situé à leur chevet. La cueillette de leurs signes vitaux se fait aussi de manière automatisée avec retranscription directe dans un dossier électronique. Le Québec ne compte pas encore d'hôpital aussi branché que celui-là, mais la technologie gagne du terrain dans les établissements de santé de la province.

Révolution numérique

Depuis novembre 2006, l'équipe de l'urgence de l'Institut de cardiologie de Montréal, composée d'infirmières, de médecins et de préposés aux bénéficiaires, utilise un dossier informatisé partagé. Muni d'un système qui reconnaît les empreintes digitales des utilisateurs, cet outil donne accès aux données cliniques des patients en un toucher d'écran. «Les médecins consultent le dossier informatisé pour connaître le prochain patient à voir, puis pour préparer leurs ordonnances et planifier les soins», explique le Dr Alain Vadeboncœur, chef de service à l'urgence. L'infirmière peut ensuite administrer les soins comme une prise de sang, tandis que le préposé obtient une liste de ses tâches au moyen du même système. Les intervenants ont accès aux données grâce à la trentaine d'ordinateurs installés à l'urgence.

> «On gagne du temps, on améliore les soins. Et en prime, le dossier informatisé est facile à utiliser!»
>
> — Dr Alain Vadeboncœur,
> Institut de cardiologie de Montréal

«Avec ce système, le risque d'erreurs diminue et la sécurité des patients est assurée», soutient le Dr Vadeboncœur. Par exemple, la dose des médicaments à prescrire est maintenant calculée en fonction du poids du patient inscrit dès le départ dans le dossier informatisé. «Les infirmières qui n'ont plus à retranscrire les listes de médicaments des patients ont plus de temps pour les soins aux malades.»

«On gagne du temps, on améliore les soins. Et en prime, le système est facile à utiliser!», affirme le médecin.

Partage des données

L'informatisation des dossiers patients s'implante progressivement dans d'autres établissements. Les centres de santé et de services sociaux de la province, notamment, utilisent différents logiciels pour améliorer l'accès à l'information sur les soins apportés à leurs patients. Le futur logiciel Réseau de services intégrés aux personnes âgées permettra prochainement aux professionnels comme les travailleurs sociaux, les infirmières et les auxiliaires familiales et sociales de partager des renseignements sur leurs patients communs comme leur lieu d'hospitalisation et leur plan de soins. «Plus on partage d'information sur les patients, plus on accroît la qualité des soins», souligne Daniel Jacques, conseiller en ressources informationnelles à l'Association québécoise d'établissements de santé et de services sociaux (AQESSS).

De la même façon, le système Intégration CLSC gère des informations clinico-administratives. Du médecin au préposé à l'accueil, tous les employés des CLSC utilisent ce logiciel pour connaître, entre autres, les services reçus et les professionnels consultés par les patients.

Soins à distance

La télé-santé est une autre innovation technologique qui permet d'améliorer l'efficacité et la qualité des soins en régions éloignées. «Grâce à cette technique, un gynécologue à Montréal peut observer l'échographie d'une patiente au Nunavut en temps réel et partager son expertise avec le médecin ▶

43

> «Grâce à la télé-santé, un gynécologue à Montréal peut observer l'échographie d'une patiente au Nunavut en temps réel et partager son expertise avec le médecin sur place.»
>
> — Madeleine St-Gelais,
> Centre universitaire de santé McGill

▶ sur place», illustre Madeleine St-Gelais, coordonnatrice de télé-santé au Centre universitaire de santé McGill. Plusieurs professionnels – nutritionnistes, ergothérapeutes, physiothérapeutes – peuvent aussi être réunis grâce à la télé-santé pour discuter d'un cas particulier. Concrètement, les spécialistes reçoivent par ordinateur l'image filmée de la situation qui pose problème et communiquent entre eux grâce à un système de réseau virtuel. «Le fonctionnement ressemble à celui des caméras Web, mais avec un système sécurisé qui protège la confidentialité de l'information clinique des patients», précise le Dr Gilles Pineau, chercheur consultant à l'Agence d'évaluation des technologies et des modes d'intervention en santé.

Des psychiatres peuvent aussi observer à distance les réactions des patients grâce à une caméra et assister ainsi les omnipraticiens en régions éloignées. En plus de rompre l'isolement, la télé-santé permet la réalisation d'économies majeures en évitant des déplacements.

Nouveaux besoins de main-d'œuvre

Grâce à l'informatisation du réseau de la santé, «les techniciens en informatique, les programmeurs, les ingénieurs informaticiens et les concepteurs auront une place de choix dans le secteur de la santé au cours des prochaines années», explique Daniel Jacques de l'AQESSS. Ils se chargent d'assurer la conception, le développement, le bon fonctionnement et la sécurité des outils technologiques utilisés. «On les trouve au sein du réseau public, mais aussi dans les entreprises québécoises qui mettent au point ces outils. Les établissements de santé prévoient consacrer une part de plus en plus importante de leur budget au développement et au soutien technologiques», conclut Daniel Jacques. ◉ 03/08

Les mots soulignés renvoient à des portraits de travailleurs (voyez l'index alphabétique pages 8 à 13).

Vers le dossier de santé informatisé

Avec le Dossier santé Québec (DSQ), tous les intervenants qui travaillent dans les établissements de santé de la province (cliniques, hôpitaux, CLSC, laboratoires, pharmacies, etc.) partageront bientôt les mêmes renseignements sur un patient. Ils trouveront dans le DSQ des résultats de tests de laboratoire, des radiographies et la liste des médicaments prescrits des patients ayant accepté de rendre ces renseignements disponibles. De cette façon, les médecins, les infirmières et les pharmaciens obtiendront toute l'information nécessaire pour offrir leurs soins. «Par exemple, un médecin qui doit savoir les médicaments pris par une personne âgée aura sa réponse dans le DSQ», illustre Lorraine Desjardins, responsable de la promotion du dossier santé au ministère de la Santé et des Services sociaux du Québec. «En ce moment, il demande au patient, qui ne sait pas toujours ce qu'il consomme.» Le projet pilote du DSQ débutera à l'été 2008 dans la Basse-Ville de Québec. Il doit par la suite s'étendre graduellement dans les autres régions de la province d'ici à 2010. (G. D.)

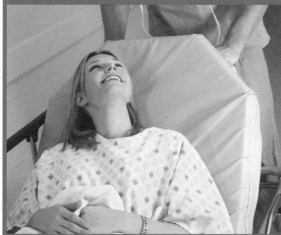

100 carrières de la santé et des services sociaux

Des **professions**
et des
témoignages

Œuvrer dans le domaine de la santé et des services sociaux permet d'évoluer dans des milieux de travail variés, auprès d'une clientèle diversifiée. Cliniques privées, laboratoires médicaux, centres hospitaliers, centres d'hébergement et de soins de longue durée, centres locaux de services sociaux, etc., sont autant d'avenues à explorer, selon ses goûts et ses aspirations.

En ce qui concerne la formation requise, là encore, les possibilités sont nombreuses : diplôme d'études professionnelles (DEP), diplôme d'études collégiales (DEC), baccalauréat, maîtrise ou doctorat en médecine suivi d'études spécialisées pour devenir médecin spécialiste.

Quelle que soit la voie qu'ils ont choisie, les professionnels de la santé estiment qu'il s'agit d'un milieu de travail stimulant offrant des carrières où les défis ne manquent pas.

Au fil des pages qui suivent, découvrez les témoignages de plus de 100 d'entre eux. Ils nous parlent de leurs tâches quotidiennes et de leur motivation au travail. Ils livrent aussi des conseils à la relève et partagent avec elle les principales étapes de leur parcours scolaire et professionnel.

PAGE 48 À 165 ❯

ASSISTANTE DENTAIRE
> en clinique privée

DES MILIEUX DE TRAVAIL POTENTIELS

> Cabinets de dentistes privés
> Cabinets de denturologistes privés
> Centres hospitaliers
> Cliniques dentaires (privées et publiques)
> Fabricants de produits dentaires
> Laboratoires dentaires

> MON TRAVAIL

Assistante dentaire au Centre dentaire Michel Perrier à Granby, Josée Davignon est en quelque sorte le bras droit du dentiste. Toujours à ses côtés, elle tente d'anticiper ses gestes et lui passe les instruments, tout en veillant au bien-être du patient. Elle explique aussi à ce dernier les plans de traitement prévus : orthodontie, traitement de canal, couronne, etc., «traduisant» pour le client les termes techniques employés par le dentiste.

Entre deux rendez-vous, Josée ne chôme pas, car elle doit désinfecter les salles opératoires et stériliser les instruments.

> MA MOTIVATION

«Au quotidien, ce que j'aime le plus, c'est le contact avec le patient, souligne Josée. Prenons l'exemple de quelqu'un qui nous arrive avec une bouche partiellement édentée ou gâtée. On lui fait des implants et des couronnes et il voit l'aspect de ses dents s'améliorer au fil des rendez-vous. C'est valorisant pour lui, mais ça l'est aussi pour nous!»

Quatre dentistes et trois hygiénistes travaillent au Centre dentaire Michel Perrier. C'est un défi pour Josée, qui doit s'adapter aux différentes personnalités. «Il est important d'être polyvalent et de se plier au style de chacun. Mais ça permet aussi d'éviter de tomber dans la routine.»

Les cliniques dentaires utilisent généralement de l'équipement extrêmement sophistiqué. «Dans notre domaine, la technologie évolue sans cesse. On est continuellement en formation, ce qui est très motivant. En plus d'assister à des cours, je dois aussi rester à jour, fouiller dans les livres ou appeler le fabricant pour m'assurer que j'utilise l'appareil comme il faut. C'est un défi quotidien.»

> MON PARCOURS

C'est la mère d'une amie, elle-même assistante dentaire, qui a transmis à Josée la piqûre du métier. «J'allais souvent à son cabinet et j'aimais beaucoup l'ambiance qui y régnait. Avant de choisir ma formation, j'ai passé trois mois en milieu de travail avec elle pour être certaine de ne pas me tromper.» Josée terminait alors une formation en sciences humaines au cégep. Qu'importe : son diplôme d'études collégiales en poche, elle s'est inscrite au Centre 24-Juin de Sherbrooke, où elle a obtenu son diplôme d'études professionnelles en assistance dentaire. Elle a obtenu son poste au Centre dentaire Michel Perrier à la fin de ses études.

> MON CONSEIL

La première règle de l'assistante dentaire, c'est évidemment d'avoir le sourire. «Il y a tant de gens qui craignent les visites chez le dentiste... Faire preuve d'entregent et sourire, ça les rassure et ça brise les barrières.» Il est également nécessaire d'être rapide, souligne Josée. «Après avoir reconduit le patient à la porte, il faut libérer et désinfecter la salle rapidement. Les pauses, on ne connaît pas! Même les heures de lunch peuvent être escamotées s'il y a des retards dans l'horaire.» 05/03

ASSISTANTE TECHNIQUE EN PHARMACIE
> en pharmacie

DES MILIEUX DE
TRAVAIL POTENTIELS

> Centres d'héberge-
  ment et de soins
  de longue durée
> Centres hospitaliers
> Pharmacies
  communautaires
> Pharmacies
  d'établissements
  de santé

> MON TRAVAIL

Sylvie Champagne est assistante technique à la Pharmacie Jean Coutu à Charny. «J'accueille les clients et je prends leur ordonnance pour l'entrer ensuite dans l'ordinateur et mettre leur dossier à jour.»

Elle prépare aussi les médicaments : elle peut notamment compter les comprimés, préparer des antibiotiques liquides ou des mélanges de crèmes. «Quand j'ai terminé, tout ce que le pharmacien a à faire est de vérifier mon travail, de s'assurer que les doses sont exactes et de donner les conseils au client.»

En examinant le dossier du patient, elle vérifiera qu'il n'y a pas d'interaction entre l'ordonnance et d'autres médicaments qu'il pourrait déjà prendre. Le cas échéant, elle en avisera le pharmacien. «Même si je ne prodigue pas de conseils, mon travail comporte une grande part de responsabilités», dit-elle.

> MA MOTIVATION

Il y a quelques années, Sylvie travaillait dans une pharmacie d'hôpital et traitait uniquement avec des infirmières et des médecins. «Aujourd'hui, j'apprécie beaucoup de travailler directement avec les clients. J'ai l'impression de pouvoir contribuer à alléger leurs souffrances.»

Pour elle, chaque patient est un nouveau défi. «Il arrive que certains soient mécontents, qu'ils se plaignent du coût des médicaments. Mais à l'inverse, d'autres sont satisfaits et nous remercient. C'est grâce à eux qu'on aime notre travail.»

Une pharmacie de la taille de celle où travaille Sylvie prépare entre 400 et 500 ordonnances par jour. «Ça roule vite, et il faut une bonne entente dans l'équipe pour travailler efficacement.»

> MON PARCOURS

Sylvie a obtenu en 1998 son diplôme d'études profession-nelles en assistance technique en pharmacie au Centre de formation professionnelle du Fierbourg. Peu de temps après, elle décrochait un poste dans une pharmacie. «Je n'ai pas arrêté de travailler depuis. J'ai œuvré pour diverses bannières de pharmacies, puis dans une pharmacie d'hôpital, et enfin chez Jean Coutu.»

> MON CONSEIL

Attentif, méticuleux, ordonné : si vous n'avez pas ces qualités, ne songez pas à faire ce métier, affirme Sylvie Champagne. «Il faut avoir une méthode de travail et être précis. Ça se comprend, on travaille avec des médicaments. Les erreurs peuvent avoir de lourdes conséquences.»

La formation n'est pas obligatoire pour occuper un poste d'assistant technique en pharmacie, mais Sylvie la recommande vivement. «Le salaire est meilleur si vous êtes formé, mais surtout, vous aurez appris la composition de certains médicaments et les rudiments du fonctionnement des assurances-médicaments.» 05/03

49

AUXILIAIRE FAMILIALE ET SOCIALE
> en centre local de services communautaires

> MON TRAVAIL

Les courses, la lessive, la popote : pour le commun des mortels, ce sont là des corvées, mais pour certaines personnes, il s'agit carrément de tâches insurmontables. Christine Arseneault, du Centre local de services communautaires du Grand Chicoutimi, a pour rôle de leur faciliter la vie.

«J'aide des personnes et des familles en difficulté qui ont besoin de soutien dans diverses tâches du quotidien», explique-t-elle. Sa clientèle est surtout constituée de gens malades, âgés, handicapés (physiquement ou intellectuellement) ou ayant des problèmes d'ordre social.

«Je vais les visiter, voir comment ils vont. Selon les besoins, je prépare leur nourriture, je fais leur entretien ménager, je les aide à faire leur toilette ou je les accompagne chez le médecin ou à la banque. Mais surtout, je les écoute et leur apporte du soutien!»

> MA MOTIVATION

«Quand je suis dans une résidence, avec du mobilier non adapté aux besoins particuliers des personnes que j'aide [sauf pour le bain], je suis seule pour trouver les solutions, raconte Christine. C'est quand j'arrive sur place que je sais ce qui m'attend. Car, contrairement au milieu hospitalier où tout est standardisé, il n'y a pas deux cuisines pareilles, pas deux où on range la farine au même endroit. Toute ma débrouillardise est sollicitée, et ça, j'aime ça!

«J'ai eu à aider une personne à organiser son déménagement, poursuit-elle. Ça veut dire l'aider à visiter des logements, à établir le budget, à préparer des boîtes, etc. Mais ce que je fais, je le fais toujours avec les personnes, jamais à leur place.»

Au bout du compte, c'est l'aspect humain qui tient le plus à cœur à Christine. «Quand je vais préparer à manger pour quelqu'un, je peux y passer deux ou trois heures. En plus de lui rendre service, je l'écoute, je lui tiens compagnie. C'est particulièrement gratifiant comme travail.»

> MON PARCOURS

Christine était technicienne dans un laboratoire dentaire quand elle a commencé à éprouver des ennuis de santé à cause des produits chimiques. À 40 ans, elle a donc quitté son emploi et réorienté sa carrière. C'est à L'Oasis de Chicoutimi qu'elle a obtenu un diplôme d'études professionnelles en assistance familiale et sociale aux personnes à domicile.

> MON CONSEIL

«Bien qu'on ne soigne pas, il faut avoir une connaissance de base des maladies les plus courantes, comme le diabète ou l'emphysème, affirme Christine. C'est essentiel pour savoir ce que l'on doit observer chez ceux qu'on va visiter et pour avoir le bon réflexe.» Par exemple, une personne qui éprouve de la difficulté à respirer peut souffrir de simples allergies, mais aussi de problèmes plus sérieux. «Si je sais qu'elle fait de l'emphysème, j'ai conscience que ça peut être très grave et que je dois réagir.» Ce travail exige beaucoup de patience, de débrouillardise, de jugement et d'équilibre psychologique. «Il faut vraiment aimer aider les autres, les respecter, et être discret en tout temps.» 06/03

INFIRMIÈRE AUXILIAIRE
> en milieu hospitalier

DES MILIEUX DE
TRAVAIL POTENTIELS

> Centres d'héberge-
  ment et de soins
  de longue durée

> Centres hospitaliers

> Centres locaux de
  services communau-
  taires (CLSC)

> Centres psychiatriques

> Cliniques médicales

> Domicile des
  bénéficiaires dans
  le cadre des services
  offerts par les CLSC

> MON TRAVAIL

Vous souvenez-vous de la dernière grippe qui vous a cloué au lit? Rien que marcher vers la salle de bains vous semblait plus épuisant qu'un trek en montagne. Imaginez alors ce que ressentent les personnes hospitalisées. Dans leur situation, savoir que quelqu'un est là pour veiller sur elles est pour le moins reposant. «Dès qu'on entre dans leurs chambres, les patients sont contents de nous voir», clame Julie Inkel, infirmière auxiliaire à l'Hôpital Charles-LeMoyne, de Longueuil. Nous ne faisons pas seulement partie de l'équipe de santé, nous sommes aussi des confidents, des oreilles attentives.» Lors de chaque visite, Julie mesure la tension artérielle du patient, prend sa température et son pouls, change ses pansements, l'aide à s'habiller ou à se laver, en plus de s'assurer qu'il prend ses médicaments. Elle surveille également tout changement dans sa condition pour informer les autres membres de l'équipe, comme les infirmières et les médecins.

> MA MOTIVATION

«Nous avons un contact privilégié avec les patients; parce que nous sommes moins intimidants pour eux qu'un médecin, ils se confient davantage à nous. En fin de traitement, certains nous offrent des cadeaux, des cartes de remerciement.»

Selon ses observations, les gens croient à tort que les infirmiers auxiliaires travaillent uniquement dans les centres d'hébergement et de soins de longue durée. «Ce métier nous permet de toucher à toutes sortes de domaines et de clientèles, ce qui est très stimulant. Les tâches varient selon qu'on travaille, par exemple, en chirurgie ou en orthopédie.

«Présentement, je suis affectée en psychiatrie, et ma description de tâches inclut davantage de relation d'aide. C'est très valorisant. Lorsque je travaillais auprès des nouvelles mamans, c'était différent. Je donnais davantage de conseils, par exemple sur l'allaitement.»

> MON PARCOURS

Après son diplôme d'études professionnelles en santé, assistance et soins infirmiers au Centre de formation professionnelle Pierre-Dupuy (rebaptisé École des métiers des Faubourgs de Montréal), Julie a fait ses premières armes à la Résidence De Longueuil, un centre d'accueil privé. Par la suite, elle a été embauchée à l'Hôpital Charles-LeMoyne, où elle a d'abord travaillé auprès des femmes enceintes, des nouvelles mamans, des poupons et des jeunes enfants. Puis, elle a fait partie de l'**équipe volante** affectée à l'ensemble des unités de soins de l'Hôpital, jusqu'à ce que l'unité de psychiatrie la prenne sous son aile.

> MON CONSEIL

Bien réagir aux situations d'urgence et gérer efficacement son stress est primordial, selon Julie. Car à toute heure, un patient peut voir sa condition physique se détériorer très rapidement. «Personnellement, je pratique divers sports pour garder la forme. C'est bon pour contrer le stress, mais aussi pour affronter les longues journées debout.» 04/03

Les mots en caractères **gras** sont définis dans le glossaire (p. 166 à 172).

51

PRÉPOSÉE AUX BÉNÉFICIAIRES
› en centre d'hébergement et de soins de longue durée

DES MILIEUX DE TRAVAIL POTENTIELS

› Centres de réadaptation

› Centres d'héberge-ment et de soins de longue durée

› Centres hospitaliers

› Centres psychiatriques

› MON TRAVAIL

Cynthia Legault est préposée aux bénéficiaires au Centre d'hébergement et de soins de longue durée (CHSLD) Les Eskers, à Amos. Elle prodigue à ses patients, des personnes âgées en perte d'autonomie, tous les soins dont ils ont besoin en matière de confort, d'hygiène, d'alimentation ou de déplacement.

«Je m'occupe d'abord de leur toilette et leur donne un bain ou une douche. Ensuite je les habille et les fais manger. Puisqu'il s'agit de personnes à la mobilité réduite, je dois moi-même les changer de position pendant que j'effectue ces tâches. Je suis aussi chargée de donner certains traitements, appliquer des onguents par exemple.»

Cynthia ne voit pas uniquement au bien-être physique des bénéficiaires. «Ils veulent aussi parler, se confier, avoir de la compagnie. Ce n'est pas toujours facile de trouver le temps pour s'acquitter de toutes ces tâches...»

› MA MOTIVATION

Cynthia apprécie la compagnie des personnes âgées. «J'aime les aider, leur rendre service et voir leurs visages s'éclairer d'un sourire. C'est valorisant de sentir qu'un petit geste, une attention ou de l'écoute de notre part peut leur apporter un peu de joie.»

Elle avoue toutefois qu'il n'est pas toujours facile de côtoyer quotidiennement la souffrance. «J'ai fini par me forger une carapace. Cela me permet de garder une certaine distance émotionnelle.»

En évoluant avec des personnes en perte d'autonomie, Cynthia a dû aussi relever un défi personnel : apprendre la patience. «On aimerait parfois aller plus vite, mais il faut respecter le rythme de chacun. J'ai dû m'adapter à cette réalité et mettre un frein à mes élans!»

› MON PARCOURS

Après avoir décroché son diplôme d'études professionnelles en assistance aux bénéficiaires en établissement de santé au Centre de formation Harricana à Amos, Cynthia n'a mis que deux jours à dénicher son emploi. «J'avais réalisé mon stage au CHSLD Les Eskers, et dès que j'ai obtenu mon diplôme, on m'a offert un poste. Je n'ai même pas eu à envoyer des curriculum vitæ ou à chercher un travail.»

› MON CONSEIL

«Il n'est pas toujours facile de travailler dans un milieu où les gens souffrent physiquement et quelquefois moralement. Plusieurs bénéficiaires se sentent seuls, isolés. Le préposé doit apprendre à garder son optimisme.»

Selon Cynthia, avant d'opter pour ce métier, on devrait s'informer sur le milieu de travail dans lequel on devra évoluer. Elle estime en effet que ce dernier ne conviendra pas nécessairement aux personnes trop sensibles.

Il faut aussi être à l'aise au sein d'une équipe de travail, car plusieurs intervenants œuvrent auprès des bénéficiaires : médecins, infirmières, etc. «Mais cela ne doit pas nous empêcher de donner notre opinion au sujet de l'état de santé des patients. Nous les connaissons bien et sommes proches d'eux.» 09/03

SECRÉTAIRE MÉDICALE
> en centre local de services communautaires

DES MILIEUX DE
TRAVAIL POTENTIELS

> Cabinets de
chirurgiens privés

> Cabinets de
dentistes privés

> Cabinets de
médecins privés

> Centres hospitaliers

> Centres locaux
de services
communautaires

> MON TRAVAIL

Danielle Vaillancourt est secrétaire médicale au Centre local de services communautaires (CLSC) du Marigot, à Laval. Elle travaille au Service de maintien à domicile et s'occupe d'une clientèle qui demande beaucoup d'encadrement, notamment des patients atteints du sida ou des personnes présentant des déficiences intellectuelles.

Elle passe une grande partie de ses journées au téléphone. «Je parle avec les patients et je résume ensuite leurs besoins aux médecins...» Il peut s'agir, par exemple, d'un renouvellement d'ordonnance ou d'une demande de consultation. Et à l'inverse, elle transmet aussi les demandes des médecins aux patients, entre autres lorsqu'il y a des résultats de tests à communiquer. «Mais, souvent, mon rôle consiste simplement à écouter et à réconforter un patient qui appelle parce qu'il s'inquiète de son état.

«C'est sûr que le travail est différent dans une clinique privée, où la prise de rendez-vous et la facturation prennent plus d'importance, poursuit-elle. Au Service de maintien à domicile, j'ai un contact serré avec la clientèle puisque je la côtoie régulièrement.»

> MA MOTIVATION

Naturellement empathique, dotée d'une grande capacité d'écoute, Danielle se dit motivée par le fait de soulager les patients. «J'aime la relation d'aide. C'est d'ailleurs ce qui m'a attirée dans ce métier : j'aime être utile, apporter du réconfort. Mais il serait faux de dire que j'ai toujours le sourire. Quand les patients m'appellent, c'est souvent parce qu'ils ne vont pas bien. Mon défi est de contribuer à faire en sorte qu'ils se portent mieux.

«Côtoyer les médecins est tout aussi stimulant, ajoute la secrétaire médicale. Ils sont présents, accessibles; je peux parler avec eux. J'aime beaucoup ce contact.»

> MON PARCOURS

Danielle a étudié en sciences humaines au Cégep de Rosemont avant de se tourner vers le secrétariat. «Comme secrétaire, j'ai toujours travaillé dans le domaine de la santé, en assistance médicale internationale, puis dans une clinique privée.» C'est après s'être retrouvée sans emploi qu'elle s'est inscrite à une formation d'un an en secrétariat médical offerte par le Centre d'emploi de Saint-Eustache. Après un stage de quelques mois au CLSC de Saint-Eustache, elle a obtenu son emploi actuel.

> MON CONSEIL

«La principale qualité d'une secrétaire médicale est la discrétion, affirme Danielle. On gère des données confidentielles et on sait plein de choses sur des gens. C'est très important de ne pas dévoiler ces renseignements.» Évidemment, ce travail exige beaucoup de patience et de capacité d'écoute. «Quand on parle au téléphone avec un patient en phase terminale ou avec un toxicomane, il faut savoir quoi dire, jusqu'où aller.»

Enfin, avoir une bonne attitude est essentiel. «Dans ce métier, le savoir-être est aussi important que le savoir-faire.» 09/03

53

ACUPUNCTRICE
> en clinique privée

> MON TRAVAIL

Parmi les moyens d'intervention thérapeutique de la médecine traditionnelle chinoise, l'acupuncture est sans doute la plus connue. Pour les acupuncteurs, une maladie est un déséquilibre de l'énergie.

«Avec les aiguilles, on rétablit l'équilibre de la circulation énergétique», explique Nancy Deschênes, acupunctrice à la Clinique médicale Chemin Saint-Jean, à La Prairie.

La technique de base consiste à introduire des aiguilles métalliques très fines dans des points précis du corps, afin de diriger adéquatement l'énergie vitale. Il existe 365 points, situés sur les **méridiens**.

«Les chercheurs ont remarqué qu'à la suite d'un traitement, le corps sécrète plus d'endorphine, la circulation sanguine augmente localement et les muscles sont plus détendus, précise Nancy. Comme l'endorphine est une sorte de morphine naturelle, cela pourrait expliquer scientifiquement l'efficacité de l'acupuncture pour contrer la douleur, l'anxiété, etc.»

> MA MOTIVATION

En acupuncture, on évalue les patients de façon globale. «Si quelqu'un vient me voir pour un mal de cou, je vais considérer la douleur mais aussi prendre en compte sa santé en général», note Nancy. Elle apprécie cette façon de faire qui lui paraît plus complète.

En outre, le fait de rencontrer les malades sur une longue période – en moyenne, un traitement peut durer de 6 à 10 semaines, à raison d'une fois par semaine – permet également d'établir un lien de confiance avec eux.

Nancy ne voit pas le jour où elle aura fini d'apprendre dans son domaine. «Il y a les enseignements chinois, mais les Vietnamiens, les Coréens et les Japonais ont eux aussi développé leurs propres techniques.»

> MON PARCOURS

Après une formation collégiale en sciences humaines au Cégep Édouard-Montpetit, Nancy s'est inscrite à l'Université de Montréal. Elle y a fait deux années d'études, l'une en linguistique, l'autre en sociologie. Mais l'acupuncture a piqué sa curiosité, et c'est au Cégep de Rosemont qu'elle a par la suite obtenu son diplôme d'études collégiales en acupuncture. Nancy est membre de l'Ordre des acupuncteurs du Québec. Elle a aussi fait une mineure en psychologie. En ajoutant ce diplôme à ses deux autres années universitaires, elle a ainsi pu décrocher un baccalauréat.

> MON CONSEIL

Dans ce métier, avoir l'esprit ouvert est essentiel, estime Nancy. «L'acupuncture n'est pas une science exacte, il faut être capable d'accepter que l'on pratique une médecine qui n'est pas du tout précise. On a beaucoup de marge de manœuvre dans nos protocoles de traitement. Le résultat peut sembler mystérieux. On doit accepter des choses qui ne sont pas toujours compréhensibles pour nous, Occidentaux», souligne Nancy. 05/03

Les mots en caractères **gras** sont définis dans le glossaire (p. 166 à 172).

ARCHIVISTE MÉDICALE
› en milieu hospitalier

DES MILIEUX DE TRAVAIL POTENTIELS

› Bureaux de coroners
› Cabinets d'avocats spécialisés en droit médical
› Centres de recherche en épidémiologie
› Centres hospitaliers
› Centres locaux de services communautaires
› Compagnies pharmaceutiques

› MON TRAVAIL

Un patient entre à l'urgence. Un médecin établit un diagnostic et décide d'une intervention chirurgicale. Le patient est opéré, puis récupère, prend des médicaments et reçoit son congé. Toutes ces étapes produisent de la paperasse, constituant un dossier qui aboutit entre les mains de l'archiviste médicale.

«Chaque jour, les infirmières prennent des notes, les médecins rédigent des ordonnances, et tout se retrouve au dossier. Plus un séjour à l'hôpital se prolonge et plus le dossier s'épaissit», explique France Côté, archiviste médicale au Centre hospitalier Pierre-Le Gardeur de Repentigny.

Le travail de base de l'archiviste consiste à coder en chiffres : à chaque symptôme, maladie, médicament, etc., correspond un code qui sera inscrit au dossier. Elle est également chargée d'analyser les dossiers pour s'assurer qu'ils sont complets.

Les archivistes peuvent aussi gérer la divulgation d'informations, par exemple entre les hôpitaux où une personne a été traitée. «Je suis la gardienne de la confidentialité, précise France. Le patient doit donner son consentement avant que nous puissions fournir l'accès aux renseignements contenus dans son dossier.»

› MA MOTIVATION

«J'ai toujours été attirée par la médecine et par ce qui touche à la gestion des documents, confie France. C'est sûr qu'il y a moins de papier de nos jours, car les dossiers sont de plus en plus numérisés. Mais cela demeure quand même intéressant de suivre l'évolution d'un patient.»

La codification et l'analyse des dossiers sont des tâches routinières. Pour briser cette monotonie, France participe aux travaux de deux comités de recherche médicale, sur la **bioéthique** et la **traumatologie**. Elle est d'ailleurs responsable du «registre de trauma», c'est-à-dire des statistiques sur les patients accidentés soignés à l'Hôpital Pierre-Le Gardeur. Elle apprécie beaucoup cet aspect de son travail, qui permet de varier ses tâches.

› MON PARCOURS

France a longtemps œuvré dans le secteur de l'agriculture. Forcée d'interrompre ses études dans sa jeunesse, elle s'était promis de retourner sur les bancs de l'école, plus particulièrement dans le domaine de la santé. Entre 1995 et 1998, elle a suivi les cours du soir en archives médicales au Collège de l'Assomption, où elle a eu son diplôme d'études collégiales. Il lui a fallu ensuite quelques mois pour obtenir un poste à l'Hôpital Royal-Victoria à Montréal, puis à Pierre-Le Gardeur.

› MON CONSEIL

«Quand on commence dans le métier, on fait beaucoup de codification. C'est seulement avec les années qu'on nous confie davantage de responsabilités, comme la participation à des comités de recherche», remarque France. Ses camarades de classe ont parfois déchanté une fois sur le terrain, les tâches quotidiennes ne coïncidant pas avec l'idée qu'ils s'étaient fait de la profession. Il faut aussi savoir que les contacts avec les patients sont rares, sauf quand ils se déplacent eux-mêmes aux archives d'un hôpital pour obtenir une information sur leur dossier. 05/03

Les mots en caractères **gras** sont définis dans le glossaire (p. 166 à 172).

AUDIOPROTHÉSISTE
> en clinique privée

> MON TRAVAIL

«Les gens arrivent à moi avec un problème d'audition et repartent avec un outil pour améliorer leur communication et leur qualité de vie», explique avec fierté Dominique Landry, audioprothésiste.

Quand Dominique reçoit un patient à sa clinique privée, elle prend d'abord connaissance de l'**audiogramme**, réalisé par l'**audiologiste**, et du certificat médical émis par l'**oto-rhino-laryngologiste (ORL)**. Puis elle discute avec le patient de ses difficultés auditives au quotidien et choisit le type d'**aide auditive** qui lui convient le mieux. Elle examine ensuite ses oreilles et prend leur empreinte au moyen d'une pâte en silicone. Les empreintes sont expédiées chez un manufacturier, qui fabriquera la prothèse requise.

Une fois l'appareil auditif reçu à la clinique, Dominique le prépare ou le programme (s'il s'agit d'un modèle à commande numérique) et l'ajuste aux oreilles du patient, auquel elle donnera enfin des instructions et des conseils pour bien utiliser la prothèse auditive. Si son travail s'effectue surtout auprès de personnes malentendantes, Dominique intervient aussi dans le domaine de la prévention, en procurant des protecteurs auditifs personnalisés à des travailleurs exposés au bruit.

> MA MOTIVATION

L'audioprothésiste apprécie particulièrement la relation d'aide qu'elle crée avec chaque patient. Pour déterminer quel appareil auditif répond le mieux aux besoins d'une personne, elle doit considérer non seulement la sévérité de sa surdité, mais aussi ses activités et sa dextérité (on ne recommande pas un appareil compliqué à manipuler à une personne ayant des problèmes de motricité fine). Le choix ainsi posé est déterminant pour le confort du patient et la qualité de son gain auditif.

Pour elle, l'un des plus grands plaisirs du métier est sa pratique avec les enfants. Son plus jeune patient n'avait que 18 mois. «Avec les enfants, bien choisir et ajuster l'appareil ne va pas de soi. Le jeune patient ne peut répondre aux questions. Et il faut aussi faire un travail de psychologie avec les parents, qui doivent faire un deuil face à la déficience auditive de leur enfant.»

> MON PARCOURS

Déjà, au secondaire, Dominique savait que le domaine de la santé l'intéressait. Au bout de deux ans en techniques d'inhalothérapie au Cégep de Rosemont, elle a décidé de bifurquer vers le programme d'audioprothèse avant de décrocher son diplôme d'études collégiales dans cette discipline. Elle a exercé à Montréal dans une clinique privée à titre de salariée avant de retourner dans son Sept-Îles natal pour ouvrir son propre bureau.

> MON CONSEIL

La technologie évolue rapidement dans ce secteur. Par exemple, il existe maintenant des appareils auditifs programmables à commande numérique. Dominique estime donc qu'il est important de lire et de suivre des formations continues afin de bien connaître l'évolution des appareils auditifs ainsi que les différentes méthodes d'appareillage. Par ailleurs, le métier suppose que l'on aime le contact avec les aînés, qui constituent la plus grande partie de la clientèle. 06/03

Les mots en caractères **gras** sont définis dans le glossaire (p. 166 à 172).

CYTOLOGISTE
› en milieu hospitalier

DES MILIEUX DE TRAVAIL POTENTIELS

- Centres de recherche
- Centres hospitaliers
- Établissements d'enseignement
- Laboratoires privés

› MON TRAVAIL

Pour dépister le cancer du col de l'utérus, le médecin prélève des cellules dans le col lors de l'examen gynécologique et les dépose sur une lame de verre en vue de l'analyse en laboratoire.

Cindy Chartrand, cytologiste au Centre hospitalier régional de Lanaudière, reçoit ces spécimens et procède aux examens des échantillons. «Les cliniques nous font parvenir des lames sur lesquelles ont été étalées des sécrétions. Par différentes techniques de coloration, nous préparons les spécimens qui devront être étudiés au microscope. Après analyse des prélèvements, toute anomalie est signalée aux pathologistes avec qui nous travaillons en étroite collaboration.»

La majorité des cytologistes travaillent au sein des centres hospitaliers. Les centres privés de dépistage du cancer, les centres de recherche et les universités embauchent également ces spécialistes.

› MA MOTIVATION

«J'adore regarder dans l'œil du microscope et utiliser mon discernement pour reconnaître les bonnes cellules et les mauvaises», explique Cindy. Dans le doute, elle consulte les ouvrages de référence et partage ensuite le résultat de ses recherches avec ses collègues cytologistes. «J'aurais pu être technicienne de laboratoire médical, mais le contact étroit et constant avec le public qu'exigent les prélèvements de sang et d'urine, combiné à un horaire de travail irrégulier ne me tentaient pas. Je préfère nettement travailler dans un laboratoire avec des machines et regarder dans les microscopes. L'horaire est aussi beaucoup plus régulier et me convient davantage.»

Et pour contrer le côté monotone des tâches, le personnel travaille en alternance. «Une semaine sur quatre, on est chargé de la coloration de spécimens. Durant les trois autres, on est au microscope.»

› MON PARCOURS

Après son diplôme d'études collégiales en technique d'analyses biomédicales au Collège de Saint-Jérôme, Cindy a obtenu une attestation d'études collégiales au Collège de Rosemont en cytotechnologie. «On apprend d'abord la théorie sur le système génital féminin, puis on passe aux travaux pratiques pour apprendre à distinguer les cellules normales des cellules anormales.» À la fin de sa formation, Cindy a effectué un stage à l'Hôpital Notre-Dame et a ensuite rapidement décroché son emploi au Centre hospitalier régional de Lanaudière.

› MON CONSEIL

Ceux qui optent pour cette carrière doivent avoir un intérêt marqué pour la biologie, en particulier pour l'étude des cellules du corps humain. «Il faut maîtriser parfaitement la théorie pour être en mesure de porter un jugement approprié dans la pratique.» Cindy encourage les personnes ordonnées et minutieuses à opter pour ce métier. «Mais il est préférable d'avoir une nature patiente, car on doit rester longtemps assis au microscope à examiner des échantillons», souligne-t-elle. 05/03

DENTUROLOGISTE
› en clinique privée

› MON TRAVAIL

Josée Bouthillier est propriétaire de sa propre clinique de denturologie. Elle rencontre les clients et évalue leurs besoins en matière de prothèses dentaires. «Je procède à un examen buccal et je fais remplir un questionnaire médical pour savoir si la personne souffre de problèmes digestifs ou de maux de tête, par exemple. Ces troubles peuvent en effet être causés par une prothèse inadéquate.»

Josée conseille alors au client la sorte de prothèse qui répondrait à ses besoins. Puis elle passe à l'étape de fabrication. «Je prends d'abord les empreintes de la gencive et j'en fais un moule. À partir de là, je fabrique la prothèse avec de l'acrylique, et j'y insère les fausses dents. Ensuite, je procède à la cuisson, ce qui permet aux dents de rester en place. Enfin le client essaie la prothèse, et on procède aux ajustements si nécessaire. Pour franchir toutes ces étapes, il faut compter environ cinq visites.»

› MA MOTIVATION

Josée confie qu'elle a en elle un côté artistique qui est comblé par son métier. En effet, créer une prothèse dentaire relève aussi de l'art!

«Je ne connais pas la routine, car il n'y a pas deux bouches semblables. Chaque cas est unique. Il y a souvent des défis intéressants à relever, par exemple une personne qui a eu un accident et dont la dentition est très abîmée. Il n'est pas facile de créer une prothèse adaptée aux besoins de chacun. Il faut changer les règles de l'art et savoir s'adapter. C'est très stimulant.

«On doit aussi se plier aux demandes des clients et faire preuve de diplomatie», poursuit-elle. En effet, certains peuvent avoir des demandes difficiles à réaliser ou qui ne conviennent tout simplement pas à leur bouche. «Il faut le leur faire comprendre sans froisser les susceptibilités.»

› MON PARCOURS

Après avoir obtenu un diplôme d'études collégiales en techniques de denturologie au Cégep Édouard-Montpetit, Josée a travaillé dans une clinique privée. Puis, désireuse d'avoir son propre cabinet, elle a contacté plusieurs denturologistes qui approchaient de l'âge de la retraite. «C'est ainsi que j'ai pu racheter une clinique et sa clientèle. C'est un très grand avantage, car je n'ai pas eu à monter toute une banque de clients. Quand on part de zéro, cela peut prendre au moins de quatre à cinq ans.»

› MON CONSEIL

Josée estime que pour faire sa place au soleil dans ce métier, il faut être fonceur. «Au début, ce n'est pas facile de monter sa clientèle. Comme une prothèse dure au moins cinq ans et que la plupart des personnes étirent cette période jusqu'à dix ans, il faut avoir une bonne quantité de clients pour réussir à vivre convenablement.»

Josée précise également qu'il est très important de se tenir à jour. D'ailleurs, l'Ordre des denturologistes du Québec suggère à ses membres de suivre régulièrement de la formation continue. 07/03

HYGIÉNISTE DENTAIRE
> en clinique privée

DES MILIEUX DE TRAVAIL POTENTIELS

> Cabinets de dentistes
> Centres hospitaliers
> Centres locaux de services communautaires
> Cliniques d'orthodontie ou de parodontie

> MON TRAVAIL

Une visite chez le dentiste équivaut à une visite chez l'hygiéniste dentaire, car l'un ne va pas sans l'autre. «L'hygiéniste prend des radiographies des dents et procède au détartrage, communément appelé nettoyage des dents. Il y a aussi tout l'aspect de la prévention et de l'éducation, car on explique aux patients comment ils pourraient améliorer leur santé buccale», précise Martine Daneault, hygiéniste dentaire pratiquant à la Clinique dentaire BPST à Sainte-Foy.

Les dentistes délèguent aussi aux hygiénistes un certain nombre de tâches. Les fonctions de ces derniers varient donc d'un environnement de travail à l'autre. Pour sa part, Martine peut mesurer les poches parodontales, c'est-à-dire la perte d'os autour des dents. D'autres pourraient effectuer l'insertion des **obturations** (plombages) dans les dents ou encore réaliser des travaux en laboratoire, comme couler un modèle en plâtre.

> MA MOTIVATION

L'hygiéniste a tout le loisir de s'entretenir avec le patient, d'apaiser ses craintes et d'établir avec lui une relation de confiance. «J'aime le contact avec la clientèle. On revoit les mêmes personnes régulièrement et on peut ainsi suivre des changements dans leur vie. Par exemple, une patiente qui était enceinte revient en nous racontant qu'elle a accouché d'un petit garçon et nous demande des conseils d'hygiène pour son poupon.

«En cabinet privé, plus le dentiste nous confie de tâches, plus c'est intéressant», souligne Martine. Son rêve : travailler dans un CLSC avec les enfants. «J'adore le contact avec les jeunes. Ce serait une évolution intéressante dans ma carrière, car un hygiéniste dentaire œuvrant en CLSC va dans les écoles et fait de la prévention, de l'éducation et du dépistage.»

> MON CONSEIL

Aux personnes intéressées, Martine recommande de réaliser un court stage d'observation en milieu de travail. «Pour avoir une idée plus juste de cette profession et voir comment ça se passe réellement, on peut demander à son dentiste ou à son hygiéniste de l'accompagner une demi-journée en clinique.»

Bien que Martine juge que sa formation a été d'une grande qualité, «la réalité du marché du travail réserve toujours des surprises... des bonnes et des moins bonnes. À ce chapitre, en clinique privée, on doit prendre ses vacances en même temps que le dentiste.» Par ailleurs, Martine estime que sa profession est très valorisante, car elle permet d'améliorer la santé buccodentaire des gens ainsi que leur santé globale. 08/03

> MON PARCOURS

Martine a obtenu un diplôme d'études collégiales en techniques d'hygiène dentaire au Cégep de Saint-Hyacinthe. Par la suite, elle n'a pas eu de difficulté à dénicher un emploi dans cette clinique de Sainte-Foy.

Les mots en caractères **gras** sont définis dans le glossaire (p. 166 à 172).

INFIRMIER EN SOINS DE LONGUE DURÉE
› en milieu hospitalier

DES MILIEUX DE TRAVAIL POTENTIELS

› Centres d'héber- gement et de soins de longue durée
› Centres hospitaliers
› Centres locaux de services commu- nautaires
› Cliniques privées
› Service Info-santé

› MON TRAVAIL

Infirmier du programme de **soins de longue durée** de l'Hôpital Notre-Dame de la Merci à Montréal, Daniel Desjardins distribue les médicaments aux patients, fait les pansements et, à l'occasion, administre les soins de base, par exemple les soins d'hygiène corporelle. Il voit aussi aux traitements spéciaux, comme la **dialyse**.

En tant que chef d'équipe et assistant chef d'unité, il planifie le travail d'un groupe d'employés composé de ses collègues infirmiers, de préposés aux bénéficiaires et de commis.

Cette équipe suit de près les patients dont elle est responsable. «Nous élaborons des plans de soins, explique Daniel. Par exemple, pour une personne qui a mal aux jambes, on peut en venir à la conclusion, après avoir étudié son cas, qu'il lui serait bénéfique de recevoir des soins d'un physiothérapeute ou d'un ergothérapeute.»

› MA MOTIVATION

Daniel, qui aime le travail physique et le contact avec le public, se sent bien dans le milieu hospitalier. Toutefois, son poste aux soins de longue durée le confronte à une réalité particulière du métier. «Contrairement au personnel infirmier qui s'occupe d'une clientèle régulière, je ne peux pas vraiment espérer une guérison de mes patients. Mon objectif premier est donc de les soulager. Certains ont passé les 30 dernières années de leur vie à l'hôpital. C'est bien différent des gens qui y entrent pour subir une opération.»

Daniel apprécie également la confiance que les médecins lui accordent quand ils lui demandent son avis au sujet de certains patients. «J'ai l'impression de faire le lien entre les patients et ceux qui prennent les décisions quant aux traitements. C'est stimulant et valorisant.»

› MON PARCOURS

Avant d'être infirmier, Daniel a été préposé aux bénéficiaires pendant sept ans à l'Hôpital de Gatineau. Après avoir étudié la sociologie à l'Université d'Ottawa et le travail social à l'Université du Québec à Hull, il a finalement décidé d'entreprendre un diplôme d'études collégiales en soins infir- miers au Collège de l'Outaouais. «Mon expérience en tant que préposé aux bénéficiaires m'a apporté une belle base pour le travail que je fais aujourd'hui», conclut-il.

› MON CONSEIL

Daniel avoue qu'il a énormément appris sur le tas. «C'est un milieu qui bouge beaucoup. Il faut donc s'adapter rapidement. Par exemple, certains médicaments que j'administrais à mes débuts n'existent plus aujourd'hui, tandis que de nouveaux ont fait leur apparition sur le marché. La façon de faire les pansements a aussi changé.» La capacité de prendre des décisions tout seul est également à cultiver, mais cela ne s'apprend pas forcément sur les bancs de l'école. 08/03

Les mots en caractères **gras** sont définis dans le glossaire (p. 166 à 172).

INHALOTHÉRAPEUTE
> en milieu hospitalier

DES MILIEUX DE TRAVAIL POTENTIELS

> Centres d'héber-gement et de soins de longue durée
> Centres hospitaliers
> Centres locaux de services communautaires
> Domicile des patients

> MON TRAVAIL

Quiconque éprouve de grandes difficultés à respirer remet sa vie entre les mains de l'inhalothérapeute, un spécialiste de l'aide respiratoire. Cette profession est large-ment mécanisée, puisque la respiration de certains patients – sous anesthésie, notamment – est entièrement contrôlée par des appareils.

Fannie Clément est inhalothérapeute au Centre hospitalier de l'Université Laval (CHUL). «L'inhalothérapie est présente partout dans l'hôpital : au bloc opératoire pour assister l'anesthésiologiste, pour toutes les opérations de surveillance du patient lorsqu'il est endormi, aux soins intensifs, à l'unité néonatale pour les grands prématurés, etc. C'est vraiment interdisciplinaire. On travaille avec les infirmières et les médecins.»

> MA MOTIVATION

Fannie apprécie particulièrement la polyvalence de cette profession. «L'inhalothéra-peute peut travailler dans plusieurs services d'un hôpital, dans les laboratoires de diagnostic pulmonaire, les cliniques du sommeil, etc. On en trouve aussi dans les CLSC, dans le cadre du service à domicile des malades chroniques qui ne peuvent respirer par eux-mêmes.»

Un inhalothérapeute peut également faire partie d'une équipe de recherche médicale (avec des médecins, des spécialistes de la santé publique, etc.) ou encore faire de l'enseignement.

«Hormis la multidisciplinarité que permet mon métier, ce qui me motive le plus est le contact avec le patient, insiste Fannie. Quand une personne s'apprête à passer sur la table d'opération, elle se sent vulnérable, sa nervosité est palpable. Alors il faut savoir créer un contact avec elle, la rassurer et lui apporter un peu de réconfort.»

Sans oublier les situations d'urgence, par exemple lors d'un arrêt cardiorespiratoire, où la survie du patient est une question de minutes. Dans ces cas, il faut savoir garder son sang-froid et ne pas perdre ses moyens, malgré le stress.

> MON PARCOURS

Dès l'obtention de son diplôme d'études collégiales en techni-ques d'inhalothérapie au Cégep de Sainte-Foy, Fannie a été engagée par le CHUL. Pendant les deux premières années de sa carrière, elle a également fait des remplacements à l'Hôpital Laval de Québec et à l'Hôtel-Dieu de Lévis.

> MON CONSEIL

Si l'on se destine au métier d'inhalothérapeute, il faut être à l'aise dans le milieu hospitalier, car c'est le principal employeur. De plus, il faut savoir travailler en équipe, car on est perpétuellement en contact avec d'autres professionnels de la santé. Enfin, l'autre enjeu majeur est de se tenir à jour. «La formation continue n'est pas obligatoire, mais dans les faits, dès qu'un nouveau modèle de respirateur entre à l'hôpital, on est tous formés pour apprendre à l'utiliser. Il y a tou-jours de nouvelles technologies, de nouvelles études scientifiques. Il faut suivre!» 05/03

61

OPTICIENNE D'ORDONNANCES
› dans une lunetterie

› MON TRAVAIL

Mélanie Bolduc, opticienne à la Lunetterie New Look à Saint-Jérôme, est responsable de toutes les étapes de la production de lunettes ou de lentilles cornéennes, à l'exception du travail de laboratoire.

Elle s'occupe de tout, depuis l'ordonnance de l'optométriste jusqu'à la livraison du produit. «Je reçois l'ordonnance, je guide le client dans son choix de monture, je prends les mesures de son visage et je commande les lunettes au laboratoire. Quand elles me sont retournées, je vérifie que l'ordonnance a bien été respectée, que la monture s'ajuste parfaitement au client et qu'il est à l'aise avec ses lunettes.»

En plus de la variété que lui offre son travail, Mélanie apprécie l'équipe qui l'entoure, composée d'autres opticiens, de conseillères pour le choix des montures et d'un optométriste.

› MA MOTIVATION

C'est probablement le sens de l'esthétique et le souci du détail de Mélanie qui l'ont conduite vers ce métier. Mais ce qu'elle apprécie le plus, c'est de pouvoir satisfaire la clientèle : «Il y a des moments magiques; tout à coup, le client s'exclame qu'il voit bien et que ses lunettes sont enfin confortables. Là, j'ai le sentiment de l'avoir bien conseillé et je suis fière de moi.»

Mélanie affirme que son travail lui a apporté la confiance en elle-même et l'estime de soi. «Avant, j'étais très gênée. Mais au fur et à mesure que j'ai développé ma pratique du métier, j'ai acquis de l'aisance.»

Avec l'optométriste, elle doit aussi résoudre des problèmes particuliers, par exemple un client insatisfait de la vision que lui procure sa nouvelle paire de lunettes, pourtant conforme à l'ordonnance. «Il faut se creuser la tête pour trouver des solutions!»

› MON PARCOURS

Après une année en sciences humaines et plusieurs visites de milieux de travail, Mélanie s'est inscrite à la technique d'orthèses visuelles au Collège Édouard-Montpetit. Les excellentes perspectives d'emploi et l'accueil reçu au département quand elle a visité les lieux l'ont fortement motivée. Elle a obtenu un emploi dès la fin de ses études et a travaillé pour deux bureaux d'opticiens, dont Lunetterie New Look.

› MON CONSEIL

Mélanie a appris à ne pas prendre toutes les responsabilités sur ses épaules, malgré la pression de la clientèle. Par exemple, si le laboratoire accuse un retard, ce n'est pas sa faute.

«Il faut être très patient et savoir garder son calme. Développer la capacité de deviner ce que veut le client et d'aller au-devant de ses attentes est également un atout appréciable.» En outre, la manipulation des verres et des lentilles exige de la précision et de la dextérité. 05/03

ORTHÉSISTE-PROTHÉSISTE
> en laboratoire privé

DES MILIEUX DE TRAVAIL POTENTIELS

> Centres de réadaptation

> Laboratoires d'orthèses et de prothèses privés

> MON TRAVAIL

Lorsqu'on souffre de certains problèmes physiques, par exemple un membre amputé ou simplement les pieds plats, on consulte un spécialiste en **orthèses** et **prothèses** orthopédiques. Ce dernier fabrique alors un appareil adapté qui aidera à compenser le défaut.

Philippe Durocher, orthésiste-prothésiste dans un laboratoire privé, rencontre d'abord le client pour faire une évaluation. «Dans le cas de pieds plats, je commence par réaliser un examen biomécanique qui permet de vérifier l'alignement des membres grâce à des appareils de mesure. Puis, je réalise une empreinte du pied dans du plâtre ou de la mousse, qui me permettra de faire un moule sur lequel je fabriquerai l'orthèse.»

La deuxième partie du travail de Philippe consiste à préparer l'orthèse proprement dite. «Au laboratoire, nous avons un établi, un four et différents outils pour travailler les matériaux. Pour un pied plat, je dois faire un appareil qui créera une arche au pied afin d'améliorer la démarche de la personne.» Enfin, Philippe rencontre à nouveau le client pour qu'il essaye la prothèse et procède à des ajustements si nécessaire.

> MA MOTIVATION

Philippe aime son métier, car deux de ses passions y sont réunies : le travail manuel et la relation d'aide. «C'est un peu comme faire de la sculpture ou de la poterie. Je dois concevoir et fabriquer de mes mains un objet qui soit à la fois utile, pratique, efficace, confortable et esthétique. De plus, j'éprouve une grande satisfaction lorsque la personne se sent à l'aise avec son appareil. Le bien-être du client, c'est capital pour moi.»

> MON PARCOURS

Après le cégep, Philippe a étudié un an en administration à l'université. «J'étais insatisfait, je trouvais ça trop abstrait. L'un de mes amis étudiait en techniques d'orthèses et de prothèses orthopédiques, et cela m'a tout de suite intéressé.» Philippe a obtenu son diplôme d'études collégiales dans ce domaine au Collège Montmorency. Par la suite, il a rapidement décroché son poste au laboratoire.

> MON CONSEIL

Il n'est pas toujours évident de porter un appareil correcteur. «Lorsque la personne est lourdement handicapée, par exemple quand il y a eu amputation d'un bras ou d'une jambe, le port de l'appareil peut être difficile à accepter. Il faut alors l'aider à s'y adapter.»

L'aisance dans les relations d'aide et l'empathie sont donc des attitudes indispensables pour l'orthésiste-prothésiste.

Ce travail demande aussi beaucoup de créativité. Chaque personne représentant un défi différent, on doit être ingénieux et inventif pour trouver des solutions adaptées aux besoins de chacun.

«Il est également nécessaire d'être habile de ses mains, car on manipule toutes sortes d'outils et de matériaux.» 05/03

Les mots en caractères **gras** sont définis dans le glossaire (p. 166 à 172).

PRÉPOSÉ À LA STÉRILISATION
> dans un hôpital

> MON TRAVAIL

Yan Jarry, préposé à la stérilisation à l'Hôpital du Sacré-Cœur de Montréal, explique que son travail commence avec la cueillette des instruments souillés (ciseaux, pinces, etc.) provenant du bloc opératoire et des différentes unités de l'hôpital. Il les fait d'abord tremper dans un produit détergent, puis il les nettoie avec une brosse. Enfin il les place dans une sorte de «gros lave-vaisselle». Dans la machine, on lave le plastique, le verre et l'acier séparément, puisque ces matériaux requièrent d'être traités à différentes températures.

Après avoir inspecté les instruments pour s'assurer qu'ils ne sont pas endommagés et qu'ils sont propres, il faut regarnir les plateaux qui seront retournés aux différents départements, en suivant les consignes. Celui qui est destiné aux soins intensifs, par exemple, comprend un manche de bistouri, deux types de pinces, etc. Ensuite, les plateaux sont emballés et placés dans une machine qui les stérilise avec de la vapeur. Une fois sortis du stérilisateur, il ne reste qu'à y poser le matériel à usage unique, emballé individuellement, comme les lames de bistouri et les seringues.

> MA MOTIVATION

Yan ne s'occupe pas de toutes ces étapes l'une à la suite de l'autre. Chaque membre de son unité se charge d'une seule activité à la fois, et celle-ci se fait en rotation sur une base hebdomadaire. «J'apprécie le fait que ma tâche change régulièrement. Après une semaine passée à manipuler des instruments souillés, on est content de monter des plateaux», raconte-t-il.

L'aspect essentiel de son travail est aussi une source de motivation : «Si un instrument n'est pas bien nettoyé, il peut transmettre une infection à un patient, ce qui risque d'être très grave», dit-il.

Jusqu'à récemment, les établissements d'enseignement n'offraient pas de programme dans ce domaine. Il existe désormais une attestation d'études collégiales (AEC) en stérilisation, et Yan est fier de faire partie de la première cohorte de diplômés. Selon lui, cette formation spécialisée permet d'améliorer les façons de faire dans ce domaine, en sensibilisant, par exemple, les préposés qui ont appris sur le lieu de travail.

> MON PARCOURS

Après huit ans passés à conduire un chariot élévateur pour une compagnie de transport routier, Yan cherchait un nouveau défi. Intéressé par le domaine médical, il a décidé de s'inscrire à l'AEC en stérilisation au Cégep de Saint-Laurent. Il a obtenu son diplôme en octobre 2005 et a été peu après embauché par son employeur actuel.

> MON CONSEIL

Un bon préposé à la stérilisation est minutieux et doit être capable de résister au stress, fréquent dans le domaine de la santé. Il faut aussi être prêt à travailler le soir et la fin de semaine.

Par ailleurs, cet emploi ne convient pas aux cœurs sensibles. «Sur les instruments, il y a du sang et d'autres substances», prévient Yan. Est-ce dangereux pour la santé des préposés? «On est bien protégé, notamment par des gants et des lunettes. Les risques sont faibles, mais parfois les nouveaux préposés sont un peu nerveux quand ils manipulent les instruments.» 03/08

TECHNICIEN AMBULANCIER
> en coopérative

> MON TRAVAIL

Quand il reçoit un appel d'urgence, Dominic Chaput passe en mode alerte. Déclenchant sirène et gyrophares, l'employé de la Coopérative des techniciens ambulanciers du Québec métropolitain (CTAQM) n'a qu'une chose en tête : intervenir à temps. «Lors d'un arrêt cardiorespiratoire, par exemple, il peut y avoir des dommages irréparables au cerveau dans les quatre à six minutes qui suivent, explique-t-il. Et si le cœur est en fibrillation, les chances de survie de la personne diminuent de 10 % chaque minute.» À son arrivée sur les lieux de l'incident, Dominic évalue l'état de la victime, détermine les moyens d'intervention appropriés, prodigue les soins d'urgence, jauge si une conduite à l'hôpital est nécessaire en plus d'interroger l'infortuné ou son entourage. Les renseignements qu'il recueille, comme la nature des symptômes, les antécédents médicaux et les circonstances de l'accident, seront utiles au personnel qui prendra le relais à l'hôpital.

Les techniciens ambulanciers sont autorisés à poser de plus en plus d'actes médicaux susceptibles de sauver des vies, précise-t-il. «À la fin de 2002, j'ai reçu une formation qui me permet d'administrer des médicaments contre les crises d'allergies graves, l'hypoglycémie, le diabète, les troubles cardiaques et les difficultés respiratoires comme l'asthme.»

> MA MOTIVATION

Attiré par les soins de santé – il a été patrouilleur de ski alpin pendant six ans –, Dominic a trouvé sa vocation dans cette profession qui bouge. Les situations inattendues le stimulent. «Lorsqu'on porte secours à un accidenté de la route, la voiture peut être dans un ravin, anéantie, dans une fâcheuse position. Il faut alors faire preuve de débrouillardise pour sortir la victime du pétrin. Tout ne s'apprend pas sur les bancs de l'école.»

Le technicien se réjouit en outre de l'élargissement du champ d'action de sa profession, en ce qui a trait aux actes médicaux. «Il y a un agréable vent de changement actuellement.»

> MON PARCOURS

Dominic a obtenu une attestation d'études collégiales en techniques ambulancières au Cégep de Sainte-Foy. Pour se perfectionner, il a aussi suivi un cours d'appoint en arythmie cardiaque donné par le même établissement. Son diplôme en poche, Dominic a été embauché par la CTAQM. Depuis 2006, il existe un diplôme d'études collégiales en soins préhospitaliers d'urgence.

> MON CONSEIL

Quelqu'un qui choisirait cette profession pour l'attrait du camion, des gyrophares et de la sirène ferait fausse route, selon Dominic. «On s'y habitue vite! Il faut opter pour ce métier parce qu'on aime les gens et leur prodiguer des soins. Il y a autant de soutien psychologique que de manipulations techniques.» Par ailleurs, Dominic prévient les futurs techniciens ambulanciers qu'au moment de postuler un emploi, ils auront probablement à démontrer leur savoir-faire dans le cadre de simulations. Autant s'y préparer, croit-il. «Au cégep, on se réunissait un petit groupe les week-ends. On imaginait toutes sortes de cas fictifs. En entrevue, les employeurs ont vu la différence.» 05/03

Faites la différence

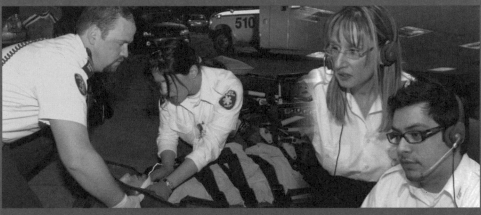

Urgences-santé, c'est quelque 1 300 employés dévoués et compétents qui offrent 24 h sur 24 des services de qualité à la population de Montréal et de Laval. Faites la différence dans la vie de milliers de gens. Joignez-vous à l'équipe du plus important service préhospitalier d'urgence au Canada.

Vivez de grands défis au quotidien

Que ce soit sur le terrain, en centre d'appels ou au sein de l'administration, Urgences-santé vous offre la possibilité de relever chaque jour de nouveaux défis aussi enrichissants que passionnants ! Vous trouverez ci-dessous quelques-uns des titres d'emploi disponibles au sein de notre organisation. Pour de plus amples détails et pour découvrir d'autres offres d'emploi, consultez notre site Web.

- **Technicien ambulancier paramédic**
- **Répondant médical d'urgence**
- **Commis sénior aux horaires**
- **Répartiteur**
- **Mécanicien**

Profitez de nombreux avantages

En plus d'une rémunération intéressante, Urgences-santé vous propose notamment un environnement professionnel stimulant, des lieux de travail facilement accessibles en transport en commun, quatre semaines de vacances par année après un an de service, un régime d'assurances collectives, un régime de retraite et plus.

Urgences-santé
Québec ⚜ ⚜
                    ⚜ ⚜

www.urgences-sante.qc.ca

TECHNICIEN DE LABORATOIRE
> dans un organisme public

> MON TRAVAIL

Samuel Caron est technicien de laboratoire à Héma-Québec, l'organisme responsable de fournir les produits sanguins aux hôpitaux québécois. Au quotidien, il analyse les dons de sang afin d'identifier les différents **groupes sanguins**.

«Contrairement à ce qu'on peut penser, il existe beaucoup plus de groupes sanguins que les traditionnels A, B et O. Dans mes analyses, je dois repérer les plus rares afin de répondre aux besoins des hôpitaux qui nous adressent des demandes particulières.» Ainsi, lorsque Samuel découvre un groupe sanguin exceptionnel, il congèle le sang, qui pourra servir à une transfusion jusqu'à dix ans plus tard.

«Ce genre de travail se fait surtout à Héma-Québec ou dans les laboratoires des banques de sang», précise Samuel. Un technicien de laboratoire peut aussi exercer, par exemple, dans un service de biochimie, pour mesurer le sucre ou le cholestérol dans le sang; ou encore dans un service de microbiologie, afin de détecter des microbes, des bactéries ou des virus dans différents types de prélèvements.

> MA MOTIVATION

Pour Samuel, l'analyse en laboratoire est un travail stimulant qui permet d'apprendre continuellement. «Il y a toujours de nouvelles connaissances, de nouveaux tests à apprendre. C'est un milieu dynamique où les gens qui sont curieux intellectuellement trouvent constamment une source de motivation.»

Bien que son travail ait lieu loin des chambres d'hôpital, Samuel sait qu'il contribue à sauver des vies. «Il arrive, par exemple, que des médecins demandent des tests ou du sang de façon urgente. Parfois, je peux être appelé à décongeler du sang très vite alors qu'un patient avec un groupe sanguin particulièrement rare doit subir une transfusion. Ce n'est pas tout le monde qui apprécie ce genre de défi, mais moi, j'aime beaucoup travailler dans des situations stressantes.»

DES MILIEUX DE TRAVAIL POTENTIELS

- Centres hospitaliers
- Cliniques
- Instituts de recherche
- Laboratoires privés
- Organismes publics
- Universités

> MON PARCOURS

Après avoir obtenu son diplôme d'études collégiales en technologie d'analyses biomédicales au Collège de Shawinigan, Samuel a été engagé en disponibilité à l'hôpital où il avait fait son stage. Il est ensuite retourné aux études, à l'Université Laval, pour décrocher un certificat en biotechnologie. Puis, il a travaillé comme technicien dans un laboratoire privé de Québec avant de passer chez Héma-Québec.

> MON CONSEIL

Samuel est catégorique : le technicien de laboratoire doit posséder une bonne méthodologie de travail pour être efficace en situation d'urgence. La discipline et la minutie sont aussi essentielles dans le métier. «Évidemment, la curiosité intellectuelle et scientifique est primordiale, car on doit aimer apprendre et aller toujours plus loin dans nos recherches.» Samuel a d'ailleurs effectué un certificat en biotechnologie pour se perfectionner. «Ce certificat n'est pas obligatoire pour obtenir un poste de technicien de laboratoire, mais il apporte des connaissances qui ouvrent davantage d'horizons sur la recherche et le développement.» 06/03

Les mots en caractères **gras** sont définis dans le glossaire (p. 166 à 172).

TECHNICIENNE DENTAIRE
› en laboratoire privé

DES MILIEUX DE TRAVAIL POTENTIELS

› Cabinets de dentistes privés
› Laboratoires de fabrication de prothèses

› MON TRAVAIL

«J'ai toujours aimé aller chez le dentiste! raconte Julie Jacob. Je voulais devenir hygiéniste dentaire, mais la perspective de travailler dans la bouche des gens ne me plaisait guère... Pour moi, le travail de technicienne dentaire est donc vraiment idéal.» Employée au Laboratoire dentaire Julien & St-Jean, Julie fabrique et répare différents types de **prothèses dentaires**. Sa spécialité, c'est la conception et la confection de prothèses amovibles (que le patient peut enlever lui-même) en métal et en acrylique (partiels et dentiers).

Julie travaille à partir des empreintes des dents d'un patient et d'indications écrites, qui lui parviennent d'un dentiste ou encore d'un médecin, d'un prosthodontiste, d'un orthodontiste ou d'un denturologiste. Elle crée d'abord un modèle de la bouche, puis elle fabrique la prothèse par divers procédés (moulage, coulée, pressage, polissage, etc.). Ce travail d'orfèvre s'effectue sous un bon éclairage, en position assise, à l'aide de toute une panoplie d'outils manuels et électriques. La technicienne utilise également une grande variété de matériaux, comme la pierre artificielle, les cires dentaires, l'acrylique, la céramique, les résines composites, différents alliages de métaux et même l'or.

› MA MOTIVATION

«Je sais que la personne pour qui je fais mon travail va retrouver le sourire, et ça, c'est ma plus belle motivation!» explique Julie. Mais pour parvenir à ce résultat, elle doit faire preuve de beaucoup de minutie. «Si je ne fais pas une prothèse parfaitement adaptée aux besoins du patient, elle peut engendrer plus de problèmes qu'elle n'en résout. Par exemple, une prothèse mal adaptée peut pousser sur les autres dents, les rendre mobiles ou plus vulnérables à la carie.

«L'art du technicien, c'est vraiment de trouver l'équilibre entre les aspects fonctionnel, esthétique et budgétaire, poursuit Julie. Il y a plusieurs sortes de matériaux et leurs prix varient selon leur qualité et leurs caractéristiques.» La technicienne se fait donc un devoir de bien connaître les différentes matières premières.

› MON PARCOURS

Julie a obtenu son diplôme d'études collégiales en techniques dentaires (aujourd'hui appelé *Techniques de prothèses dentaires*) du Collège Édouard-Montpetit, le seul à offrir cette formation au Québec. Elle a travaillé huit ans à temps partiel dans un autre laboratoire avant d'obtenir son poste au Laboratoire dentaire Julien & St-Jean. Plus récemment, elle a fait un baccalauréat en enseignement en formation professionnelle à l'Université du Québec à Montréal, en vue de transmettre son savoir-faire.

› MON CONSEIL

La fabrication de prothèses dentaires n'a pas lieu en vase clos, prévient Julie. «Ça prend une bonne communication entre le patient, le dentiste et le technicien dentaire, car c'est un travail d'équipe.» L'exercice du métier demande aussi un œil artistique. «Je m'efforce d'imiter la nature le plus possible, sinon ça paraît tout de suite que c'est du faux!» Comme le domaine évolue rapidement, il importe de maintenir ses connaissances à jour, ajoute-t-elle. «Il existe maintenant des logiciels qui permettent la modélisation de prothèses.» 06/03

Les mots en caractères **gras** sont définis dans le glossaire (p. 166 à 172).

TECHNICIENNE D'INTERVENTION EN LOISIR
› en résidence pour personnes âgées

DES MILIEUX DE
TRAVAIL POTENTIELS

› Centres d'héber-
gement et de soins
de longue durée

› Centres hospitaliers

› Centres locaux
de services
communautaires

› MON TRAVAIL

Quand Marie-Eve Leblond est dans les parages, les résidents du Manoir St-Amand, à Québec, n'ont pas le temps de s'ennuyer. Son rôle? Divertir ce groupe d'aînés autonomes et semi-autonomes et, du coup, améliorer leur qualité de vie.

Concrètement, elle organise et dirige pour eux des activités de loisirs : cafés-causeries, jeux de devinettes, etc. Quand il y a des anniversaires à souligner, c'est elle qui y voit. Elle a même déjà fait venir des animaux de l'Institut de zoothérapie du Québec, le temps d'une journée. «L'idée m'est venue en voyant un résident, habituellement marabout, sourire en flattant le chien d'un visiteur», raconte-t-elle. Au besoin, elle agit comme personne-ressource, par exemple pour aider à mettre sur pied un comité de résidents. Sa journée type commence peu après midi. En arrivant, elle salue les résidents un par un, dans la salle à manger. Ensuite, elle va cogner à la porte de ceux qui pourraient oublier le bingo qu'elle anime dès 14 h. Le reste de l'après-midi, elle planifie d'autres activités, par exemple une sortie aux quilles le lendemain.

› MA MOTIVATION

«Mon travail, c'est d'établir des relations avec les gens, de leur faire sentir que je suis là pour eux. Quand je vois une personne âgée sourire durant une de mes activités, je sais que j'ai atteint mon but!» confie Marie-Eve.

Pour y parvenir, elle doit souvent faire preuve de patience. «Il peut arriver que des participants ne comprennent pas les consignes. Il faut donc que je répète et que je reformule pour me faire comprendre, pour que tous puissent tirer plus de satisfaction de l'activité.» Tout en prenant le temps d'être à l'écoute, Marie-Eve tient à rester elle-même; si un jour elle est triste, elle ne le cache pas. «Si on met un masque, les gens le sentent.» Elle attache aussi une grande importance à ce qu'elle appelle la congruence, qu'elle illustre ainsi : «Quand je demande aux autres de ne pas se couper la parole, je ne dois pas la leur couper! Être cohérent, c'est agir en lien avec ce que l'on dit et ce que l'on est. C'est aussi se connaître suffisamment pour savoir où sont nos limites et en tenir compte.»

› MON PARCOURS

Marie-Eve voulait être psycho-logue, mais elle a dû revoir son choix, faute d'avoir de bonnes notes au secondaire. Inscrite en techniques de tourisme au Cégep de Matane, elle a abandonné après un an. «Je n'y trouvais pas la satisfaction de faire du bien aux gens.» Elle s'est donc dirigée vers le programme *Techniques d'intervention en loisir*, au Cégep de Rivière-du-Loup. En cours de stage, lors d'une visite au Salon des aînés de sa région, elle a rencontré la directrice administrative du Manoir St-Amand, qui lui a offert un poste.

› MON CONSEIL

Un diplômé en techniques d'intervention en loisir comme Marie-Eve peut travailler auprès de diverses clientèles (personnes handicapées, délin-quants ou **mésadaptés socio-affectifs**, par exemple) et dans différents contextes (écoles, bases de plein air, municipalités, etc.). «Les tâches varient selon le milieu», indique Marie-Eve, qui conseille aux intéressés d'explorer les différentes possibilités, en variant les stages et les expériences de travail, pour déterminer ce qui leur convient le mieux. 07/03

Les mots en caractères **gras** sont définis dans le glossaire (p. 166 à 172).

TECHNICIENNE EN DIÉTÉTIQUE
› en milieu hospitalier

DES MILIEUX DE TRAVAIL POTENTIELS

› Cafétérias commerciales et institutionnelles
› Centres d'héber-gement et de soins de longue durée
› Centres hospitaliers
› Industries alimentaires

› MON TRAVAIL

À l'Hôpital de Montréal pour enfants, les jeunes patients ne mangent pas tous la même chose. Selon sa maladie, chacun se voit prescrire par une diététicienne les aliments qui lui conviennent. La technicienne en diététique, elle, s'assure que ces directives sont respectées.

Car au quotidien, ce sont les patients qui font leur menu. Ils savent généralement ce qu'ils peuvent manger, mais une technicienne comme Marie-Claude Tranquille vérifie qu'ils font les bons choix. Chaque jour, elle révise donc une trentaine de menus afin d'ajuster les quantités et de varier les types d'aliments en fonction de l'état de chaque patient.

Son évaluation terminée, Marie-Claude rédige des rapports détaillés qui comprennent les instructions aux cuisiniers de l'hôpital. Elle y inclut non seulement les différents menus, mais aussi la quantité précise de chaque aliment ainsi que son mode de cuisson. «Tous ces détails peuvent avoir une incidence sur la santé des patients», souligne-t-elle.

› MA MOTIVATION

Marie-Claude aime transmettre son savoir en expliquant aux patients ce qu'ils doivent manger et pourquoi. Mais comme ce sont des enfants, elle doit souvent les convaincre d'avaler des carottes plutôt que des frites, entre autres. Pour y arriver, elle use de tact et tente de les séduire en faisant valoir les bienfaits de tel ou tel aliment sur leur santé. Et quand un patient lui fait une «demande spéciale», parce qu'il a soudain une rage de chocolat par exemple, elle prend plaisir à essayer de le satisfaire, en vérifiant si X grammes de l'aliment convoité peuvent nuire à sa santé.

Par ailleurs, l'évolution des connaissances et des tendances en matière de nutrition la tient en haleine. «Il y a constamment des scientifiques qui découvrent qu'un aliment est meilleur qu'un autre. Je me tiens à jour en suivant chaque année une formation à la Société des technologues en nutrition du Québec et en lisant des articles spécialisés.»

› MON PARCOURS

Marie-Claude a obtenu un diplôme d'études collégiales en techniques de diététique au Collège de Maisonneuve. Avant de travailler à l'Hôpital de Montréal pour enfants, elle a été en disponibilité comme technicienne en diététique dans deux centres d'accueil et dans un centre de réadaptation.

› MON CONSEIL

Quand on est responsable de l'alimentation des patients, l'erreur n'est pas permise, soutient Marie-Claude. La minutie est donc une qualité particulièrement importante. Par ailleurs, la technicienne prévient qu'il faut faire preuve de persévérance pour exercer en milieu hospitalier. Avant de se voir offrir un poste stable et permanent, on doit travailler en disponibilité et selon des horaires variables, de jour comme de nuit. Mieux vaut accepter de rentrer le plus souvent possible, autrement, on risque de ne plus être rappelé. 06/03

TECHNICIENNE EN ÉDUCATION SPÉCIALISÉE
› en centre local de services communautaires

DES MILIEUX DE
TRAVAIL POTENTIELS

› Centres de
réadaptation

› Centres hospitaliers

› Centres jeunesse

› Centres locaux
de services
communautaires

› Établissements
d'enseignement

› MON TRAVAIL

Quand l'infirmière du Centre local de services communautaires (CLSC) Sainte-Rose se doute qu'un patient vit des problèmes de pauvreté ou de drogue, par exemple, elle refile ses coordonnées à Lyne Desjardins, éducatrice spécialisée, qui prendra le temps d'appeler la personne en question pour lui offrir une relation d'aide.

«Une relation d'aide consiste à écouter l'autre, à tenter de comprendre son problème et ses besoins, puis à l'accompagner dans la recherche et l'atteinte de son objectif», explique Lyne. Par exemple, on peut avoir pour objectif d'apprendre à dire non à un conjoint joueur compulsif qui demande sans cesse de l'argent. «Il faut y aller très délicatement, car ces gens-là n'ont pas nécessairement appelé au CLSC en disant "j'ai besoin d'aide".» Lyne anime également des ateliers destinés aux parents, dont deux qui portent sur le développement moteur et affectif des petits de 1 à 24 mois et un autre axé sur l'acquisition des habiletés sociales des bambins de 2 à 4 ans.

› MA MOTIVATION

Fascinée par le comportement humain, Lyne a découvert que chaque individu donne à ses actions un sens qui lui est propre, unique, «... donc il y a toujours quelque chose à apprendre. Cela me motive beaucoup.» Avec le temps, elle a appris qu'il valait mieux tenter de comprendre les autres que de les juger. «Quand je travaillais aux centres jeunesse de Montréal, je côtoyais des gens qui, de père en fils, vivaient de l'aide sociale. Ils n'étaient pas heureux de cela, ni fiers d'eux-mêmes, mais ils n'avaient pas ce qu'il fallait pour s'en sortir, ne serait-ce qu'une capacité à s'exprimer suffisante pour rencontrer un employeur potentiel.»

Pour elle, le cheminement personnel est indissociable du travail de relation d'aide. «Comment être sensible à la souffrance et aux besoins des autres si on ne s'est jamais arrêté aux siens? Un des pièges du métier, si on n'a pas appris à se connaître soi-même, sera de vouloir régler les problèmes des autres, de se les approprier.»

› MON PARCOURS

Pendant ses études collégiales en éducation spécialisée au Cégep de Saint-Jérôme, Lyne a fait deux stages : l'un dans une école primaire et l'autre dans un centre de réadaptation pour adolescentes. Elle a ensuite travaillé sept ans au Centre Rosalie-Jetté, auprès de mères en difficulté, puis trois ans pour le compte de la Direction de la protection de la jeunesse, avant d'obtenir un poste au CLSC.

› MON CONSEIL

Le métier exige de savoir gérer ses émotions, pour ne pas se laisser envahir par la détresse ou l'agressivité de ceux que l'on tente d'aider, mais demande aussi de la générosité. «Si une crise familiale éclate à 20 h 30, on ne peut pas s'en aller en disant "j'ai fini ma journée, désolée".» Lyne conseille aux intéressés d'essayer différents milieux de travail pour déterminer ceux où ils se sentent le plus à l'aise : les techniques d'intervention varient beaucoup d'un employeur à l'autre. «Et il ne faut pas avoir peur de demander du soutien psychologique, à ses pairs ou à un psychologue, ajoute-t-elle, parce que ce travail peut être très insécurisant.» 07/03

Les mots en caractères **gras** sont définis dans le glossaire (p. 166 à 172).

TECHNICIENNE EN ÉLECTROPHYSIOLOGIE MÉDICALE
› en milieu hospitalier

› MON TRAVAIL

Josée Chaumont souhaitait œuvrer dans le domaine médical, mais elle ne voulait pas faire d'études universitaires. La lecture d'une monographie sur la technique en électrophysiologie médicale ayant piqué sa curiosité, elle demande à effectuer un stage d'observation d'une journée dans un hôpital et est séduite par ce qu'elle découvre.

Certains organes, comme le cerveau et le cœur, génèrent de l'activité électrique. Un médecin qui soupçonne son patient d'éprouver un problème lié à l'un de ces organes peut faire tester cette activité. C'est là qu'entre en scène le technicien en électrophysiologie médicale, un spécialiste formé pour administrer les tests qui permettront de savoir si l'activité électrique est normale.

«C'est difficile d'expliquer en quoi consiste mon travail, car ce n'est pas concret», confie Josée, technicienne en électrophysiologie médicale au Centre hospitalier universitaire de Sherbrooke. En résumé, elle pose sur le patient des fils reliés à des appareils qui permettront de mesurer l'activité électrique du cœur (électrocardiogramme) ou celle du cerveau (électroencéphalogramme).

› MA MOTIVATION

Elle apprécie tout particulièrement la polyvalence qu'exige son métier. Selon les journées, Josée évolue en effet en cardiologie ou en neurologie, deux spécialités dont les tests sont complètement différents. «Un électrocardiogramme dure cinq minutes alors qu'un électroencéphalogramme peut exiger jusqu'à une heure et demie.» Elle a également suivi une formation complémentaire lui permettant de vérifier le fonctionnement des stimulateurs cardiaques, ce qui ajoute à la diversité de ses tâches.

Sa plus grande satisfaction? «C'est quand je détecte quelque chose – une anomalie dans l'activité électrique – qu'on ne voit pas souvent. Ça aiguise l'esprit, cela m'oblige à rester en alerte et à retourner dans mes livres pour chercher de quoi il s'agit.»

› MON PARCOURS

Josée a obtenu un diplôme d'études collégiales en techniques d'électrophysiologie médicale au Cégep Ahuntsic, le seul établissement à offrir cette formation au Québec. Dès la fin de sa première année d'études, elle a été employée comme préposée en électrophysiologie médicale dans un hôpital, ce qui lui a permis d'acquérir de l'expérience.

› MON CONSEIL

La lecture d'une monographie de la technique en électrophysiologie médicale peut se révéler aride. «Le mieux est de se rendre dans un hôpital pour voir concrètement en quoi consiste ce métier», conseille Josée. Avant d'opter pour ce choix de carrière, il faut également s'assurer que l'on peut faire preuve d'empathie tout en gardant une certaine distance émotionnelle, afin de ne pas trop se laisser toucher par ce que vivent les patients. «Il faut aussi avoir beaucoup de patience : nous ne sommes pas autorisés à divulguer les résultats des tests; ce sont les médecins qui s'en chargent. Mais il y a des malades qui insistent, et nous devons garder notre calme.» 05/03

TECHNICIEN EN GÉNIE BIOMÉDICAL
› en milieu hospitalier

DES MILIEUX DE TRAVAIL POTENTIELS

› Centres hospitaliers
› Fournisseurs d'équipements médicaux

› MON TRAVAIL

Brian Cyr est technicien en génie biomédical à l'Hôpital Saint-Luc, du Centre hospitalier universitaire de Montréal. Il entretient et répare les appareils des services d'**hémodialyse** et des différents laboratoires.

Il peut s'occuper, par exemple, des générateurs d'hémodialyse – machines qui nettoient le sang des personnes souffrant de maladies des reins – ou des **centrifugeuses** qui séparent les globules rouges du plasma.

Téléavertisseur à la ceinture, coffre d'outils à la main, Brian est constamment en disponibilité. Une fois devant la machine, il détermine quel est le problème, puis procède à la réparation, ce qui peut prendre quelques minutes ou quelques jours. Si la tâche se révèle trop complexe, Brian fait directement appel aux techniciens de l'entreprise ayant conçu l'appareil.

› MA MOTIVATION

Passionné des machines, Brian a un réel plaisir à comprendre comment elles fonctionnent. «Je m'occupe d'une soixantaine d'appareils différents et il arrive que certains d'entre eux me soient totalement inconnus. C'est donc un défi de cerner leur principe de fonctionnement. Il arrive que je sois découragé devant l'ampleur du problème, mais lorsque je finis par trouver la solution, je trouve cela très valorisant», explique-t-il.

Pouvoir, à sa façon, contribuer à la guérison des patients est une autre source de motivation. «Certains malades ne pourraient vivre sans ces appareils. C'est le cas du générateur d'hémodialyse par exemple, qui assure la survie de personnes dont les reins fonctionnent à moins de 10 % de leur capacité.»

Sans compter que Brian est souvent considéré comme un «sauveur» lorsqu'un appareil tombe en panne. «Le personnel médical ainsi que les patients s'affolent un peu parce que cela interrompt le traitement. Mais une fois la machine remise en marche, les gens me remercient.»

› MON PARCOURS

Brian est titulaire d'un diplôme d'études professionnelles en électromécanique de systèmes automatisés du Centre de formation professionnelle Pierre-Dupuy, et d'un diplôme d'études collégiales en électronique, option télécommunications, de l'Institut Teccart. Cette formation l'a amené à travailler chez Vidéotron comme technicien en installation, puis chez Nortel comme technicien en électronique et à l'Hôpital Saint-Luc comme technicien en génie biomédical.

› MON CONSEIL

Brian, qui a appris sur le tas, conseille fortement aux jeunes de s'inscrire au certificat *Technologies biomédicales : instrumentation et électronique* offert à l'École Polytechnique de Montréal. Cet établissement offre également un nouveau baccalauréat en génie biomédical. «Cela leur permettra de mieux connaître le milieu biomédical et d'avoir une formation à la fine pointe de la technologie», conclut-il. 05/03 (mise à jour 05/08)

Les mots en caractères **gras** sont définis dans le glossaire (p. 166 à 172).

TECHNICIENNE EN TRAVAIL SOCIAL
> en organisme communautaire

DES MILIEUX DE
TRAVAIL POTENTIELS

- Centres jeunesse
- Centres locaux
  de services
  communautaires

> MON TRAVAIL

Dominique Brisson est à la tête de L'Entretoise du Témiscamingue, un organisme communautaire qui reçoit une clientèle adulte avec des problèmes sévères de santé mentale (**schizophrénie**, **paranoïa**, **maniaco-dépression**, etc.). «Je coordonne la comptabilité, la gestion financière [qui comprend la préparation des demandes de subvention et la recherche de financement] et la gestion tout court [organisation d'activités, suivi des employés, etc.]. Je fais tout ça avec la collaboration d'une petite équipe de six personnes. Je consacre 60 % de ma journée à traiter les dossiers administratifs, et le reste aux interventions directes avec la clientèle», raconte Dominique.

Ces interventions sont très diversifiées, précise-t-elle. «Je peux accompagner une personne pour remplir sa demande d'aide sociale ou encore apprendre à quelqu'un à faire l'épicerie. On s'adapte aux besoins des gens, que ce soit pour de l'écoute, de l'information, des activités éducatives, etc.»

> MA MOTIVATION

«J'aime être avec les gens, déclare Dominique. Je me réserve des moments dans ma journée pour être avec l'équipe et la clientèle, pour échanger avec eux. Je ne pourrais pas les représenter et défendre leur point de vue [auprès des organismes qui subventionnent, par exemple] si je ne les connaissais pas.

«La clientèle de L'Entretoise est surtout constituée de gens ayant été hospitalisés pendant de très longues périodes. Plusieurs n'ont jamais appris à accomplir les tâches du quotidien dans un logement. Certains sont paralysés à la simple idée de passer un coup de téléphone. Leur redonner confiance est un défi quotidien pour moi!»

Elle et son équipe prennent donc le temps qu'il faut pour soutenir et guider les différents individus dans leur évolution. «Chaque personne a son propre rythme et peut prendre des semaines, des mois ou des années à progresser. Notre travail, c'est de les aider à réintégrer la société, de leur faire sentir qu'ils sont des citoyens et de les amener à devenir assez autonomes pour habiter en logement.»

> MON PARCOURS

Dominique a obtenu son diplôme d'études collégiales en techniques de travail social au Cégep de l'Abitibi-Témiscamingue. Elle a tenu à faire chacun de ses quatre stages avec des clientèles différentes (adolescents, personnes âgées, etc.), ce qui l'a amenée à confirmer son intérêt pour le domaine de la santé mentale.

> MON CONSEIL

«Dans un petit organisme communautaire, les employés se doivent d'être polyvalents», souligne la coordonnatrice. Selon elle, cumuler des expériences d'emploi ou d'engagement social variées favorise l'accès au marché du travail. C'est d'ailleurs ce qu'elle a fait. «J'ai monté un système d'urgence pour un centre d'aide à la famille, j'ai travaillé pour un service téléphonique de prévention du suicide, j'ai animé des groupes d'entraide. Ça m'a beaucoup aidée à me faire connaître.» 06/03

Les mots en caractères **gras** sont définis dans le glossaire (p. 166 à 172).

TECHNOLOGUE EN MÉDECINE NUCLÉAIRE
› en milieu hospitalier

› MON TRAVAIL

Au service du Centre hospitalier de l'Université de Montréal (CHUM), au pavillon Notre-Dame, Marie-Claude Carrier prend des photos très spéciales appelées «scintigraphies». «En médecine nucléaire, les rayons "sortent" littéralement des patients grâce aux substances radioactives fixées sur l'organe ou le tissu à examiner. Les images sont captées par une caméra, puis visualisées sur un écran d'ordinateur et ensuite reproduites sur papier», explique-t-elle.

Les scintigraphies renseignent sur la forme des organes – au même titre que les radiographies –, mais aussi sur leur fonctionnement.

Tous les matins, Marie-Claude prépare donc les produits radioactifs qu'elle administrera aux patients, par injection, inhalation ou en comprimés. Puis, elle leur explique le déroulement de l'examen et vérifie le fonctionnement des caméras. La technologue doit aussi s'assurer de la bonne qualité des clichés avant de les montrer au radiologiste. Ce dernier les interprétera, puis transmettra son rapport au médecin traitant qui, lui, posera le diagnostic.

› MA MOTIVATION

Marie-Claude ne connaît pas la routine. Bien sûr, les mêmes ordonnances de scintigraphie reviennent fréquemment; mais elle apprécie son milieu de travail qui lui permet de faire passer différents types d'examens, sans la limiter à une spécialité particulière (scintigraphie osseuse, cardiaque ou pulmonaire, par exemple).

Les bonnes nouvelles pour un patient font partie de ses plaisirs. «Quand je vois qu'un traitement contre le cancer a été efficace, alors j'éprouve une grande satisfaction, même si ce n'est pas moi qui lui annonce le résultat.» En fait, les relations humaines occupent une place importante dans la journée de travail de Marie-Claude. Car derrière la caméra se trouve un patient souvent anxieux, toujours inquiet. «Il faut savoir rassurer les gens et bien expliquer l'examen. Même si c'est un domaine technique, les relations humaines sont très importantes.»

› MON PARCOURS

Marie-Claude a d'abord fait une année en sciences humaines au cégep. Puis, elle a travaillé dans le domaine de la restauration pendant deux ans. Elle a ensuite amorcé ses études collégiales en technologie de médecine nucléaire au Collège Ahuntsic, le seul à offrir ce programme au Québec. Immédiatement après son stage au CHUM, elle y a été engagée, son diplôme de technologue en médecine nucléaire en poche.

› MON CONSEIL

Marie-Claude estime avoir acquis beaucoup de maturité et d'empathie depuis qu'elle occupe cet emploi. «Être en contact avec des malades, déplacer des patients souffrants, c'est parfois difficile. Mais sur le plan humain, ça apporte beaucoup.»

Elle ajoute que le travail en équipe avec les autres technologues fait partie du quotidien, et que le goût des sciences reste un préalable pour étudier dans ce domaine. 05/03

TECHNOLOGUE EN RADIODIAGNOSTIC
> en milieu hospitalier

DES MILIEUX DE
TRAVAIL POTENTIELS

- Centres hospitaliers
- Centres locaux de services communautaires
- Cliniques privées

> MON TRAVAIL

Pneumonie, fracture, accident de la route... Quel que soit le problème des patients qui se présentent le soir à l'urgence de l'Hôtel-Dieu de Montmagny, Véronique D'Auteuil voit à effectuer les radiographies nécessaires. Elle commence par consulter leur dossier pour s'enquérir de l'examen prescrit par le médecin. Elle installe ensuite le malade et procède à la radiographie demandée.

Véronique se rend parfois au bloc opératoire afin d'assister les chirurgiens dans leurs interventions. Ainsi, à l'aide d'un appareil de **fluoroscopie**, elle peut guider les mouvements d'un orthopédiste qui s'apprête à poser une vis sur l'os d'un patient, par exemple. Elle peut aussi se rendre directement au chevet de malades trop affaiblis pour se déplacer, et leur faire subir des examens à l'aide d'un appareil mobile.

> MA MOTIVATION

Véronique n'aimait pas les hôpitaux. C'est donc étonnant qu'elle ait choisi cette profession. «J'ai toujours été fascinée par l'anatomie et la biologie et j'aime le contact humain. C'est ce qui m'a finalement poussée dans cette voie. Mon emploi me permet d'explorer toutes ces facettes. J'adore aider les gens, participer à leur guérison et veiller à leur confort. Et même si le contact que j'ai avec les patients est assez bref, il est généralement très agréable.»

Véronique aime travailler en équipe dans un environnement qui évolue sans cesse. «Je suis toujours en contact avec les médecins et les infirmières. La guérison d'un patient résulte d'un travail d'équipe, et j'apprécie beaucoup cette dynamique. De plus, ma profession est loin d'être routinière. Chaque cas est unique et demande des examens qui diffèrent d'une fois à l'autre.»

> MON CONSEIL

Selon Véronique, la théorie apprise à l'école est plutôt rose face à la réalité de la profession. «En cours, on apprend l'abc du radiodiagnostic, sur des patients dits "normaux". Sur le terrain, c'est différent, car on peut traiter des individus qui saignent abondamment, dont les os sont déformés ou brisés, qui souffrent énormément. On doit s'adapter et trouver dès façons de faire. Et c'est sans compter les horaires de travail irréguliers : on peut œuvrer le jour, le soir, la nuit, les fins de semaine et les jours fériés. Il est indispensable de se questionner sur les répercussions possibles de ce type d'horaire sur sa vie privée et familiale, avant d'opter pour cette voie. Je crois que suivre des stages en milieu de travail pendant ses études permet également de se faire une idée réaliste de la profession», précise Véronique. 05/03

> MON PARCOURS

Dès qu'elle a obtenu son diplôme d'études collégiales en technologie de radiodiagnostic au Cégep de Rimouski, Véronique a décroché un emploi à l'Hôtel-Dieu de Montmagny. Elle a également suivi un programme en **scanographie** à l'Ordre des technologues en radiologie du Québec afin de se spécialiser dans ce domaine.

Les mots en caractères **gras** sont définis dans le glossaire (p. 166 à 172).

TECHNOLOGUE EN RADIO-ONCOLOGIE
> en milieu hospitalier

DES MILIEUX DE
TRAVAIL POTENTIELS

> Cabinets de
chirurgiens privés
> Cabinets de
dentistes privés
> Cabinets de
médecins privés
> Centres hospitaliers

> MON TRAVAIL

Au département de radio-oncologie de l'Hôtel-Dieu de Québec, Mathieu Bergeron accompagne les personnes atteintes de cancer dans leur traitement de **radiothérapie**, un procédé thérapeutique de radiation locale. Tant du point de vue technologique qu'humain, il s'assure de mettre tout en œuvre pour les aider à guérir.

Il planifie d'abord le traitement qui sera réalisé à l'aide d'appareils d'imagerie médicale (radiographie et scanographie). Il détermine ensuite la quantité, la durée et l'emplacement du traitement. Puis, il installe le patient et prépare l'appareil selon les paramètres établis. Pendant le traitement, il quitte la salle pour ne pas s'exposer aux radiations et prend place dans une pièce adjacente d'où il fera fonctionner les appareils à distance. Il s'assure toutefois que le patient reste dans la même position, qu'il est à l'aise et que la machine fonctionne adéquatement. Finalement, Mathieu fait le suivi des différents effets secondaires causés par les traitements et envoie les patients à des médecins ou des diététistes afin de réduire au maximum ces inconvénients.

> MA MOTIVATION

Comme un traitement de radiothérapie se déroule en moyenne cinq jours par semaine pendant quatre à cinq semaines, Mathieu a le temps de nouer des liens avec les patients. «Il y a une relation, un apprivoisement qui se crée au fur et à mesure des rencontres. Je deviens un confident, un accompagnateur, mais aussi un agent de motivation dans les mauvais jours. Pour moi, c'est un privilège d'être témoin de l'évolution d'un patient et de son cheminement face à la maladie. Ce sont aussi des gens qui nous donnent de grandes leçons de vie et nous ramènent à l'essentiel», raconte Mathieu.

Il se dit très stimulé par la diversité de son travail. «Je touche à l'anatomie, à la physique, à la biologie. C'est aussi très intéressant de voir l'évolution des appareils et des techniques de traitement. Il faut toujours rester à la fine pointe des progrès technologiques dans ce domaine.»

> MON CONSEIL

Face à la détresse des patients, Mathieu conseille de faire preuve d'empathie tout en conservant une attitude professionnelle. «C'est difficile, mais je ne peux me permettre de m'attrister. Même si je les traite comme je le ferais pour ma propre mère ou mon propre père, je dois conserver un certain recul afin d'agir adéquatement», relate Mathieu.

De plus, la guérison du patient ne dépend pas que des soins du technologue, mais d'une équipe multidisciplinaire composée de médecins, d'infirmières, de préposés aux bénéficiaires. «C'est un travail d'équipe. Il faut savoir collaborer avec nos collègues», ajoute Mathieu. 05/03

> MON PARCOURS

Après l'obtention d'un diplôme d'études collégiales en technologie de radio-oncologie au Cégep de Sainte-Foy, Mathieu a immédiatement décroché un emploi à l'Hôtel-Dieu de Québec.

Les mots en caractères **gras** sont définis dans le glossaire (p. 166 à 172).

79

THANATOLOGUE
> dans un salon funéraire

DES MILIEUX DE TRAVAIL POTENTIELS

> Cimetières
> Crématoriums
> Entreprises funéraires

> MON TRAVAIL

Le thanatologue est le professionnel responsable de l'embaumement des défunts. Si sa tâche peut sembler très technique, elle requiert aussi une bonne dose de sens artistique puisqu'il doit faire en sorte que la personne exposée retrouve une apparence la plus naturelle possible. «Il faut parfois aller jusqu'à refaire des parties du visage à la cire, par exemple dans des cas d'accidents de la route ou de meurtres, remettre des cheveux quand quelqu'un a subi une opération à la tête, refaire une moustache, etc.», explique Nancy Lazure, thanatologue chez Alfred Dallaire.

Mais la tâche de Nancy ne s'arrête là, puisqu'elle doit également recevoir les familles en deuil, savoir les conseiller sur les arrangements funéraires possibles en tenant compte de leurs besoins et de leurs moyens financiers. Enfin, elle accueille les visiteurs lors de l'exposition et veille à ce que tout se déroule bien.

> MA MOTIVATION

C'est toute petite que Nancy a découvert son intérêt pour les personnes défuntes. «Mon école primaire était située en face d'un salon funéraire et j'étais fascinée par les corbillards que je voyais passer. J'étais peut-être la seule à l'être!»

Si c'est la profession de coroner qui l'intéressait initialement, car elle voulait effectuer des autopsies, les études universitaires requises pour l'exercer étaient trop longues à son goût. Elle a donc opté pour la thanatologie, qui demande une technique collégiale.

Nancy apprécie tout particulièrement de pouvoir faire une différence dans le souvenir que les proches d'un défunt garderont de lui. «Quand on me dit que la personne décédée a l'air naturel, qu'elle est belle, surtout quand il s'agit de quelqu'un que la maladie avait beaucoup changé et amaigri, je sais que j'ai fait un bon travail.»

> MON PARCOURS

Nancy a obtenu un diplôme d'études collégiales en techniques de thanatologie du Collège de Rosemont, le seul établissement à donner le programme au Québec. Elle a eu la chance de se voir offrir un emploi dès la fin de son premier stage pratique pendant ses études, de sorte qu'elle a pu terminer sa dernière année de formation tout en travaillant à temps plein dans le domaine.

> MON CONSEIL

Côtoyer des morts peut impressionner et déranger, de sorte que «beaucoup laissent tomber dès la deuxième année d'études, au moment où s'effectue le premier contact», avertit Nancy. Il pourrait donc être sage de tenter d'effectuer un stage d'observation dans une maison funéraire avant d'envisager d'embrasser la profession.

Il faut également s'assurer que le sang et les aiguilles ne nous font pas peur et que l'on possède une certaine force physique. «Même si nous avons des appareils à notre disposition pour nous aider, un corps c'est lourd à déplacer. De plus, on doit avoir la force psychologique nécessaire pour faire face à des personnes en deuil; certaines sont agressives, d'autres pleurent ou ont des fous rires. C'est loin d'être facile.» 05/03

THÉRAPEUTE EN RÉADAPTATION PHYSIQUE
› en clinique privée

DES MILIEUX DE TRAVAIL POTENTIELS

› Centres de réadaptation
› Centres d'héber-gement et de soins de longue durée
› Centres hospitaliers
› Centres locaux de services communautaires
› Cliniques privées

› MON TRAVAIL

Arthrose lombaire, **tendinite**, **bursite** : voilà quelques exemples de cas que traite Julie Couture au Centre de physiatrie de Québec. En collaboration avec l'équipe de **physiatres**, de **physiothérapeutes** et d'autres thérapeutes en réadaptation physique, elle prodigue des soins qui concourent à améliorer ou à rétablir le bien-être physique des patients tout en soulageant leurs douleurs.

«C'est un travail très physique, explique Julie. Je suis à peu près toujours debout et en mouvement. J'effectue beaucoup de manipulations sur les patients, je les aide à se déplacer, je leur indique des exercices à faire et j'utilise des appareils [pour l'**électrothérapie** et l'application d'**ultrasons**, entre autres]. Je dois aussi remplir les dossiers, inscrire les notes destinées au médecin, changer les lits et faire le lavage quand je travaille en soirée.»

› MA MOTIVATION

C'est à la suite d'un match de volley-ball, au cours duquel elle a subi une luxation de l'épaule, que Julie a choisi sa carrière. «J'ai suivi des traitements de physio-thérapie; j'étais passionnée de voir que les personnes qui me soignaient savaient exactement quoi faire pour me soulager et me rétablir. Je voulais comprendre le fonctionnement du corps et apprendre comment le traiter.»

Aujourd'hui, elle apprécie la variété des responsabilités qu'on lui confie à la clini-que, bien consciente que la tâche peut différer considérablement d'un employeur à un autre. «Je fais bien plus qu'appliquer des ultrasons toute la journée», affirme Julie en expliquant que, si elle doit observer l'opinion clinique du physiothérapeute ou du physiatre, elle a beaucoup de latitude quant au choix du traitement et aux ajustements à y apporter en fonction de la progression du patient.

Julie est heureuse lorsqu'elle réussit à soulager la douleur des patients. «J'aime le contact avec les gens. Quand ils arrivent ici, ils ont mal. Ma satisfaction, c'est de les voir repartir avec moins ou pas de douleur.»

› MON PARCOURS

Julie a d'abord terminé des études collégiales en sciences humaines avant de bifurquer vers le programme d'études collégiales en techniques de réadaptation physique, qu'elle a effectué au Cégep Marie-Victorin, puis au Cégep François-Xavier-Garneau. Une fois diplômée, elle a immé-diatement été embauchée par le Centre de physiatrie de Québec.

› MON CONSEIL

«Auparavant, je croyais que tout le monde faisait religieusement ses exercices!» se rappelle Julie. L'expérience lui a appris que la réalité est tout autre et qu'il est important d'encourager les patients à être assidus. La patience et la capacité d'écoute sont des qualités essentielles chez les thérapeutes, ajoute-t-elle. De plus, le métier demande de l'endurance et de la force physiques puisque les manipulations peuvent se révéler exigeantes. Enfin, il faut se sentir à l'aise avec la proximité physique des patients puisque le toucher fait partie du quotidien. 06/03

Les mots en caractères **gras** sont définis dans le glossaire (p. 166 à 172).

AUDIOLOGISTE
> en milieu scolaire

- Centres de
  réadaptation
- Centres d'héber-
  gement et de soins
  de longue durée
- Centres hospitaliers
- Centres locaux
  de services
  communautaires
- Établissements
  d'enseignement

> MON TRAVAIL

Un enfant sourd et un enseignant qui ne comprend pas son handicap : voilà de bien pauvres conditions d'apprentissage. Heureusement, l'audiologiste en milieu scolaire peut remédier à la situation. «Mon travail est de favoriser par divers moyens la réussite des élèves aux prises avec une déficience auditive», explique Pascale Héon. Officiellement employée de la Commission scolaire des Chênes, à Drummondville, cette audiologiste exerce en fait dans cinq commissions scolaires de la région Mauricie – Centre-du-Québec.

Quand Pascale intervient auprès d'un élève, il a déjà été diagnostiqué par un confrère audiologiste et s'est vu prescrire un appareil auditif. «Je veille à ce que l'appareil du jeune fonctionne correctement. J'évalue aussi ses besoins, par exemple s'il ne faudrait pas recourir au **système MF**, placer l'élève à l'avant de la classe ou encore instaurer des mesures de soutien spéciales lors des examens [allouer plus de temps, faire intervenir un éducateur spécialisé, etc.].» Pascale a également pour rôle de sensibiliser l'enseignant aux problèmes de l'enfant et de solliciter son appui. «Comme le jeune utilise la lecture labiale [sur les lèvres], l'enseignant doit notamment penser à faire face à l'élève lorsqu'il parle.»

> MA MOTIVATION

«J'aime travailler avec les enfants», confie l'audiologiste, qui a toujours voulu travailler auprès des jeunes. «Dans le milieu scolaire, ça bouge beaucoup! poursuit-elle. Les élèves sont constamment en apprentissage et leurs besoins évoluent à l'intérieur d'une année. Comme nous entretenons avec eux une relation à long terme, nous pouvons développer de belles complicités.»

> MON PARCOURS

Pascale a fait un baccalauréat en orthophonie et audiologie* ainsi qu'une maîtrise en audiologie à l'Université de Montréal. Elle a ensuite rempli la fonction d'audiologiste clinique au Centre hospitalier Rouyn-Noranda, où elle effectuait des examens audiométriques pour diagnostiquer les déficiences auditives et ensuite élaborer des programmes de réadaptation. Elle a aussi exercé en cabinet privé avant d'obtenir un poste à la Commission scolaire des Chênes.

*Jusqu'en 1999, l'Université de Montréal offrait un bac qui couvrait les deux disciplines. À présent, l'audiologie et l'orthophonie font l'objet de deux bacs distincts.

L'audiologiste se dit également stimulée par les échanges avec les spécialistes des domaines apparentés au sien : éducateurs spécialisés, orthopédagogues, orthophonistes, psychologues et interprètes en langage des sourds. «Certains intervenants me font part de trucs qui ont fonctionné et je puise dans ce bagage d'idées.»

> MON CONSEIL

La plupart des audiologistes exercent en milieu hospitalier et en centres de réadaptation. Pour percer dans le monde scolaire, selon Pascale, il faut savoir se vendre. «Le poste que j'occupe n'était pas offert à un audiologiste. Pour l'obtenir, j'ai dû démontrer à l'employeur en quoi je pouvais être utile concrètement.» Ainsi, Pascale a pris soin de faire valoir que, contrairement à d'autres professionnels, elle avait une compréhension poussée des déficiences auditives et de leurs conséquences pour les élèves, en plus de maîtriser les solutions d'appoint comme le système MF. 05/03

Les mots en caractères **gras** sont définis dans le glossaire (p. 166 à 172).

BIOCHIMISTE CLINIQUE
> en milieu hospitalier

DES MILIEUX DE TRAVAIL POTENTIELS

> Centres hospitaliers

> MON TRAVAIL

Par définition, la biochimie est la science qui étudie la constitution chimique des êtres vivants et les réactions chimiques qui s'opèrent en eux. Lorsqu'on parle de biochimie clinique, on fait référence à la conduite des différents tests (analyses sanguines, analyses d'urine, etc.) qui permettent d'évaluer l'état de santé d'un patient. Ainsi, quand votre médecin veut connaître votre taux de cholestérol par exemple, il vous prescrit une prise de sang. Entre le moment où l'échantillon est prélevé et celui où vous apprenez le résultat intervient quelqu'un comme Marie-Josée Champagne.

Biochimiste clinique au Centre hospitalier Santa Cabrini, à Montréal, Marie-Josée supervise dix techniciens qui exécutent différents tests biochimiques en mélangeant des prélèvements avec des **réactifs**, à l'aide de robots. Son rôle? Assurer la bonne marche du laboratoire afin que les résultats soient rapidement communiqués aux bons médecins. «Si on obtient un résultat bizarre, c'est à moi de faire enquête pour découvrir que le patient a peut-être pris un médicament qui a interféré avec la technique d'analyse», précise-t-elle. Il lui revient également de déterminer les différents tests qui seront utilisés au laboratoire.

> MA MOTIVATION

Curieuse, Marie-Josée aime la biochimie parce qu'elle lui permet d'approfondir sa connaissance du vivant sans avoir à donner de consultations dans un bureau. «J'adore poser des diagnostics en collaboration avec les médecins ou encore dénicher de nouveaux tests», dit-elle. Chaque jour, elle travaille à offrir un excellent service au moindre coût possible. «Si un médecin me demande un test qui est très cher, je l'interroge pour savoir ce qu'il veut analyser exactement; je peux parfois proposer un équivalent moins coûteux.» Gérer diverses tâches en même temps la stimule, bien que cela apporte son lot de stress. «Si je rédige un rapport d'analyse compliqué, qu'un technicien m'annonce la défaillance d'un robot et qu'un médecin attend mon appel, je dois d'abord m'occuper du robot, dit-elle. Parce que le laboratoire, c'est comme une usine : on sort jusqu'à 500 résultats par jour! Et quand la demande vient de l'urgence, il faut l'exécuter en moins d'une heure.»

> MON PARCOURS

Marie-Josée a obtenu un diplôme d'études collégiales en sciences de la santé au Collège de l'Assomption avant de poursuivre ses études à l'Université de Montréal : baccalauréat et maîtrise en biochimie, puis doctorat en sciences biomédicales, le tout ponctué de stages à la Cité de la santé de Laval et à l'Hôpital Saint-Luc. Pour porter le titre de biochimiste clinique, il lui a fallu réussir, en plus, une formation de deux ans sanctionnée par l'Ordre des chimistes du Québec. Ce long parcours lui a permis d'obtenir un poste à Santa Cabrini.

> MON CONSEIL

«Le fait que je m'intéresse à tous les secteurs de la biochimie m'a aidée à obtenir mon emploi ici», affirme Marie-Josée. En effet, dans un centre hospitalier relativement petit comme Santa Cabrini, le biochimiste clinique doit pouvoir chapeauter seul plusieurs aspects : **endocrinologie**, analyses d'urine, etc. Dans les centres hospitaliers universitaires toutefois, les biochimistes, plus nombreux, sont davantage spécialisés. 06/03

Les mots en caractères **gras** sont définis dans le glossaire (p. 166 à 172).

83

BIO-INFORMATICIEN
> en milieu universitaire

> MON TRAVAIL

«Un bio-informaticien, c'est un informaticien spécialisé dans le domaine de la biologie», résume François Major, qui enseigne et mène des recherches dans cette discipline à l'Université de Montréal. «Par exemple, en ce moment, j'observe électroniquement le fonctionnement de la molécule **ARN**», explique-t-il.

Comme le biologiste qui travaille en laboratoire, François cherche à mieux comprendre le fonctionnement de la vie. Mais il s'y prend en utilisant l'informatique, qui permet plus de rapidité et de précision. «L'apport des systèmes informatiques est un catalyseur de la découverte», soutient le scientifique. Un avantage de taille, car lorsqu'une découverte survient, elle peut déboucher sur de nouveaux moyens de diagnostiquer des maladies ou sur la connaissance de maladies dont on ignorait jusqu'alors l'existence.

Les bio-informaticiens peuvent aussi produire des diagnostics en employant, par exemple, des cartes à puce d'**ADN**, qui permettent de tester les composantes de l'organisme, comme les protéines. Mais le domaine est très vaste, tient à préciser François. «On peut tout aussi bien parler d'installation d'infrastructure informatique pour l'industrie pharmaceutique ou médicale.»

> MA MOTIVATION

«Ce qui me motive dans mon travail de professeur, c'est de perpétuer l'intérêt pour cette discipline et de viser à maîtriser encore plus de connaissances», confie François. Le désir de mettre le doigt sur un élément nouveau le tient en haleine. «C'est un défi, parce qu'il faut être patient et ne jamais se décourager. Généralement, quand on découvre la réponse à une question, des dizaines d'autres questions surgissent. En recherche, on a souvent l'impression de n'avoir jamais fini.»

En outre, comme le domaine bio-informatique évolue très vite, il faut toujours se tenir à la fine pointe du progrès. Il y a aussi beaucoup de concurrence internationale. «Autant il y a de l'entraide, autant chaque pays veut être le premier à faire une découverte et à la faire breveter. Ça joue parfois du coude, mais c'est ce qui rend la profession intéressante.»

> MON CONSEIL

«Ce que je retiens de mon expérience jusqu'à maintenant, c'est la confrontation avec la nature qui ne se laisse pas facilement découvrir, résume François. On réalise que même l'informatique a ses limites.» Le chercheur souligne qu'il est néanmoins important de croire en soi et de persévérer dans la recherche de nouvelles pistes. «Il ne faut pas avoir peur des échecs. C'est avec les échecs qu'on construit.» 09/03

DES MILIEUX DE TRAVAIL POTENTIELS

> Compagnies pharmaceutiques
> Établissements d'enseignement
> Laboratoires de recherche

> MON PARCOURS

François a obtenu un baccalauréat, une maîtrise et un doctorat en informatique à l'Université de Montréal. Il a ensuite effectué un postdoctorat en bio-informatique au National Institute of Health, au Maryland, aux États-Unis. À la suite de ses études, qui se sont déroulées sans interruption, il a décroché un poste en recherche et en enseignement à l'Université de Montréal.

Les mots en caractères **gras** sont définis dans le glossaire (p. 166 à 172).

CHIROPRATICIEN
› en clinique privée

DES MILIEUX DE
TRAVAIL POTENTIELS

› Cliniques privées

› MON TRAVAIL

Que vous souffriez d'une hernie discale, de migraines, d'insomnie ou encore d'asthme, François Auger peut vous aider. Il travaille à la Clinique chiropratique Saint-Martin à Laval, en compagnie de trois autres chiropraticiens, d'un massothérapeute et d'un acupuncteur. La chiropratique consiste à manipuler les différentes articulations du corps, notamment la colonne vertébrale, afin de stimuler le système nerveux et de favoriser ainsi la guérison.

«Lorsque je rencontre le patient pour la première fois, je fais une évaluation complète de son état physique, mais aussi de sa condition psychologique à propos de son travail, de sa vie personnelle, etc. Je lui fais également passer certains examens comme des radiographies, des tests sanguins ou des scanographies. À partir des renseignements obtenus, je décide alors du traitement approprié», explique François.

Pendant le traitement, le patient est allongé sur une table. François effectue des manipulations des articulations, des étirements et applique des points de pression sur les muscles tendus. Le cas échéant, il appliquera sur le corps du chaud ou du froid, selon les besoins.

› MA MOTIVATION

François retire une grande valorisation de son métier, notamment parce qu'il lui permet d'améliorer la qualité de vie de ses patients. «Les gens sont désemparés face à leur douleur et ils se questionnent sur la cause de leur problème. Un homme qui boite depuis 20 ans et qui n'a trouvé aucune solution pour alléger sa souffrance, je sais que je suis en mesure de l'aider. Je peux découvrir l'origine de son mal, j'ai des solutions à lui offrir. C'est aussi très motivant de suivre la progression d'un patient.»

En tant que travailleur autonome, François a toute la latitude voulue pour planifier son temps. «J'ai une belle qualité de vie, car j'ai la possibilité de choisir mon horaire et ainsi d'accorder le temps nécessaire à ma famille et à mes projets.»

› MON PARCOURS

Diplômé en techniques ambulancières du Collège Ahuntsic, François a longtemps travaillé pour Urgences Santé. Il est diplômé de la première promotion du doctorat en chiropratique de l'Université du Québec à Trois-Rivières. En plus d'occuper un poste à la Clinique chiropratique Saint-Martin, il possède une clinique privée de chiropratique à domicile. Au moment de l'entrevue, il terminait une maîtrise en kinanthropologie (étude de la motricité humaine) à l'Université du Québec à Montréal.

› MON CONSEIL

«Il faut avoir la vocation!» lance François. Outre les 5 000 heures de cours nécessaires pour obtenir le diplôme universitaire en chiropratique, on doit aussi lutter contre les préjugés qui persistent. «Nous sommes encore considérés comme des "ramancheurs" par certains. Le jeune devra se battre tout au long de sa carrière pour s'affirmer en tant que professionnel de la santé. La détermination est aussi essentielle, car il faut environ cinq ans pour développer et fidéliser sa clientèle.» 05/03

85

DENTISTE
› en clinique privée

- Cabinets de chirurgiens privés
- Cabinets de dentistes privés
- Cabinets de médecins privés
- Centres hospitaliers

› MON TRAVAIL

La profession de dentiste est loin d'être mal connue. Presque tout le monde va chez le dentiste et comprend que son rôle est de veiller à la santé dentaire de ses patients. Mis à part l'exécution de traitements, comme les chirurgies ou les **obturations** (plombages), un dentiste tel que Joël Desnoyers doit veiller à la bonne marche de ses affaires lorsqu'il est propriétaire d'une clinique dentaire.

Ainsi, le praticien supervise des employés, comme la secrétaire, qui fixe les rendez-vous et reçoit les paiements des patients; l'assistant dentaire, qui le seconde pendant les traitements; et l'hygiéniste, qui travaille de façon plus indépendante et qui peut prodiguer certains traitements, notamment les nettoyages.

Le dentiste a aussi une obligation importante concernant le respect des normes d'hygiène fixées par Santé Canada. «Je dois m'assurer que les déchets biomédicaux sont bien traités. Entre autres, les aiguilles, les cotons tachés et les dents extraites doivent être jetés dans des contenants conçus pour la stérilisation, jusqu'à ce qu'une entreprise spécialisée vienne récupérer le tout.»

› MA MOTIVATION

C'est d'abord la possibilité de travailler de façon autonome qui a attiré Joël en médecine dentaire. Puisqu'il dirige sa propre clinique, il peut établir son horaire, fixer le coût des traitements et gérer l'établissement comme il l'entend. «Être entrepreneur est aussi un beau défi. Je dois m'assurer de la viabilité de l'entreprise. Pour ça, les patients doivent être satisfaits du service à la clientèle [accueil, efficacité, ambiance], de la qualité de mes soins et des prix.»

En outre, depuis son enfance, il adore réparer toutes sortes de choses. Comme dentiste, que ce soit lorsqu'il restaure des dents ou des prothèses dentaires, il prend un grand plaisir à imaginer des façons de rendre la réparation solide et efficace. Il sait qu'il a réussi quand un client est satisfait du service reçu.

› MON PARCOURS

Joël est titulaire d'un doctorat en médecine dentaire de l'Université de Montréal (diplôme de premier cycle d'une durée de quatre ans). Immédiatement après l'obtention de son diplôme, il a acheté d'un dentiste désireux de prendre sa retraite la clinique qui porte aujourd'hui son nom.

› MON CONSEIL

Patience, minutie et dextérité vont de pair avec la profession de dentiste, puisque certains travaux, comme les chirurgies, doivent être exécutés avec beaucoup de précision. «Être à son compte demande surtout de grandes qualités générales, poursuit Joël. En plus d'être un bon dentiste, je dois bien gérer les finances de la clinique, me montrer conciliant avec mes employés et, par moments, agir comme un psychologue avec des patients trop nerveux ou imprévisibles à la vue d'une aiguille ou du sang.» 06/03

Les mots en caractères **gras** sont définis dans le glossaire (p. 166 à 172).

ERGOTHÉRAPEUTE
> en centre de réadaptation

DES MILIEUX DE
TRAVAIL POTENTIELS

> Cabinets privés
> Centres de réadaptation
> Centres d'hébergement et de soins de longue durée
> Centres hospitaliers
> Centres locaux de services communautaires
> Établissements d'enseignement
> Industries
> Organismes communautaires

> MON TRAVAIL

Dans un décor où se côtoient ballons, crayons de couleurs et jeux de toutes sortes, Karine Caissy aide à améliorer l'autonomie d'enfants atteints de dysphasie (trouble du langage), de retard de développement ou de trisomie 21. À l'aide de tests d'évaluation (dessins, bricolage), d'observation du patient et d'entrevues avec les parents, Karine cible les incapacités de l'enfant, décide des traitements et de leur fréquence.

À quatre pattes sur le tapis de la salle de traitement du Centre de réadaptation de la Gaspésie, situé à Maria, Karine joue avec les enfants, leur montre comment tenir un crayon, dessiner ou encore attacher les lacets de leurs souliers. Ces petits gestes simples augmenteront leur motricité et leur permettront d'améliorer qualité de vie et estime de soi.

Si les trois quarts de sa clientèle sont composés d'enfants, Karine s'occupe également d'adultes qui souffrent d'incapacités physiques, comme les accidentés de la route. Elle les aide à réapprendre les gestes de tous les jours comme s'habiller, se laver ou conduire une voiture.

> MA MOTIVATION

«L'ergothérapie est à la fois une science et un art, car j'utilise des activités artisanales comme le bricolage et le dessin pour faire progresser mes patients. J'aime cet aspect du métier qui me permet de faire une place à ma créativité et d'adapter, même de fabriquer, des objets. Par exemple, je peux modifier le bureau de travail d'un patient en fauteuil roulant afin qu'il puisse s'y installer aisément et avoir facilement accès aux objets se trouvant sur le bureau», précise Karine.

Pouvoir collaborer au bien-être des individus est pour elle une grande source de motivation. «Même si c'est le patient qui fait la majeure partie du travail, j'ai le sentiment de contribuer à son cheminement. Lorsqu'un enfant, jusque-là incapable de dessiner, griffonne son premier bonhomme grâce au traitement, c'est formidable!» Au Centre de réadaptation, Karine travaille avec une équipe composée d'une physiothérapeute, d'une orthophoniste, d'une travailleuse sociale et d'une éducatrice spécialisée. «Il arrive qu'un enfant doive aussi consulter ces professionnelles. Le traitement se fait alors en complémentarité. Ensemble, nous échangeons, fixons un objectif commun et établissons des stratégies. C'est une dynamique intéressante et stimulante.»

> MON PARCOURS

Dès l'obtention de son baccalauréat en ergothérapie à l'Université Laval, Karine a décroché son emploi au Centre de réadaptation de la Gaspésie.

> MON CONSEIL

Le métier d'ergothérapeute exige empathie et patience. «Il faut être très dynamique et savoir stimuler l'enfant et lui montrer qu'il est sur la bonne voie. On peut, par exemple, prendre un ton de voix enjoué ou faire des gestes d'encouragement. De plus, il arrive que certains parents coopèrent peu, soit par manque d'intérêt ou de compréhension des difficultés de leur enfant. On doit apprendre à se mettre dans leur peau et ne pas les juger», conseille Karine. 05/03

INFIRMIÈRE AUX URGENCES
› dans un établissement hospitalier

DES MILIEUX DE
TRAVAIL POTENTIELS

› Centres hospitaliers
› Centres locaux
de services
communautaires
› Cliniques privées

› MON TRAVAIL

Annie Canuel est infirmière aux urgences du service pédiatrique du Centre hospitalier universitaire Sainte-Justine. «Nous recevons des cas nécessitant des traitements très variés. Ces jeunes patients souffrent de maux parfois bénins, comme une otite ou une fièvre, mais parfois très graves comme des fractures, des membres sectionnés. Chacun est important à sa façon et chaque famille traverse un moment difficile», explique Annie.

«Mon travail consiste à évaluer la priorité des cas et à coordonner les soins et services pour les patients et leurs familles. Je dispense différents soins aux patients. Par exemple, j'installe une perfusion ou j'administre un médicament. Je conseille aussi les familles pour les aider à maintenir ou à rétablir la santé de l'enfant», souligne-t-elle.

Annie consacre le reste de son temps à la supervision et la formation des nouvelles infirmières aux urgences.

› MA MOTIVATION

«J'ai choisi les urgences parce que je voulais occuper un poste qui me permettrait d'être là où ça bouge, confie Annie. Avant d'être aux urgences, j'ai fait partie d'une équipe volante pendant deux ans, ce qui m'a permis de travailler dans plusieurs départements, comme chirurgie, pédiatrie, etc. Cette expérience m'a fait réaliser que j'avais besoin d'être sur la ligne de front, là où les besoins sont les plus pressants.» Dans un établissement hospitalier, une équipe volante vient en renfort des équipes sur le terrain et effectue des remplacements au quotidien.

«J'adore mon travail aux urgences, j'aime sentir l'adrénaline monter dans les moments de crise, poursuit-elle. Quand c'est la panique, je reste calme. J'interviens, j'évalue, je soigne, je soulage, je réconforte. Mon calme et mon empathie contribuent à adoucir les situations critiques.»

› MON PARCOURS

Annie a obtenu un diplôme d'études collégiales en soins infirmiers au Cégep de Matane en 1996. En 2003, elle a décroché un baccalauréat en sciences infirmières par cumul de certificats (*Soins infirmiers en milieu clinique, Petite enfance et famille* et *Nursing communautaire*) à l'Université de Montréal.

À partir de 1998, elle a travaillé au service de l'**hématologie** et dans l'équipe volante au Centre hospitalier universitaire Sainte-Justine avant de décrocher son poste d'infirmière aux urgences en 2000.

› MON CONSEIL

«Le premier souci de l'infirmière aux urgences est de bien gérer les priorités du service. Il arrive sans cesse de nouveaux patients. Leur état de santé doit être évalué, il faut un solide jugement pour établir les priorités», remarque Annie.

«Dans ce métier, il faut de l'entregent, du dévouement et de l'authenticité pour parvenir à nouer des liens de confiance avec le patient et sa famille. Ce sont ces qualités qui, jumelées à mes connaissances et compétences, me permettent d'aider et de soulager.» 03/08

Les mots en caractères **gras** sont définis dans le glossaire (p. 166 à 172).

unecarrierepourlavie.com

À chacun son rythme
À chacun sa carrière

Mon choix, la profession infirmière

TAUX DE PLACEMENT 100 %

Ordre
des infirmières
et infirmiers
du Québec

Quand la job
b⊙⊙m
tout boom!

QUAND LES EMPLOIS VONT À LA
RENCONTRE DES TALETS, ÇA CRÉE
DES ÉTINCELLES. INSCRIVEZ-VOUS À
JOBBOOM.COM ET PRÉPAREZ-VOUS
À RAYONNER.

jobb⊙⊙m.com
travaille pour vous

INFIRMIÈRE DANS UN GROUPE DE MÉDECINE FAMILIALE

› dans une clinique médicale privée

› MON TRAVAIL

Sandrine Alarcon fait partie du groupe de médecine familiale (GMF) au Centre médical Laval. Au sein de ce groupe, les infirmières font le suivi des patients en collaboration avec les médecins. Elle s'occupe principalement des femmes enceintes et des nourrissons.

Au cours de la première année de vie d'un enfant, par exemple, plusieurs rendez-vous sont prévus. Le premier a lieu avec le médecin de famille, le deuxième avec Sandrine et ainsi de suite, en alternance. «J'examine l'enfant, je lui injecte ses vaccins et je donne des conseils aux parents sur son alimentation et son hygiène, entre autres», explique-t-elle.

L'infirmière passe aussi une partie de son temps au service des urgences du centre médical, où elle voit des cas divers (coupure, fracture, fièvre, etc.), en plus de répondre aux questions des patients qui téléphonent. Elle participe également au contrôle de la médication de personnes traitées avec des anticoagulants : si les résultats de leurs tests sanguins le nécessitent, elle ajuste leur dosage. En 2005, elle a suivi de la formation continue concernant la thérapie avec ce type de médicaments.

› MA MOTIVATION

Sandrine est fascinée par le fonctionnement du corps humain. Elle apprécie aussi de pouvoir aider les gens, ce que le travail au GMF lui permet de faire d'une manière à la fois efficace et valorisante : «Dans un GMF, les infirmières bénéficient d'une certaine autonomie avec les patients, tout en ayant accès à l'avis d'un médecin en cas de besoin», dit-elle.

Sandrine constate que dans les GMF, qui sont apparus au Québec il y a quelques années seulement, les médecins peuvent voir plus de patients, car les infirmières sont autorisées, grâce à une nouvelle législation, à accomplir certains actes médicaux qui étaient autrefois réservés aux médecins. Par ailleurs, elle apprécie le fait que ce contexte lui permet d'intervenir davantage sur le plan de la prévention, par exemple en matière de vaccination ou de promotion d'une saine alimentation.

› MON CONSEIL

Dans les GMF, les infirmières bachelières sont très recherchées. Avant d'intégrer un tel groupe, Sandrine recommande cependant d'œuvrer en CLSC ou en milieu hospitalier pendant quelques années. «Il faut posséder de l'expérience pour assumer les responsabilités qu'on nous donne dans un GMF. Une certaine assurance est également utile lorsque vient le temps de prendre des initiatives», indique-t-elle. Par exemple, envoyer un patient à l'urgence si son état de santé le requiert. 03/08

DES MILIEUX DE TRAVAIL POTENTIELS

› Centres hospitaliers
› Centres locaux de services communautaires
› Cliniques privées

› MON PARCOURS

Après avoir obtenu un baccalauréat en sciences infirmières à l'Université de Montréal en 1990, Sandrine a travaillé successivement à l'Hôpital de Montréal pour enfants (à titre d'infirmière, puis d'infirmière-chef adjointe), à l'Hôpital Shriners pour enfants de Montréal (à la clinique externe et comme infirmière-chef de cette clinique, par intérim) et au Centre hospitalier ambulatoire régional de Laval (en tant qu'infirmière clinicienne). Elle occupe son poste actuel depuis 2003.

INFIRMIÈRE PRATICIENNE SPÉCIALISÉE EN CARDIOLOGIE (IPSC)
› dans un établissement hospitalier

› MON TRAVAIL

Sonia Heppell est infirmière praticienne spécialisée en cardiologie (IPSC) à l'Institut de cardiologie de Montréal. Environ 80 % de son temps est dédié aux soins directs aux patients. Avec une autre IPSC, elle soigne la clientèle adulte à la clinique ambulatoire d'insuffisance cardiaque, la clientèle hospitalisée à l'unité de médecine ainsi que celle des soins palliatifs en cardiologie.

«Je rencontre les patients. Je remplis avec eux un questionnaire sur leur état de santé, j'effectue leur examen physique. Je les conseille sur ce qui pourrait améliorer leur santé comme cesser de fumer, faire de l'exercice ou réduire leur consommation quotidienne de sel. Je demande des tests complémentaires en laboratoire comme des prises de sang ou des examens cardiopulmonaires. Je revois leur plan de traitement et j'ajuste leur médication», précise-t-elle.

Elle consacre le reste de son temps aux infirmières en stage, en leur donnant encadrement et formation.

› MA MOTIVATION

Après avoir pratiqué le métier d'infirmière pendant quelques années à l'Institut de cardiologie de Montréal, Sonia a ressenti le besoin de faire davantage : «Je voulais jouer un rôle plus actif auprès des patients et de leur famille.

«Je voyais à quel point les besoins sont grands, notamment dans la nécessité de réduire les délais d'attente, dans l'accompagnement des patients, le soutien aux familles, etc. Je voulais contribuer à l'amélioration globale des soins. Par conséquent, lorsque le programme d'IPSC a été offert à l'Université de Montréal, je me suis empressée de m'y inscrire!»

Sonia trouve une grande source de motivation dans les défis que comporte le poste d'IPSC : «C'est un rôle mixte dans la mesure où l'on fait tout ce que font habituellement les infirmières, en ayant en plus certaines tâches qui étaient jusque-là réservées aux médecins, comme l'ajustement de la médication des patients», raconte-t-elle. Tout un défi au quotidien!

› MON CONSEIL

«Le programme d'IPSC est une formation intensive qui comprend des cours théoriques et un stage de 980 heures en milieu clinique. Une fois son diplôme universitaire en poche, il faut encore réussir l'examen de certification du Collège des médecins et celui de l'Ordre des infirmières et infirmiers du Québec», explique Sonia. Elle recommande aux candidats de travailler quelques années sur le terrain avant de s'y inscrire, non seulement pour satisfaire aux exigences d'admission au programme, mais aussi afin d'acquérir de l'expérience. Ce type de poste requiert en effet une certaine maturité. 03/08

DES MILIEUX DE TRAVAIL POTENTIELS

› Centres hospitaliers

› MON PARCOURS

Sonia a décroché un diplôme d'études collégiales en soins infirmiers au Cégep de Baie-Comeau en 1985, et a poursuivi ses études à l'Université de Montréal. En 1992, elle a terminé un baccalauréat en sciences infirmières par cumul de trois certificats : *Milieu clinique*, *Andragogie* et *Santé communautaire*. Elle possède également deux maîtrises : *Soins infirmiers* (1996) et *Pratique infirmière avancée*, option *Cardiologie* (2006). Elle a fait toute sa carrière à l'Institut de cardiologie de Montréal.

INGÉNIEURE BIOMÉDICALE
› en milieu hospitalier

DES MILIEUX DE
TRAVAIL POTENTIELS

› Centres hospitaliers
› Entreprises privées

› MON TRAVAIL

«L'ingénieur biomédical gère l'acquisition et l'implantation du matériel médical dans les centres hospitaliers, comme les **microscopes ophtalmologiques**, les lampes des salles d'opération, les équipements d'endoscopie, les **appareils d'électrochirurgie**, etc.», explique Aurèle Larrivé, ingénieure biomédicale au département de génie biomédical de l'Hôpital général juif – Sir Mortimer B. Davis à Montréal.

«J'ai un rôle de conseillère auprès des administrateurs et des cliniciens en ce qui concerne la planification d'achat, l'acquisition, l'utilisation et l'entretien des appareils médicaux, sans oublier le soutien à la formation du personnel clinique et des techniciens biomédicaux. Les choix que je propose répondent à plusieurs critères comme la sécurité des patients et du personnel de l'hôpital, le respect de l'environnement, les limites budgétaires, etc. «Je veille à maintenir le parc d'appareils médicaux à la fine pointe de la technologie afin d'assurer le mieux-être des malades et d'améliorer leur traitement.»

› MA MOTIVATION

«À l'école, ce sont les matières scientifiques qui m'intéressaient le plus. Les mathématiques, la chimie, la mécanique, l'électronique, la physiologie me passionnaient. Apprendre comment fonctionnent les choses et résoudre des problèmes techniques ont toujours été d'immenses plaisirs pour moi. Aussi, la carrière d'ingénieure s'est rapidement imposée, explique Aurèle.

«Je terminais ma maîtrise en sciences de l'activité physique, option biomécanique, sans parvenir à envisager une carrière dans ce domaine. Puis, j'ai accepté d'accompagner une amie inscrite en maîtrise de génie biomédical en stage d'une demi-journée dans un hôpital. Je m'y suis tout de suite sentie à ma place. Ce lieu est en constante mouvance, riche en ressources humaines et technologiques. Il y importe aussi d'approfondir ses connaissances et ses compétences. Ça me convenait parfaitement», confie Aurèle.

› MON PARCOURS

Aurèle a d'abord obtenu un diplôme d'études collégiales en sciences pures au Collège Montmorency à Laval. Elle a ensuite décroché un baccalauréat en génie mécanique à l'Université McGill avant d'entamer une maîtrise en sciences de l'activité physique, option biomécanique, à l'Université de Montréal. Dès la fin de ses études, elle a été embauchée à l'Hôpital général juif. Par intérêt personnel, elle s'est inscrite, à titre d'étudiante libre, aux cours menant à la maîtrise en génie biomédical à l'École Polytechnique.

› MON CONSEIL

«Cette profession requiert des personnes friandes de technologies, curieuses et prêtes à se perfectionner continuellement pour faire face aux progrès technologiques rapides. Il est également essentiel de développer un champ d'expertise, une spécialité. De plus, pour travailler en milieu hospitalier, discrétion et souci de la confidentialité, par respect pour les patients, sont des qualités à posséder», souligne Aurèle. 09/03

Les mots en caractères **gras** sont définis dans le glossaire (p. 166 à 172).

93

INSPECTRICE EN HYGIÈNE DES PRODUITS PRIMAIRES

› dans un organisme public

› MON TRAVAIL

«Les produits primaires destinés à la consommation, comme la viande, les œufs, les fruits et légumes, sont soumis à une réglementation très stricte», explique Lyne Drouin, inspectrice en hygiène des produits primaires pour l'Agence canadienne d'inspection des aliments, qui relève du ministère de l'Agriculture.

Lyne est en poste à l'usine de volaille Exceldor à Saint-Anselme. Sous la gouverne d'un chef vétérinaire, elle surveille le traitement des poulets, de leur arrivée à l'abattoir jusqu'à leur livraison aux supermarchés. Quand l'établissement reçoit une cargaison de poulets vivants, elle s'assure qu'ils ont l'air sains et qu'ils ont été transportés dans de bonnes conditions, c'est-à-dire à une température ni trop chaude ni trop froide, sans stress ni souffrance inutiles. Elle vérifie également que les camions sont nettoyés et désinfectés et envoie les animaux suspects ou morts au vétérinaire.

Lyne voit aussi à la propreté de l'usine et au respect, par les employés, des règles de base, comme le port d'un filet sur les cheveux et la barbe, le port de gants, le nettoyage des tables et des couteaux, etc.

› MA MOTIVATION

Cuisinière à ses heures, Lyne n'a aucun mal à se mettre à la place des consommateurs qui bénéficient de sa vigilance. «Ce que je ne veux pas retrouver dans mon assiette, je ne le laisse pas passer!» lance-t-elle. C'est un peu par hasard qu'elle a fait son entrée dans l'univers de la réglementation alimentaire, il y a plus de 20 ans. «À cette époque, on pouvait être formé sur place.»

Bien qu'elle exerce «dans le poulet» depuis deux ans, Lyne peut prendre en charge toutes les tâches d'inspection, pour tous les produits primaires. Elle apprécie particulièrement se retrouver dans le domaine du bœuf, parce que les morceaux de viande, comme les défis de vérification, y sont plus grands. Par exemple, une carcasse peut avoir belle apparence, mais cela ne signifie pas qu'elle est propre à la consommation humaine pour autant.

› MON PARCOURS

Titulaire d'un diplôme d'études secondaires, Lyne a été embauchée, à l'âge de 20 ans, par le ministère de l'Agriculture à titre de classificatrice dans le domaine du porc. «Je suis plus tard devenue inspectrice des produits primaires après une formation théorique et pratique d'environ trois semaines sur mon lieu de travail.» Elle a également suivi d'autres cours d'appoint dont une formation qui l'habilite à superviser l'application du système **HACCP**.

› MON CONSEIL

«Je travaille pour une agence gouvernementale dans une usine privée, explique Lyne. C'est une position stratégique et délicate, car je représente la partie neutre entre le producteur et le consommateur. Quand je m'adresse aux employés de l'usine, je dois communiquer avec tact et être capable d'expliquer pourquoi tel ou tel détail est si important. Je dois aussi rester constamment sur le qui-vive, pour ne rien laisser passer.» 07/03

Les mots en caractères **gras** sont définis dans le glossaire (p. 166 à 172).

INSPECTRICE EN SANTÉ ANIMALE
› dans un organisme public

DES MILIEUX DE
TRAVAIL POTENTIELS

› Agence canadienne
d'inspection des
aliments
› Entreprises privées

› MON TRAVAIL

Pauline Talbot est inspectrice en santé animale au bureau de l'Agence canadienne d'inspection des aliments à Lévis. Elle doit déceler tout risque sanitaire lié à l'introduction et à la propagation de maladies animales sur le territoire canadien, comme la **tuberculose**, la **fièvre aphteuse**, la **salmonellose**. «Je travaille beaucoup sur le plan de l'importation et de l'exportation d'animaux d'élevage. Nous faisons également le suivi dans les fermes, les encans. J'analyse le sang de vaches, de cochons, de poulets, mais aussi d'espèces exotiques importées, comme des perroquets.»

Parfois sollicitée par les douaniers, Pauline doit vérifier la conformité de produits animaux importés au Canada, la viande bien sûr, mais aussi le fromage, la charcuterie, voire une peau de chèvre achetée par un touriste en Amérique centrale! «Je dois vérifier que la peau a été bien tannée et qu'elle ne présente aucun risque de transmission de maladie.»

› MA MOTIVATION

«Je voulais travailler avec les animaux, mais aussi avec les gens», explique Pauline. Ce qu'elle apprécie tout particulièrement dans son métier, ce sont les visites dans les fermes, et sa mission d'information auprès des éleveurs, même si elle doit parfois sévir. «Dans les abattoirs, il arrive que les inspecteurs détectent des résidus d'antibiotiques sur les animaux abattus. Je dois alors me rendre à la ferme pour mener une enquête, et donner une amende au propriétaire s'il y a lieu.»

Pauline applique également un programme de tests sur les ongulés sauvages du pays capturés par des éleveurs, comme les cerfs de Virginie, les bisons, les wapitis, qui pourraient transmettre la tuberculose ou la **brucellose** au cheptel bovin du Canada. Elle se retrouve ainsi régulièrement confrontée à de vrais défis, professionnels et personnels, face à des animaux de très grande taille. «Mais que je sois face à un taureau ou à un bison, je dois faire mon travail!»

› MON PARCOURS

Pauline a obtenu son diplôme d'études collégiales en santé animale au Cégep de La Pocatière en 1982. Pendant six ans, elle a travaillé à la Société protectrice des animaux à Québec, tout en assistant à temps partiel un vétérinaire dans une clinique privée. En 1988, elle est devenue inspectrice en hygiène des viandes; durant 14 ans, elle a visité une grande partie des abattoirs du Québec. Ayant réussi le concours d'inspectrice en santé animale de l'Agence canadienne d'inspection des aliments, elle y a obtenu un poste en 2001.

› MON CONSEIL

«Il faut vraiment étudier le comportement de chaque espèce, acquérir son expérience sur le terrain et écouter les conseils des personnes plus qualifiées», précise Pauline, qui avoue avoir été la cible de quelques taureaux qui souhaitaient l'encorner... Elle précise en outre qu'une bonne condition physique est souhaitable. «Quand on teste une vache, il y a des efforts à fournir pour l'immobiliser, même si l'éleveur est là pour nous aider. Et l'hiver, les conditions sont plus difficiles. Quand on fait des injections à -30°, on a les doigts gelés.» 07/03

Les mots en caractères **gras** sont définis dans le glossaire (p. 166 à 172).

INTERVENANTE EN PSYCHOMOTRICITÉ
> en milieu scolaire

DES MILIEUX DE
TRAVAIL POTENTIELS

> Centres
communautaires

> Centres de condi-
tionnement physique

> Centres d'héber-
gement et de soins
de longue durée

> Milieu scolaire

> MON TRAVAIL

«Les enfants qui viennent de milieux pauvres manquent souvent d'intérêt pour l'activité physique, simplement parce qu'on ne leur a pas montré comment s'amuser en bougeant. Il faut juste leur ouvrir la porte», explique Julie Verrette, intervenante en **psychomotricité** pour l'organisme Québec en forme, qui favorise l'accès aux activités physiques pour les jeunes d'âge scolaire des communautés défavorisées.

Parcourant la région de Trois-Rivières, Julie visite plusieurs écoles pour rencontrer des groupes d'enfants de quatre à cinq ans, à raison d'une heure par semaine. Au cours d'une séance type, elle propose aux enfants des jeux éducatifs visant à développer leurs habiletés motrices, par exemple lancer une balle par-dessus un filet ou encore sauter dans un cerceau placé au sol. Bien qu'elle prépare ces exercices à l'avance, en suivant un plan de cours établi par Québec en forme, Julie utilise beaucoup sa créativité. Ainsi, elle peut inventer des histoires autour des exercices à réaliser et adapter son intervention selon le matériel dont dispose chaque école.

> MA MOTIVATION

«J'ai toujours aimé l'activité physique et je suis une sportive de nature, raconte Julie. J'ai joué au soccer, j'ai fait de la natation, de la danse, du vélo, de l'escalade, de la course à pied, du ski de fond, etc.» Elle n'a donc pas hésité à choisir une carrière qui lui permettrait de rester dans le feu de l'action.

À Québec en forme, la possibilité d'aider les autres l'anime particulièrement. «Je trouvais ça triste que des enfants soient privés de sport ou simplement du goût de bouger... Quand on habite en ville dans un petit logement, la télévision représente la principale distraction, et on valorise le fait que les enfants restent sagement assis. Il est donc important de les éveiller à l'activité physique le plus tôt possible, car on a plus de chances de les y intéresser pour longtemps. Surtout que le manque d'exercice entraîne bien souvent des problèmes, comme l'obésité.»

> MON PARCOURS

Julie a obtenu un diplôme d'études collégiales en sciences de la santé au Cégep de Trois-Rivières, puis un bacca-lauréat et une maîtrise en sciences de l'activité physique à l'Université du Québec à Trois-Rivières (UQTR). Parallè-lement, elle a travaillé au Centre sportif de l'UQTR, à préparer des programmes d'entraînement individualisés. Un bagage qui lui a permis de se joindre à Québec en forme.

> MON CONSEIL

Si Julie mène aujourd'hui une carrière qui la passionne, c'est qu'elle y a mis du sien. Pendant ses études, elle lisait tout ce qu'elle pouvait sur son futur métier et travaillait déjà dans le domaine. «Pour trouver un emploi, il est important de chercher toutes les occa-sions de parfaire ses connaissances et de se faire connaître», soutient-elle. 08/03

Les mots en caractères **gras** sont définis dans le glossaire (p. 166 à 172).

KINÉSIOLOGUE
> en centre d'activité physique et sportive

> MON TRAVAIL

Virginie Dupuis est kinésiologue au Centre d'activité physique et sportive du Collège de la région de L'Amiante, à Thetford Mines. La kinésiologie est une discipline qui vise la sécurité et le bien-être des individus par la pratique d'exercices physiques. «On procède à l'évaluation de la condition physique de la personne, c'est-à-dire ses habiletés motrices et sa capacité cardiorespiratoire, son pourcentage de graisse, sa souplesse, etc. Ensuite, on lui prescrit des exercices qui peuvent l'aider à améliorer sa qualité de vie.»

Virginie travaille avec une clientèle très variée. «Je traite notamment des diabétiques, des femmes enceintes, des personnes en réhabilitation après un accident de travail. On intervient également dans les entreprises. Dans ce cas, on peut, par exemple, réaménager un poste de travail pour la sécurité et le confort de l'employé, ou instaurer des pauses d'exercices pour diminuer le stress.»

> MA MOTIVATION

«J'ai choisi cette profession parce que c'était nouveau et peu connu, explique Virginie. C'était un défi dès le départ de faire connaître mon métier! De plus, il n'y a pas de routine dans mon travail : ce matin, j'étais en évaluation avec des diabétiques; cet après-midi, j'anime un club de marche; et, ce soir, j'enseigne la danse aérobique.»

Virginie apprécie de pouvoir contribuer, à sa façon, au bien-être de la population. «On est davantage des professionnels de la santé que des professionnels du sport. Ce métier permet d'aider les individus à avoir une meilleure qualité de vie. Même si on pense que marcher est une activité facile, pour certaines personnes, c'est déjà beaucoup.»

Avec une clientèle si variée, Virginie doit résoudre chaque jour des problèmes différents. «Il faut répondre aux besoins spécifiques de chacun et trouver des solutions simples, efficaces et accessibles.»

> MON CONSEIL

«Il n'y a pas d'emploi assuré en sortant de l'université, estime Virginie. Encore très peu de postes sont créés dans ce domaine, et la majorité des diplômés cumulent les petits contrats dans des salles de gym, dans les écoles ou dans les entreprises. Il faut donc avoir du leadership et un esprit d'entreprise.» Virginie conseille en outre de participer aux formations connexes au sport et à la santé, comme elle l'a fait elle-même. 06/03

DES MILIEUX DE TRAVAIL POTENTIELS

- Centres communautaires
- Centres de conditionnement physique
- Centres de loisirs
- Centres locaux de services communautaires
- Cliniques privées
- Entreprises
- Fédérations sportives
- Municipalités

> MON PARCOURS

Virginie a obtenu son baccalauréat en kinésiologie à l'Université de Sherbrooke. Cette formation comprend trois stages coopératifs de quatre mois chacun. Virginie les a effectués au Collège de la région de L'Amiante, et, de fil en aiguille, elle a fini par se créer un poste à temps plein dans cet établissement. Elle s'est aussi perfectionnée en suivant diverses formations : brevet de Sauveteur national, formations en aérobie et Programme national de certification des entraîneurs.

MÉDECIN VÉTÉRINAIRE
› dans un organisme public

DES MILIEUX DE
TRAVAIL POTENTIELS

- Cliniques vétérinaires
- Établissements d'enseignement
- Industries alimentaires
- Industries pharmaceutiques
- Jardins zoologiques
- Laboratoires de recherche
- Organismes gouvernementaux (inspection des aliments)

› MON TRAVAIL

Lise Dussault est vétérinaire à l'Agence canadienne d'inspection des aliments. En appliquant les lois et règlements concernant la santé des animaux, elle voit à la prévention, à la surveillance, au contrôle et à l'éradication des maladies animales à déclaration obligatoire, maladies qui pourraient présenter un risque pour la santé de la population en général et pour celle des personnes et des organisations liées à des activités de production animale. Elle doit également veiller à prévenir la transmission de maladies animales aux humains, procéder à la certification en vue de l'exportation d'animaux et inspecter les bêtes dans le cas d'importation. La rage, la tuberculose bovine et l'encéphalopathie spongiforme bovine, communément appelée maladie de la vache folle, sont quelques exemples des maladies que Lise doit surveiller.

«Je reçois des demandes d'enquête de la part de régies régionales de la santé, d'éleveurs, de propriétaires d'animaux et de vétérinaires lorsqu'ils suspectent un cas probable de maladie grave chez un animal. Je me rends sur les lieux pour enquêter sur la bête en question et faire des prélèvements de sang ou de tissus pour fins d'analyse et de diagnostic. À la réception des résultats, j'évalue et je recommande l'application des mesures de contrôle et d'éradication des maladies.» Les espèces principalement visées sont des animaux d'élevage, comme les bovins, les cervidés et les chevaux. Il peut aussi s'agir de chats ou de chiens, car ils sont également susceptibles de contracter des maladies à déclaration obligatoire.

› MA MOTIVATION

En préservant la santé des animaux, Lise protège par le fait même la santé des humains qui sont en contact avec eux. Elle s'estime donc titulaire d'une fonction très importante.

Enfin, elle apprécie le fait de ne pas connaître la routine. Chaque journée lui apporte des demandes d'inspection différentes. «Il y a des cas urgents, d'autres moins. Parfois, un cas qui ne semblait pas grave peut se détériorer subitement. Tout évolue très vite.»

› MON PARCOURS

Lise a trouvé son emploi actuel immédiatement après avoir terminé son doctorat en médecine vétérinaire à l'Université de Montréal. Quelques années plus tard, elle a voulu se perfectionner. Toujours à la même université, elle a fait une maîtrise en pathologie et microbiologie vétérinaire. Sans être absolument nécessaires, ces nouveaux apprentissages représentent des compétences supplémentaires.

› MON CONSEIL

Comme l'apparition d'une maladie animale peut faire des ravages sur la santé des animaux et des humains, il faut être assez rigoureux de nature pour ne rien laisser au hasard lors d'une vérification, soutient Lise.

«Il faut aimer tous les animaux pour être vétérinaire», ajoute-t-elle. Ceci dit, il est important d'être émotionnellement solide, par exemple lorsqu'il faut abattre un troupeau entier de bêtes malades. Au bout du compte, l'amour des animaux ne doit pas dépasser le sens des responsabilités envers les éleveurs et la population en général. 06/03

NUTRITIONNISTE
› en milieu hospitalier

› Bureaux-conseils
› Centres communautaires
› Centres d'hébergement et de soins de longue durée
› Centres hospitaliers
› Centres locaux de services communautaires
› Cliniques privées
› Compagnies pharmaceutiques

› MON TRAVAIL

Certains patients, comme les diabétiques, ne peuvent pas manger n'importe quoi. Ils doivent apprendre à adapter leur alimentation à leur état de santé tout en conservant le plaisir de manger. Marilyne Desrochers est là pour eux. Nutritionniste au Centre hospitalier universitaire de Sherbrooke (CHUS), elle évalue leurs comportements alimentaires et analyse leur **état nutritionnel** en se basant notamment sur leur poids et leurs analyses sanguines.

On pourrait croire qu'elle a un rôle de contrôle, mais il s'agit plutôt d'enseignement, soutient-elle. «Le défi, c'est de persuader les gens que leur alimentation joue un rôle important dans leur santé.» Pour y arriver, elle doit parfois demander la collaboration de l'entourage. «Si on a des doutes [sur ce qu'une personne boulimique prétend manger, par exemple], on appelle sa famille ou les infirmiers qui lui servent ses repas.» En milieu privé, toutefois, ce défi est moindre, car, comme le patient paie ses soins, il est généralement plus motivé.

› MA MOTIVATION

Marilyne a choisi cette profession parce qu'elle lui permet d'être en contact avec des gens : médecin traitant, physiothérapeute, ergothérapeute, pharmacien, voire famille du patient. Mais c'est avec le médecin qu'elle collabore le plus. «À la suite de l'évaluation de l'alimentation de la personne, nous faisons différentes suggestions au médecin. Pour quelqu'un qui fait de l'insuffisance rénale, je peux suggérer une restriction des liquides ou d'autres aliments. Si une personne ne mange pas assez, je dis qu'un **gavage** serait peut-être requis.» Elle aime particulièrement aider des gens qui s'alimentent de façon insuffisante ou qui ont carrément cessé de manger. «J'aime voir que j'ai contribué à leur mieux-être.»

› MON PARCOURS

Après un diplôme d'études collégiales en sciences de la nature au Cégep de Victoriaville, Marilyne a fait un baccalauréat en nutrition à l'Université Laval qui comprenait quatre stages : un dans le milieu communautaire, un autre en recherche, un en gestion de cafétéria dans un hôpital, puis un stage en nutrition clinique, également dans un centre hospitalier. Elle a occupé un premier emploi comme nutritionniste au Regroupement de la santé et des services sociaux de la municipalité régionale de comté de Maskinongé avant de faire son entrée au CHUS.

› MON CONSEIL

«N'ayez pas peur d'essayer différents milieux de travail pendant vos stages ou en début de carrière», conseille Marilyne aux futurs nutritionnistes. En effet, la profession présente de nombreux débouchés qui valent la peine d'être explorés, tels que chroniqueur en nutrition dans les médias, consultant dans un centre sportif, dans un centre d'hébergement pour aînés ou encore dans l'industrie pharmaceutique ou alimentaire. 07/03

Les mots en caractères **gras** sont définis dans le glossaire (p. 166 à 172).

OPTOMÉTRISTE
› en centre de réadaptation visuelle (réseau public)

› MON TRAVAIL

Cataracte, **rétinopathie**, **rétinite pigmentaire** : pour Julie-Andrée Marinier, ces maladies oculaires n'ont plus de secret ou presque. Travaillant à l'Institut Nazareth et Louis-Braille, elle fait partie des quelques optométristes du Québec qui se sont spécialisés en réadaptation visuelle. «Je travaille auprès des personnes âgées, précise-t-elle. Mon rôle est de diminuer l'impact de leur handicap visuel dans leur vie quotidienne. Je les aide à rester autonomes plus longtemps.» Son intervention commence par un examen visuel complet, qui lui permettra de déceler s'il y a présence de maladie oculaire. Elle mesure alors la pression intraoculaire; utilise un biomicroscope pour inspecter la paupière, la **cornée**, l'**iris** et le **cristallin**, et un **ophtalmoscope** pour examiner le fond de l'œil, le **vitré**, la **rétine** et le nerf optique.

L'examen terminé, Julie-Andrée prescrit une aide visuelle : des lunettes, des lentilles cornéennes, une loupe ou même un télescope, dans certains cas indispensables pour voir au loin le numéro d'un autobus, par exemple. Si le patient présente une maladie oculaire, elle en contrôlera chaque année la progression.

› MA MOTIVATION

Pendant ses études secondaires, cette passionnée de physique et de biologie faisait du bénévolat auprès des aînés, des enfants handicapés et des personnes vivant avec le VIH. Habituée à aider les autres, elle se trouve ici dans son élément. Mais au quotidien, répondre aux questions des patients – et des proches qui les accompagnent – représente un défi. «Pour cela, il faut garder ses connaissances à jour en lisant des revues scientifiques d'optométrie et d'ophtalmologie [en anglais] et être à l'écoute du patient.» Par ailleurs, chaque pathologie apporte son lot de mystères, qu'elle tente de percer en consacrant plusieurs heures par semaine à la recherche clinique. Un facteur vasculaire est-il impliqué dans la **dégénérescence maculaire**, une maladie responsable des pertes visuelles en Amérique du Nord? Voilà l'une des questions qui la tiennent en haleine.

› MON CONSEIL

«Il est important d'établir un bon diagnostic, et ce, le plus vite possible, parce que le temps peut jouer dans l'évolution des maladies», soutient Julie-Andrée. Pour être optométriste, il faut donc posséder une bonne vision doublée d'un excellent sens de l'observation et d'une grande minutie, pour bien relever les données indiquées par les appareils de mesure. En outre, les longues études en optométrie nécessitent de la détermination, mais surtout d'excellents résultats scolaires, de la curiosité et une passion pour les sciences. 07/03

DES MILIEUX DE TRAVAIL POTENTIELS

› Cabinets d'autres professionnels de la santé

› Centres de réadaptation offrant des services en basse vision

› Cliniques privées

› Lunetteries

› MON PARCOURS

Julie-Andrée a obtenu un diplôme d'études collégiales en sciences de la santé au Cégep de Bois-de-Boulogne, puis a suivi un doctorat professionnel (de premier cycle) en optométrie d'une durée de cinq ans, à l'Université de Montréal. De plus, elle a obtenu dans le même établissement une maîtrise en sciences de la vision pour pouvoir mener des activités de recherche et d'enseignement en plus de ses consultations.

Les mots en caractères **gras** sont définis dans le glossaire (p. 166 à 172).

ORGANISATEUR COMMUNAUTAIRE
› en centre de santé

› MON TRAVAIL

Vous avez une bonne idée pour améliorer le bien-être de vos concitoyens? Il vous faut rencontrer quelqu'un comme Richard Caron. «Mon but, c'est de développer des réseaux d'entraide et d'être au courant des ressources qui peuvent aider une personne à réaliser son projet», explique l'organisateur communautaire du Centre de santé Memphrémagog.

Richard passe la majeure partie de son temps dans des organismes communautaires (comité de lutte à la pauvreté, cuisines collectives, etc.). Il aide les citoyens à s'organiser, anime leurs réunions et leur fournit des pistes pour faire avancer leurs démarches. Une halte-garderie va ouvrir pour dépanner les parents du quartier? Richard ne travaillera pas directement à l'ouverture de l'établissement, mais il apportera un sacré coup de main, entre autres dans la recherche de subventions. «Je mets en commun les forces de tout le monde», ajoute-t-il.

› MA MOTIVATION

C'est en assurant la coordination d'une coopérative jeunesse que Richard a vraiment décidé de son choix de carrière. «Cela regroupait tout ce que j'aimais : travailler avec la population, rassembler des acteurs sociaux et économiques, apprendre aux jeunes à travailler et, de ce fait, contribuer à l'amélioration de la société en prévenant le chômage.» Bref, changer le monde à l'échelle locale, comme il dit.

Il travaille aujourd'hui à prévenir et non à guérir les problèmes de santé : il préfère aider des personnes pauvres à mettre sur pied une cuisine collective plutôt que d'avoir à soigner leurs troubles de malnutrition. Richard apprécie également le travail en groupe, notamment avec d'autres intervenants du domaine de la santé (médecins, infirmières, auxiliaires familiales). «Ensemble, on peut, par exemple, étudier le cas d'une mère pauvre qui, après une séparation, se retrouve à la rue seule avec ses deux enfants.»

› MON PARCOURS

Au cégep, Richard s'est d'abord inscrit en administration, avant de bifurquer vers le diplôme d'études collégiales en sciences humaines, pour ensuite effectuer un baccalauréat en psycho-sociologie de la communication, à l'Université du Québec à Montréal. Parallèlement à ses études, il a fait un stage en travail de rue ainsi que du bénévolat. Avant d'occuper son poste au Centre de santé Memphrémagog, il a travaillé au Centre local de services communautaires Pointe-aux-Trembles/Montréal-Est ainsi que dans des coopératives jeunesse de services à Villeray-Petite Patrie et à Saint-Henri.

› MON CONSEIL

Richard a appris à croire au potentiel de chacun. «Pour cela, il faut avoir une grande ouverture d'esprit, dit-il. Une personne est pauvre parce qu'elle a vécu des épreuves, pas nécessairement parce qu'elle est fainéante.» Aux gens qui veulent s'initier au métier, il conseille de s'engager socialement, auprès des jeunes, des aînés, des enfants ou encore des toxicomanes, par exemple. Et de voyager, voire de faire un stage à l'étranger. Tout cela permet de mieux se connaître, selon lui. 06/03

ORTHOPHONISTE
› en centre de réadaptation

› MON TRAVAIL

Les orthophonistes évaluent et diagnostiquent les troubles de la parole, du langage et de la déglutition au moyen de tests et d'observations. Par la suite, ils élaborent un programme approprié de traitement et d'intervention spécifique à chaque patient. Programme qu'ils réalisent en collaboration avec les proches et les autres intervenants. C'est en résumé le travail de Natalie Vertefeuille, orthophoniste au Centre régional de réadaptation (CRR) La RessourSe à Hull.

Les patients de Natalie sont des victimes de graves accidents dans lesquels ils ont subi un traumatisme crânien. Souvent, ils sortent à peine du coma quand elle les prend en charge.

«Je vérifie si le patient est capable de me comprendre et s'il peut répondre à mes questions. Je regarde comment il exprime ses besoins, ses idées. Par la suite, j'entreprends une évaluation complète du langage [expression et compréhension] oral et écrit, dans le but qu'il puisse un jour reprendre son travail ou retourner aux études. Selon les problèmes éprouvés, Natalie établit un programme d'exercices dans lequel l'aspect ludique occupe une part importante.

› MA MOTIVATION

«La communication est la base de notre vie, c'est ce qui nous permet d'être en relation avec les autres. Sans communication, on est isolé, coupé du reste du monde.» C'est ce constat qui a poussé Natalie à choisir cette profession.

Sa plus belle récompense : les progrès qu'accomplissent ses patients, jour après jour. «Une personne bègue qui va voir un orthophoniste pour obtenir de l'aide le fait volontairement. Mais ce n'est pas le cas de mes patients, qui ont subi un accident et ont de graves troubles **cognitifs**. Ils ne savent pas toujours qui nous sommes ni pourquoi ils sont là. Certains ne veulent pas recevoir d'aide. Il faut donc trouver des moyens détournés pour parvenir à nos fins et le travail en équipe devient donc essentiel.»

DES MILIEUX DE TRAVAIL POTENTIELS

- Cabinets privés
- Centres de réadaptation
- Centres d'hébergement et de soins de longue durée
- Centres hospitaliers
- Centres locaux de services communautaires
- Établissements d'enseignement

› MON PARCOURS

Avant d'intégrer le programme en orthophonie de l'Université de Montréal, Natalie a fait une majeure en linguistique et a suivi des cours en psychologie dans cette même université. Après son baccalauréat, elle a poursuivi en maîtrise et effectué son stage au CRR La RessourSe à Hull, où elle a été embauchée.

› MON CONSEIL

«Il n'existe pas de recette miracle pour corriger les problèmes diagnostiqués en orthophonie. Chaque cas est différent, et il arrive que l'on prépare un programme de traitement qui ne fonctionne pas.» Il faut donc une bonne dose d'analyse, de jugement et de créativité dans cette profession. Natalie estime pour sa part que c'est sur le terrain que l'on se forme concrètement. «En stage, on apprend à développer des façons de faire et d'agir qui ne s'apprennent pas dans les livres.» 05/03

Les mots en caractères **gras** sont définis dans le glossaire (p. 166 à 172).

PERFUSIONNISTE
› en milieu hospitalier

DES MILIEUX DE TRAVAIL POTENTIELS

› Centres hospitaliers

› MON TRAVAIL

Qu'on se le dise, le perfusionniste, vaut mieux l'avoir à son côté lorsqu'on subit une chirurgie à cœur ouvert. «Quand j'explique mon métier aux patients, ils me disent à la blague de ne pas être trop endormie pendant l'opération», évoque Julie Gagnon, perfusionniste à l'Hôpital général juif de Montréal.

«Environ 95 % de mon travail concerne la **machine cœur-poumon**. Lors d'une **chirurgie valvulaire**, cardiaque ou thoracique, on arrête le cœur et les poumons du patient. Avec mon appareil, je maintiens la personne en vie artificiellement pendant l'intervention.»

C'est un véritable travail d'équipe, constate Julie. «On doit informer le chirurgien de problèmes qui surviennent pendant l'opération [comme l'afflux de sang insuffisant vers la machine cœur-poumon], en plus de collaborer avec l'anesthésiste, l'**inhalothérapeute** et les infirmières.»

Julie s'occupe aussi de l'auto-transfuseur, qui sert à récupérer le sang du patient. Une fois récupéré, le sang est nettoyé et retransmis au patient, ce qui permet d'éviter le recours à un donneur.

› MA MOTIVATION

C'est en regardant une série télévisée américaine qui montrait des médecins en pleine action que Julie a été conquise par cet univers. Puis une autre émission où elle a vu un perfusionniste à l'œuvre avec sa machine cœur-poumon l'a captivée.

«Je voulais être dans un métier où on a "les deux mains dedans", se souvient-elle. La salle d'opération m'a toujours intéressée. C'est impressionnant de voir ce qu'un chirurgien peut faire avec deux ou trois bouts de fil pour sauver des gens ou améliorer leur qualité de vie.» De plus, Julie sait qu'elle peut faire la différence entre la vie et la mort. «Quand ça va mal, l'adrénaline se met de la partie. Il faut réagir et penser rapidement. Lors d'un dénouement heureux, j'ai une grande satisfaction.»

› MON PARCOURS

Julie a effectué un baccalauréat en sciences de la santé, à la Nova Southeastern University, à Fort Lauderdale, en Floride. Par la suite, elle a obtenu un certificat en perfusion extra-corporelle à l'Université de Montréal, ce qui lui a permis d'obtenir un poste à l'Hôpital général juif de Montréal. Julie a également une maîtrise en pharmacologie de l'Université de Montréal.

› MON CONSEIL

Les étudiants refusés en médecine sont le plus souvent pris au dépourvu. Julie a vécu cette situation. Heureusement, la perfusion s'est révélée pour elle une profession tout aussi passionnante. «Ceux qui aiment la médecine devraient considérer cette voie», soutient-elle.

Pour exercer ce métier, il faut toutefois s'assurer d'avoir du sang-froid pour ne pas paniquer en situation d'urgence, avertit Julie. «Il faut être capable de réfléchir rapidement, de vivre dans le stress d'avoir la vie du patient entre les mains.» 05/03

Les mots en caractères **gras** sont définis dans le glossaire (p. 166 à 172).

PHARMACIEN
> en milieu hospitalier

DES MILIEUX DE TRAVAIL POTENTIELS

> Centres d'héber-
  gement et de soins
  de longue durée
> Centres hospitaliers
> Centres locaux
  de services
  communautaires
> Compagnies
  pharmaceutiques
> Établissements
  scolaires
> Pharmacies
  communautaires
> Pharmacies
  d'établissements
  de santé

> MON TRAVAIL

La profession de pharmacien évoque généralement les comptoirs chez Jean Coutu ou Pharmaprix. Ces pharmaciens «d'officine» font principalement de la préparation et de la distribution de médicaments. La profession de pharmacien d'hôpital est différente.

«La majeure partie de mon travail consiste à donner des soins pharmaceutiques, par conséquent à faire partie des unités de soins en compagnie des médecins, physiothérapeutes, ergothérapeutes, infirmières, afin de m'assurer que l'utilisation des médicaments est maximisée», explique Patrick Boudreault, pharmacien à l'Hôpital Saint-François-d'Assise du Centre hospitalier universitaire de Québec (CHUQ). «Par exemple, un médecin fait un diagnostic. En discutant avec lui, je vais suggérer le meilleur choix de médicaments possible. Je devrai ajuster ce choix, ainsi que la dose et la posologie du médicament, selon la situation précise du patient. Je suis totalement impliqué dans le processus décisionnel.

«La plupart du temps, je suis en contact direct avec les malades, insiste Patrick. Mais une demi-journée par semaine environ, je suis affecté à la gestion de la distribution des médicaments à la pharmacie de l'hôpital. En rotation, chaque pharmacien a sa période de distribution.» Cette tâche de comptoir consiste à préparer les médicaments destinés aux malades et à fournir à l'infirmière une feuille d'administration des médicaments pour chaque patient.

> MA MOTIVATION

Patrick apprécie tout particulièrement le travail d'équipe. «Les problèmes de santé que l'on voit dans les hôpitaux sont plus complexes. Par conséquent, avoir une équipe médicale et paramédicale sous la main, tout le matériel nécessaire, l'accès aux laboratoires et à l'information sur le patient permet de faire des choix mieux éclairés. De plus, le patient est sur place et il a le temps. À l'hôpital, on peut discuter avec lui, aller au fond des choses.»

Les médicaments sont de plus en plus chers, poursuit Patrick. «Le grand défi, c'est donc d'en faire une utilisation la plus appropriée et la plus judicieuse possible.»

> MON PARCOURS

Patrick a étudié à l'Université Laval, où il a obtenu son baccalauréat en pharmacie et sa maîtrise en pharmacie d'hôpital. À la fin de ses études en 2000, il a été embauché par l'Hôpital Saint-François-d'Assise du CHUQ.

> MON CONSEIL

Patrick Boudreault suggère aux jeunes intéressés par cette profession de planifier leurs études en fonction du milieu de travail visé. «On commence avec le baccalauréat en pharmacie. Ensuite, il y a trois choix possibles. La majorité des étudiants vont opter pour la pharmacie d'officine. Une petite partie d'entre eux feront une maîtrise en pharmacie d'hôpital, obligatoire pour pouvoir travailler dans les grands centres hospitaliers. La troisième voie, c'est le travail dans l'industrie pharmaceutique.» 05/03

PHARMACOLOGUE
> en milieu universitaire

DES MILIEUX DE
TRAVAIL POTENTIELS

> Compagnies
  pharmaceutiques
> Laboratoires de
  recherche privés,
  publics ou
  universitaires

> MON TRAVAIL

«Tiens, c'est bizarre ce résultat-là...» Voilà le genre d'étincelle qui attise la curiosité de Pedro D'Orléans-Juste. Pharmacologue et biologiste, il consacre ses énergies à comprendre la biologie humaine, les substances médicamenteuses, leur influence sur le corps et les moyens qu'utilise celui-ci pour s'en protéger (l'élimination, par exemple).

Pedro dirige le Département de **pharmacologie** de la Faculté de médecine de l'Université de Sherbrooke. Il partage son temps entre l'administration du Département, l'enseignement aux étudiants, la recherche en laboratoire et la rédaction d'articles scientifiques dans son domaine de prédilection, soit les médicaments développés et éventuellement employés dans le traitement des maladies cardiovasculaires. Ses écrits font force de référence dans le monde entier.

> MA MOTIVATION

Très jeune, Pedro était déjà dévoré par une immense curiosité scientifique. Il en a passé du temps, enfermé au sous-sol de la maison familiale avec son microscope et son jeu de chimie, à faire expérience sur expérience. «Je savais que je ferais de la recherche, confie-t-il. Quand est venu le temps de choisir, ce qui m'a fait opter pour la pharmacologie, c'est l'immensité du potentiel de ce domaine. L'amélioration des soins de santé passe par l'amélioration des médicaments. Si les hospitalisations durent moins longtemps aujourd'hui qu'il y a 20 ans, c'est en partie grâce aux nouveaux médicaments, qui ont des actions mieux ciblées sur les maladies et qui présentent moins d'effets secondaires», explique Pedro, en précisant que le problème des **interactions médicamenteuses** représente toutefois un défi à relever pour les scientifiques.

> MON CONSEIL

«La première qualité que doit posséder un pharmacologue est, à mon avis, la curiosité», affirme Pedro. Repousser les limites des connaissances actuelles demande aussi de la ténacité et de l'audace, ajoute-t-il. L'Université de Sherbrooke offre un baccalauréat en pharmacologie. Ce programme répond aux besoins du marché, selon Pedro. «Il y a beaucoup de place en développement et mise en marché de produits pharmaceutiques, en représentation auprès des professionnels de la santé, en recherche et en enseignement.» 07/03

> MON PARCOURS

Pedro est titulaire d'un baccalauréat en sciences (biologie) de l'Université Bishop's ainsi que d'une maîtrise et d'un doctorat en pharmacologie de l'Université de Sherbrooke. Il a également poursuivi des études post-doctorales au William Harvey Research Institute de Londres. Il est devenu professeur à l'Université de Sherbrooke en 1989.

Les mots en caractères **gras** sont définis dans le glossaire (p. 166 à 172).

PHYSICIENNE MÉDICALE
> en milieu hospitalier

DES MILIEUX DE
TRAVAIL POTENTIELS

> Centres hospitaliers

> MON TRAVAIL

Dans un service de radio-oncologie, où l'on traite les cancers, le physicien médical agit en tant qu'expert en radiation. «Il faut maîtriser cette radiation que l'on ne voit pas», explique Sylviane Aubin, physicienne médicale à l'Hôtel-Dieu de Québec du Centre hospitalier universitaire de Québec. En effet, si une juste dose guérit le patient, une trop faible dose peut faire échouer le traitement tandis qu'un excès peut entraîner des effets secondaires à long terme.

«Notre but est que le traitement soit précis et bien administré, poursuit Sylviane. Nous devons installer et calibrer les appareils qui vont traiter les patients, pour faire en sorte qu'ils fournissent correctement la radiation. Par ailleurs, s'il y a des problèmes pendant le traitement, les physiciens sont appelés en renfort.» Il arrive en effet qu'il faille apporter des ajustements au traitement prévu quand, par exemple, un patient subit une trop grande perte de poids. Les physiciens médicaux doivent aussi inspecter et entretenir scrupuleusement les appareils. Ils font également de la recherche-développement et de la formation dans leur domaine, en plus de s'occuper de radioprotection, c'est-à-dire les mesures à prendre contre les radiations, comme l'entreposage des sources radioactives et la gestion des déchets radioactifs.

> MA MOTIVATION

«Nous affrontons continuellement de nouveaux problèmes. Par exemple, il arrive qu'un patient ait déjà été traité pour un cancer. Or, suivant la région du corps affectée, le patient ne peut recevoir plus qu'une certaine dose de radiation. On évalue alors s'il est possible de faire le traitement prescrit par le médecin ou s'il n'y a pas lieu de traiter autrement pour réduire les effets secondaires à long terme.» Et il y a des moments très gratifiants où son bonheur... irradie : «Récemment, c'est moi qui ai planifié de A à Z le traitement d'un patient en attente d'une greffe de moelle osseuse.» Ce traitement impliquait l'irradiation complète du corps du patient dans le but d'éliminer son système immunitaire et ainsi empêcher le rejet de sa nouvelle moelle... en provenance d'Allemagne.

> MON PARCOURS

Sylviane a décroché un baccalauréat en physique à l'Université Laval. De son propre chef, elle a effectué un stage rémunéré en physique médicale au Groupe de recherche en physique médicale, du département de radio-oncologie de l'Hôtel-Dieu de Québec. Ayant obtenu une bourse du ministère de la Santé et des Services sociaux, elle a ensuite fait une maîtrise en physique médicale à l'Université Laval. Sylviane a par la suite été embauchée par l'Hôtel-Dieu de Québec.

> MON CONSEIL

«La physique médicale est un domaine complexe et mal connu, même des physiciens, affirme Sylviane. Pendant mes études, au baccalauréat et à la maîtrise, j'ai fait deux stages en physique médicale pour mieux connaître le métier. Je suggère d'en faire autant à tout étudiant qui se destine à cette spécialité.» 05/03

PHYSIOTHÉRAPEUTE
› en clinique privée

**DES MILIEUX DE
TRAVAIL POTENTIELS**

› Cabinets d'autres
professionnels de
la santé

› Centres de
réadaptation

› Centres d'héber-
gement et de soins
de longue durée

› Centres hospitaliers

› Centres locaux
de services
communautaires

› Cliniques privées

› Établissements
d'enseignement
spécialisés

› MON TRAVAIL

Tendinite, entorse, **hernie discale**, migraine et **subluxation** : voici quelques-uns des problèmes de santé que traite Mathieu Côté. Il travaille à la clinique privée Physiothérapie Biokin située à Sainte-Foy, avec trois autres physiothérapeutes. Mathieu s'assure d'amener ses patients à un niveau fonctionnel optimal grâce à une réadaptation des articulations et des muscles blessés. Lors de sa première rencontre avec le client, il fait une évaluation de son état physique, détermine quelle est la source de la douleur et établit un plan de traitement.

Mathieu a recours à différentes techniques : il peut, par exemple, mettre en mouvement muscles et articulations pour en rétablir la souplesse, renforcer les muscles à l'aide de poids et haltères ou les masser pour les détendre, ou encore faire des manipulations sur des articulations. Il utilise également l'**électrothérapie** et l'**hydrothérapie** pour diminuer la douleur et l'inflammation et accroître les bienfaits du traitement. Finalement, le patient retournera chez lui avec des exercices de musculation, d'assouplissement ou de renforcement à accomplir.

› MA MOTIVATION

La physiothérapie comprend trois champs de pratique : l'orthopédie (c'est celle qu'a choisie Mathieu), la neurologie et le cardiorespiratoire, ce qui implique des clientèles différentes. «Le physiothérapeute peut choisir de traiter des quadra-plégiques, des grands brûlés ou des personnes atteintes de sclérose en plaques. C'est un domaine diversifié où l'on peut sans cesse se renouveler.» Mais le principal défi de Mathieu est de mener chacun de ses patients vers une réadaptation complète. «J'aime aider les gens à retrouver leur qualité de vie, c'est valorisant. Du sportif blessé qui peut reprendre ses activités à la mère de famille soulagée de ses migraines, j'ai contribué à leur cheminement. Il est également stimulant de se creuser la tête pour bien cerner la problématique du patient, surtout lorsque les causes sont multiples, et donc pas toujours faciles à trouver», explique-t-il.

Il aime également pouvoir établir des relations privilégiées avec sa clientèle. «Le traitement permet de créer un lien de confiance avec les patients. Au fil des rencontres, j'apprends à les connaître et à les apprécier.»

› MON PARCOURS

Titulaire d'un baccalauréat en physiothérapie de l'Université Laval, Mathieu est actionnaire associé à la clinique Physiothé-rapie Biokin. Au moment de l'entrevue, il était également chargé de cours en physio-thérapie à l'Université Laval et physiothérapeute pour une équipe de hockey senior semi-professionnelle à Pont-Rouge.

› MON CONSEIL

Selon Mathieu, pour exercer le métier de physiothérapeute, il faut aimer aider les gens et savoir les accompagner dans leur chemi-nement. «Il est important de développer un lien de confiance avec eux et de réaliser que chaque patient a son propre objectif de guéri-son à atteindre. Le physiothérapeute doit l'encourager et le motiver, par exemple en l'incitant à faire ses exercices à la maison.» 05/03

Les mots en caractères **gras** sont définis dans le glossaire (p. 166 à 172).

PODIATRE

> en clinique privée

> Cabinets d'autres
  professionnels
  de la santé
> Cabinets privés
> Centres hospitaliers

> MON TRAVAIL

Problèmes de pieds? François Giroux, docteur en médecine podiatrique, les connaît tous. Ses cas les plus fréquents sont les verrues plantaires, les ongles incarnés, les cors, ainsi que les problèmes de malformation (pieds plats, pieds creux, orteils marteaux, etc.). Mais il traite aussi les fractures, les tumeurs, les ulcères, les maladies de la peau et des ongles de même que les problèmes d'articulations et de structure osseuse.

«Trouver le problème, poser le diagnostic, c'est l'essentiel de mon travail, résume-t-il. Par la suite, il ne me reste qu'à effectuer le traitement pour améliorer la situation de mon patient.» L'observation, la manipulation, les radiographies et les tests de laboratoire font partie des méthodes à sa disposition pour mettre le doigt sur ce qui ne va pas.

Une fois que le problème est cerné, François explique au patient de quoi il s'agit et prodigue le traitement approprié. Son intervention peut comporter, par exemple, une chirurgie mineure, une pose de plâtre, une thérapie de rééducation du pied ou encore la fabrication de supports orthopédiques.

Le podiatre émet également des recommandations pour éviter les rechutes. À chaque consultation, il collige minutieusement toute l'information recueillie dans ses dossiers médicaux, qu'il doit conserver plusieurs années.

> MA MOTIVATION

L'engagement social est une valeur importante pour François. Il a choisi de faire carrière dans le domaine de la santé pour être en contact avec ses semblables et améliorer leur qualité de vie. En ce sens, sa pratique le satisfait particulièrement. «Ce que je trouve le plus stimulant dans mon travail, c'est que les gens qui viennent me voir arrivent en ayant mal et repartent soulagés. Si leur bobo n'est pas guéri, ils savent au moins à quoi s'attendre parce que je leur ai bien expliqué les étapes du traitement. Pour moi, c'est très gratifiant.»

Autre aspect qui lui est cher : être son propre patron. Depuis qu'il a ouvert sa clinique, François exerce la pleine maîtrise sur ses heures de pratique, sur ses vacances et sur son environnement.

> MON PARCOURS

Au moment où François a choisi la carrière de podiatre, il n'existait pas de formation dans le domaine au Québec. Il a donc obtenu son diplôme universitaire du réputé Pennsylvania College of Podiatric Medecine. C'est après avoir travaillé quelques mois en clinique privée qu'il a inauguré son propre cabinet à Charlesbourg, où il pratique toujours.

> MON CONSEIL

Auparavant, il fallait aller étudier aux États-Unis pour devenir podiatre. Ce n'est plus le cas depuis 2004. «Il existe maintenant une formation en podiatrie à l'Université du Québec à Trois-Rivières. C'est une première dans le monde francophone. Il s'agit d'un programme doctoral de quatre ans.» 08/05

PSYCHOÉDUCATEUR

> en milieu hospitalier

DES MILIEUX DE
TRAVAIL POTENTIELS

- Cabinets privés
- Centres de réadaptation
- Centres hospitaliers
- Centres jeunesse
- Centres locaux de services communautaires
- Établissements d'enseignement
- Garderies
- Milieu carcéral

> MON TRAVAIL

Michel Laroche est psychoéducateur au centre de jour de pédopsychiatrie de l'Hôpital du Sacré-Cœur de Montréal. Il reçoit en thérapie de groupe des enfants de deux à six ans qui présentent des troubles envahissants du développement : **autisme**, **troubles du comportement** ou **de l'attention**, **hyperactivité**, **anxiété**, etc.

«Je peux faire des interventions visant la motricité globale, avec un ballon, ou la motricité fine, à l'aide de petits objets. Pour les enfants atteints très sévèrement, l'éveil à la relation passe par du crayonnage, des casse-têtes, des petites constructions. Je stimule leur communication avec des images, de la musique, des contes, etc.»

Michel travaille aussi avec les parents en plus de collaborer avec les autres établissements du réseau d'aide de ces enfants, comme les garderies, les centres locaux de services communautaires, les centres de réadaptation et les écoles. «Environ 50 % de mon temps est consacré à l'intervention directe. L'autre moitié va à la gestion», résume-t-il.

> MA MOTIVATION

«Les préjugés entourant les maladies psychiatriques m'ont toujours révolté, confie-t-il. J'avais le goût de m'engager socialement, de me porter à la défense des malades et de les aider à progresser.

«Je travaille en troisième ligne d'intervention, là où les médecins de famille et les cliniques ne suffisent pas à la tâche. Mon intervention est ultra-spécialisée et intensive», précise Michel, qui rencontre généralement ses jeunes patients deux fois par semaine, souvent pendant plus d'un an.

Michel se plaît bien dans son équipe multidisciplinaire, qui comprend une douzaine de praticiens de la santé, dont des psychiatres, des orthophonistes et des ergothérapeutes. «Une des spécialités du psychoéducateur est de mettre à contribution toutes les ressources du milieu pour en tirer le plein potentiel.» Cela implique la coordination de l'équipe, la disposition des meubles, l'utilisation des locaux et les horaires.

> MON PARCOURS

Michel a obtenu un diplôme d'études collégiales en sciences de la santé au Cégep du Vieux Montréal, puis un baccalauréat en psychoéducation à l'Université de Montréal. Il a commencé à pratiquer dans son domaine sitôt ses études terminées. Il continue toutefois à suivre des sessions de formation, par exemple en évaluation de cas ou en supervision de groupes de parents. Ayant contribué à la restructuration du programme de maîtrise en psychoéducation, il est bien placé pour expliquer que l'exercice de la profession nécessite maintenant un diplôme de deuxième cycle.

> MON CONSEIL

Le premier outil de travail du psychoéducateur, c'est sa personnalité, déclare Michel. «Pour bien aider, il faut se connaître, savoir ce que contient notre "coffre à outils". Il faut aussi faire preuve de respect pour la souffrance des autres, avoir de la rigueur pour ne pas se perdre de vue dans l'aide qu'on apporte et savoir fixer des objectifs clairs dans la progression des patients.» 06/03

Les mots en caractères **gras** sont définis dans le glossaire (p. 166 à 172).

PSYCHOLOGUE
› en centre de réadaptation

DES MILIEUX DE TRAVAIL POTENTIELS

› Cabinets privés
› Centres locaux de services communautaires
› Cliniques médicales
› Établissements d'enseignement
› Organismes communautaires

› MON TRAVAIL

On a souvent tendance à croire que les psychologues aident surtout les gens souffrant de troubles de santé mentale. Toutefois, leur rôle peut varier d'un milieu de travail à un autre. Ivan Syvrais, psychologue au Centre de réadaptation Lucie-Bruneau, pratique dans le cadre d'un programme de réadaptation au travail.

Des douleurs causées par des blessures subies lors d'un accident ou par une maladie neurologique, comme la sclérose en plaques, peuvent miner le moral d'une personne au point de compromettre son rendement au travail. «Je tente de voir comment la douleur d'un client peut affecter sa vie professionnelle et je lui propose des stratégies de réinsertion au travail, explique Ivan. Par exemple, si après avoir été victime d'un accident, une personne éprouve un stress qui l'empêche de se concentrer, je peux commencer par lui faire essayer des exercices de relaxation.»

› MA MOTIVATION

Ivan a choisi d'œuvrer en psychologie médicale de la santé, car il était particulièrement intéressé par le lien entre la douleur physique et les aspects psychologiques. Pour lui, il est clair qu'une personne souffrant physiquement risque aussi de souffrir psychologiquement, à cause entre autres du haut niveau de stress ou de frustration que peut engendrer une maladie ou une blessure. «J'aime donner une qualité de vie aux gens, les aider à se reprendre en main et les voir progresser», explique-t-il. Créatif, il se plaît à trouver de nouvelles stratégies de réinsertion au travail. Il peut s'agir, par exemple, d'une technique de visualisation positive adaptée aux besoins spécifiques d'un client.

Ivan apprécie également l'interaction avec les autres intervenants du Centre. En partageant des renseignements avec l'ergothérapeute, le médecin, le physiothérapeute, le conseiller d'orientation ou encore avec l'éducateur physique, il acquiert une compréhension globale de l'état de chaque patient.

› MON PARCOURS

Le diplôme de troisième cycle n'était pas obligatoire pour exercer comme psychologue au moment où Ivan a terminé ses études. C'est donc grâce à son baccalauréat en psychologie de l'Université du Québec à Trois-Rivières et à sa maîtrise en psychologie de l'Université de Montréal qu'il a pu obtenir son premier emploi, au Centre Lucie-Bruneau. Toutefois, désireux d'augmenter son expertise, Ivan a entrepris un doctorat en psychologie à l'Université de Montréal. Il a également suivi une formation de deux ans sur les états de stress post-traumatique offerte par un organisme privé.

› MON CONSEIL

Puisque, dans un tel milieu, le psychologue collabore avec beaucoup d'autres intervenants, la sociabilité se révèle essentielle au quotidien. L'empathie, la capacité d'écoute, la diplomatie et l'ouverture d'esprit sont également à cultiver afin de venir en aide aux clients.

«Il faut être persévérant pour accéder à cette profession puisque cela demande de longues études, ajoute Ivan. Maintenant, les étudiants en psychologie doivent faire un doctorat pour pouvoir pratiquer.» 06/03

SAGE-FEMME
> en maison de naissance

> MON TRAVAIL

Une femme enceinte peut choisir de vivre tout le processus de la grossesse et de l'accouchement accompagnée d'une sage-femme.

Christiane Léonard, sage-femme à la maison de naissance du Centre local de services communautaires Lac-Saint-Louis de Pointe-Claire, assure la continuité des soins avant, pendant et après la naissance de l'enfant.

«Je rencontre les femmes pendant leur grossesse, je les assiste à l'accouchement et je fais le suivi postnatal à domicile. Et si malheureusement un problème survient pendant l'accouchement, je les accompagne également à l'hôpital.»

> MA MOTIVATION

Pendant son adolescence, Christiane a été fascinée par un reportage sur l'obstétricien français Frédérick Leboyer, ardent défenseur de l'accouchement sans violence.

«J'ai réalisé qu'il existait des approches plus douces dans la mise au monde d'un enfant et ça m'a plu. Quelques années plus tard, à la naissance de mon premier bébé, j'ai choisi d'être accompagnée par une sage-femme et cela s'est très bien déroulé. J'ai alors décidé de devenir sage-femme moi-même.»

Christiane aime l'approche globale de la pratique de sage-femme, qui tient compte des dimensions physique, psychologique et sociale de cet événement unique qu'est la naissance d'un enfant. «On touche à toutes les dimensions de la personne. Et les tâches sont variées : on fait des consultations, des visites à domicile, on s'occupe du nouveau-né, de l'allaitement, etc. Il n'y a pas de monotonie.»

> MON CONSEIL

Christiane affirme qu'il faut, d'abord et avant tout, adhérer à la philosophie selon laquelle la grossesse, le travail et l'accouchement sont des événements de la vie sains et naturels.

La profession de sage-femme nécessite une grande disponibilité et il faut être prêt à vivre des conditions de travail très irrégulières. «Je suis de garde 24 heures sur 24, 10 jours sur 14. J'ai ensuite quatre jours de congé durant lesquels une autre sage-femme prend le relais.» 05/03

DES MILIEUX DE TRAVAIL POTENTIELS

> Centres hospitaliers
> Domicile des patientes
> Maisons de naissance

> MON PARCOURS

«Auparavant, on apprenait sur le tas. J'ai moi-même commencé en observant des accouchements, puis en assistant graduellement une autre sage-femme.» Maintenant, il faut obtenir un baccalauréat en pratique sage-femme à l'Université du Québec à Trois-Rivières. Après un an de théorie, on effectue trois ans de stages dans des maisons de naissance et des hôpitaux. Enfin, les sages-femmes doivent réussir un examen régi par l'Ordre des sages-femmes du Québec pour pouvoir exercer légalement la profession dans la province, où elles sont désormais reconnues comme des professionnelles de la santé.

TRAVAILLEUR DE RUE
› en organisme communautaire

DES MILIEUX DE TRAVAIL POTENTIELS

- Centres locaux de services communautaires
- Organismes communautaires

› MON TRAVAIL

À Rimouski, il y a un travailleur de rue qui accueille des jeunes de 12 à 29 ans dans un autobus scolaire réaménagé à cette fin. Il s'appelle Serge Dumont et travaille pour le Mouvement d'aide et d'information SIDA du Bas-Saint-Laurent. Toutefois, à la demande des jeunes, le mandat de Serge englobe plus que la prévention du sida.

Avec eux, il aborde des thèmes liés à toutes sortes de sujets qui leur tiennent à cœur, comme les peines d'amour, les effets des drogues, le divorce, etc. Parfois, Serge invite des spécialistes, comme des sexologues, pour approfondir tel ou tel sujet. Il offre aussi des consultations privées dans une petite salle située à l'arrière de l'autobus. Quand un jeune a des problèmes sérieux, comme des tendances suicidaires, il l'envoie à un autre spécialiste, un psychiatre par exemple.

«Ici, les jeunes vivent beaucoup d'isolement et ont besoin de communiquer», explique Serge pour souligner la particularité du travail de rue en région. Dans de grandes villes comme Québec ou Montréal, les interventions sont différentes, car l'itinérance, la délinquance, les problèmes de drogue et la criminalité sont plus fréquents.

› MA MOTIVATION

Curieusement, Serge ne se destinait pas au métier de travailleur de rue. Ce n'est qu'après qu'il eut été embauché comme intervenant psychosocial par le Mouvement d'aide et d'information SIDA du Bas-Saint-Laurent qu'on lui a proposé de prendre les commandes de l'autobus. «Comme je n'avais jamais travaillé de ma vie avec les jeunes, j'ai trouvé ça intéressant.» Et il ne regrette rien. Dans le véhicule où il travaille seul, il apprécie la liberté d'intervenir à sa façon. De plus, il aime les jeunes et croit en eux. «Si je peux permettre à un seul jeune de réaliser un de ses rêves en l'encourageant, j'aurai accompli quelque chose d'important.»

En plus de briser l'isolement des jeunes, un de ses grands défis est d'aller chercher des subventions gouvernementales, municipales et autres pour payer les coûts de son service. Car, il faut le dire, l'organisme qui l'emploie ne bénéficie que de peu d'argent.

› MON PARCOURS

Avant de faire son baccalauréat en psychosociologie à l'Université du Québec à Rimouski, Serge a d'abord suivi des cours en psychothérapie dans une école privée montréalaise. Pendant ses études universitaires, il a travaillé comme intervenant psychosocial à l'Association canadienne pour la santé mentale et auprès des Grands Frères de Rimouski comme agent de communication. Puis, après quelques années de pratique comme psychothérapeute à son compte, il a obtenu un emploi au Mouvement d'aide et d'information SIDA du Bas-Saint-Laurent.

› MON CONSEIL

Pour être apprécié des jeunes et bien réussir son travail, Serge obéit à quatre règles d'or à bord de son autobus. Il fait preuve d'une grande discrétion, ne juge jamais les opinions des autres, se considère comme l'égal de la clientèle et essaie d'être assez souple pour s'adapter à tous les genres d'individus. «Les jeunes sont différents les uns des autres et je dois accepter leurs propres valeurs sans les juger ou prendre parti pour l'un plutôt que l'autre.» 06/03

TRAVAILLEUSE SOCIALE
> **en centre local de services communautaires**

> MON TRAVAIL

Le métier de travailleur social est vaste. Selon qu'on exerce dans une école secondaire, dans un hôpital ou dans un centre local de services communautaires (CLSC), le quotidien varie considérablement.

Geneviève Croisetière, elle, travaille pour le CLSC Arthur-Buies, à Saint-Jérôme. Elle s'occupe du soutien à domicile d'adultes en perte d'autonomie causée par la maladie et par le vieillissement. «Je leur apprends à vivre au quotidien selon leur problème. Je les aide à accepter leur réalité et à organiser leur milieu de vie en fonction de leurs capacités.» Il peut s'agir, par exemple, d'impliquer la famille d'une personne atteinte de la maladie d'Alzheimer afin que quelqu'un lui rappelle de prendre ses médicaments.

Chaque jour, Geneviève se rend au domicile des patients et voit comment ils évoluent. Si, par exemple, l'un d'eux a besoin qu'un auxiliaire familial prépare ses repas, elle demande à la personne-ressource en question de lui rendre visite. Après chaque rencontre, elle rédige un résumé de la situation qui tient compte des aspects biologiques, psychologiques et sociaux, et qui sera accessible aux autres intervenants.

> MA MOTIVATION

«J'ai toujours aimé aider les autres, confie Geneviève. J'avais vraiment envie d'occuper un emploi qui me le permettrait et qui favoriserait les contacts humains. C'est très valorisant de se savoir utile.»

Par ailleurs, Geneviève apprécie le fait d'exercer un travail non routinier. Chaque jour apporte son lot d'imprévus, par exemple, un changement soudain de l'état de santé d'un patient. Elle doit donc être en mesure de suivre attentivement le dossier de chaque individu et de s'adapter en conséquence.

Le travail d'équipe lui plaît également beaucoup. Au CLSC, elle côtoie constamment des ergothérapeutes, des infirmiers, des auxiliaires familiaux, etc. Elle trouve intéressant d'apprendre en partageant leur expérience.

> MON CONSEIL

Selon Geneviève, un travailleur social doit être suffisamment empathique pour comprendre le vécu d'une personne sans porter de jugement. Il doit aussi avoir assez de vivacité d'esprit pour réagir vite aux situations changeantes. Une bonne connaissance des ressources de la communauté est également indispensable. Mais par-dessus tout, il faut faire preuve de beaucoup de respect. «Il faut toujours se centrer sur les besoins de la personne que l'on aide, car elle est la mieux placée pour savoir comment améliorer sa qualité de vie.» 07/05

DES MILIEUX DE TRAVAIL POTENTIELS

> Centres hospitaliers
> Centres jeunesse
> Centres locaux de services communautaires

> MON PARCOURS

Après l'obtention de son diplôme d'études collégiales en sciences humaines au Cégep Lionel-Groulx, Geneviève a fait un baccalauréat en travail social à l'Université McGill. Durant ses années d'université, elle a fait du bénévolat auprès de personnes âgées en plus d'effectuer deux stages dans le réseau des CLSC, qui l'ont amenée à s'occuper de la coordination des bénévoles, puis du soutien à domicile. Ce n'est qu'après ces expériences qu'elle a pu obtenir un poste au CLSC Arthur-Buies.

La pratique des
médecins
omnipraticiens
et spécialistes

La population québécoise peut compter sur au-delà de 19 000 médecins, soit plus de 9 600 spécialistes et environ 9 380 omnipraticiens[1]. Pierre angulaire du réseau de la santé et des services sociaux, ils œuvrent partout dans la province. C'est cependant à Montréal, en Montérégie et dans la région de Québec qu'ils sont les plus nombreux.

Par Guylaine Boucher (mise à jour : Marthe Martel)

114

La plupart des médecins sont des travailleurs autonomes rémunérés par l'État. Leur rémunération et leurs conditions de travail sont négociées entre le gouvernement et les fédérations médicales qui les représentent. Certains sont salariés, notamment dans les centres de santé et de services sociaux (CSSS), mais la majorité d'entre eux sont payés à l'acte, c'est-à-dire en fonction de chacune de leurs interventions auprès d'un malade, ou encore à forfait, c'est-à-dire pour une tâche spécifique assumée pendant une période donnée (par exemple, le suivi de grossesse temporaire d'une cliente d'un autre médecin).

Une majorité de médecins généralistes partagent leur temps entre la pratique en cabinet privé et les établissements du réseau public. Il est même fréquent qu'un médecin généraliste soit en lien avec plusieurs de ces établissements. La raison en est simple : les omnipraticiens ayant moins de vingt ans de pratique doivent accepter d'effectuer certaines activités professionnelles particulières, pendant un nombre minimal d'heures, s'ils désirent toucher leur pleine rémunération. Par activité particulière, on entend, par exemple, le fait de travailler en soins de longue durée, à l'urgence d'un centre hospitalier, auprès des clientèles ayant des problèmes de santé mentale ou encore d'alcoolisme et de toxicomanie. Un médecin peut donc travailler trois jours en clinique privée, être de garde une fin de semaine sur deux en CSSS et effectuer des consultations ponctuelles dans un centre de réadaptation.

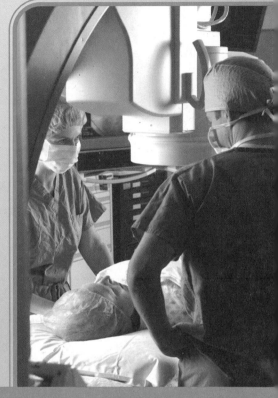

La situation est différente pour les médecins spécialistes. Ces derniers concentrent en effet la majorité de leurs activités en centre hospitalier. Un certain nombre d'entre eux ont aussi leur bureau de consultation privé[2].

Ce portrait général vaut tant pour les médecins qui pratiquent en région que pour ceux installés en milieu urbain. Seule la rémunération diffère. Les médecins qui exercent à l'extérieur des grands centres voient en effet leur salaire bonifié en raison de l'isolement relatif dans lequel ils doivent accomplir leur travail. ◉

---

1. et 2. Collège des médecins du Québec.

VOUS AVEZ LA PIQÛRE?

Au Québec, quatre établissements universitaires offrent le doctorat en médecine générale et la résidence dans les différentes spécialités. Ce sont l'Université Laval, l'Université McGill, l'Université de Montréal et l'Université de Sherbrooke. Dans le but d'attirer les médecins hors des grands centres urbains, deux nouveaux centres de formation en médecine ont été ouverts en région : le premier à Trois-Rivières, affilié à l'Université de Montréal depuis l'automne 2004, et le deuxième à Saguenay, affilié à l'Université de Sherbrooke depuis l'automne 2006. On peut obtenir tous les détails sur les études médicales dans le site du Collège des médecins à l'adresse suivante : **www.cmq.org**.

MÉDECIN SPÉCIALISTE EN ALLERGIE ET EN IMMUNOLOGIE CLINIQUE*

> MON TRAVAIL

L'allergologue-immunologue est un médecin spécialisé dans le dépistage, le diagnostic et le contrôle des troubles physiologiques (difficultés respiratoires, éruptions cutanées, démangeaisons, **œdème**, larmoiement, écoulement nasal, etc.) occasionnés par les allergies.

Il interroge les patients sur leurs symptômes et sur leur environnement (à la maison, au travail, etc.). Il les examine et procède à des tests complémentaires comme les **tests cutanés** (prick tests) et les **patch-tests**. En cas d'**asthme**, il procède à une **exploration fonctionnelle du système respiratoire**. Il peut aussi prescrire des analyses sanguines pour vérifier la présence d'**immunoglobulines** spécifiques à l'allergène suspecté dans le sang.

Ensuite, il pose son diagnostic et commence le traitement qui peut prendre différentes formes (modification de l'environnement, du comportement, des habitudes alimentaires, médicaments, vaccins, désensibilisation, etc.).

> MA MOTIVATION

L'allergologue-immunologue s'intéresse à la personne dans sa globalité en relation avec son environnement. De plus, la réaction allergique peut être causée par une foule d'allergènes comme les acariens, les moisissures, certains aliments, les poils d'animaux, les piqûres de guêpes, etc. La réaction peut aussi toucher différents organes et générer de nombreux problèmes comme la conjonctivite, la rhinite, le rhume des foins, l'asthme, l'eczéma, l'urticaire, etc. Le champ d'action de ce spécialiste est donc vaste et varié, ce qui en fait une discipline à la fois exigeante et pleine de défis.

L'allergologue-immunologue couvre plusieurs aspects de la médecine parce qu'il gère les difficultés qu'éprouve le patient dans son rapport avec ce qui l'entoure et se modifie, comme la nourriture, la nature, l'habitat, etc. Il doit donc pouvoir se faire rapidement une vue d'ensemble pour bien évaluer la situation générale du patient. C'est également une discipline très stimulante, car en constante évolution, où l'on doit suivre de près les modifications des allergènes, l'apparition de nouveaux allergènes et les allergies croisées.

* Exceptionnellement, en l'absence d'un médecin disponible pour un témoignage, nous publions ici une monographie de cette profession.

> MON PARCOURS

Pour devenir allergologue-immunologue, la voie la plus directe est un diplôme d'études collégiales en sciences de la santé ou en sciences pures, suivi du doctorat en médecine et de la **résidence** en allergologie-immunologie.

> MON CONSEIL

Dans l'exercice de cette profession, on doit faire preuve de patience et de détermination pour chercher et trouver les causes des symptômes du patient, ce qui n'est pas toujours chose aisée. Tel le détective qui mène une enquête pour trouver le coupable, il faut avoir une vraie passion pour la recherche. Un excellent sens de l'observation et une bonne mémoire sont également essentiels pour parvenir à relier tous les indices et créer une vision d'ensemble qui permettra de poser un diagnostic. 09/03

Les mots en caractères **gras** sont définis dans le glossaire (p. 166 à 172).

MÉDECIN SPÉCIALISTE EN ANATOMOPATHOLOGIE
› en milieu hospitalier

DES MILIEUX DE
TRAVAIL POTENTIELS

› Centres d'hébergement et de soins de longue durée
› Centres hospitaliers
› Centres locaux de services communautaires
› Cliniques privées

› MON TRAVAIL

Quand votre médecin traitant fait des prélèvements sur vous et qu'il les envoie «au laboratoire», il les envoie à un médecin spécialiste en anatomopathologie, communément appelé pathologiste. «Sans la pathologie, il lui serait beaucoup plus difficile d'établir le bon diagnostic», explique Marie-Laure Brisson, médecin spécialiste, pathologiste et directrice du département de pathologie de l'Hôpital général juif de Montréal.

«Le pathologiste examine des prélèvements de tissus humains, d'abord à l'œil nu, puis à l'aide d'un microscope optique. Par la suite, différentes modalités diagnostiques peuvent venir compléter ses observations, comme l'**immunofluorescence**, la **microscopie électronique**, la **biologie moléculaire** ou la **génétique**.» Une démarche grâce à laquelle il est possible de déterminer la nature d'une maladie, son étendue, sa gravité et son évolution probable. «J'explique les résultats aux médecins traitants. Je suis une consultante pour eux, précise la spécialiste. Dans certains cas, je dois examiner le prélèvement pendant l'intervention chirurgicale afin de poser un diagnostic immédiat et ainsi permettre au chirurgien de pratiquer l'intervention la plus appropriée.»

› MA MOTIVATION

«Ce qui m'a attirée en médecine, c'est la vie : la sauver, lui redonner une qualité, la prolonger. En posant un diagnostic exact, le pathologiste contribue à l'atteinte de ces objectifs», souligne Marie-Laure, en ajoutant que même la pratique d'une autopsie peut faire avancer les connaissances sur la vie.

«C'est aussi pour la diversité des rôles que le pathologiste peut assumer que j'ai choisi cette spécialité. On intervient dans toutes sortes de cas, allant du **test Pap** à l'étude des malformations fœtales. En centre universitaire, le pathologiste est aussi appelé à enseigner et à faire de la recherche clinique ou fondamentale. De plus, les horaires du pathologiste peuvent être un peu plus souples que ceux d'autres médecins spécialistes, parce qu'il n'a pas de patients à suivre directement.» Cela dit, Marie-Laure affirme tout de même travailler entre 10 et 12 heures par jour.

› MON PARCOURS

«J'ai fait mon doctorat en médecine à l'Université de Montréal, raconte Marie-Laure. Puis, j'ai fait cinq ans de **résidence** en pathologie à l'Hôtel-Dieu de Montréal et à l'Université de Georgetown à Washington DC. Par la suite, j'ai fait ma surspécialité en pathologie des maladies du rein à l'Université de Georgetown et à l'Université McGill de Montréal.» Marie-Laure a commencé à travailler à l'Hôpital général juif de Montréal dès la fin de ses études.

› MON CONSEIL

Un bon pathologiste doit être curieux, rigoureux, perspicace et tenace, et aimer travailler en équipe pour mener à bien les différents tests. Marie-Laure fait aussi remarquer qu'à l'Institut médico-légal du Québec, ce sont des pathologistes qui réalisent les autopsies liées aux morts violentes ou encore aux identités douteuses. «Il ne faut pas craindre cet aspect de la pratique. Il y a beaucoup à apprendre du décès d'une personne. En comprendre la cause est souvent utile pour sauver d'autres vies.» 09/03

Les mots en caractères **gras** sont définis dans le glossaire (p. 166 à 172).

117

MÉDECIN SPÉCIALISTE EN ANESTHÉSIOLOGIE
> en milieu hospitalier

DES MILIEUX DE TRAVAIL POTENTIELS

> Centres d'héber-gement et de soins de longue durée
> Centres hospitaliers
> Centres locaux de services communautaires
> Cliniques privées

> MON TRAVAIL

Souffrir le moins possible, voilà ce que l'on espère quand on doit subir une chirurgie. Sophie Collins est là pour y voir. Sophie s'est spécialisée en anesthésiologie. Au moment de l'entrevue, elle était résidente. Elle pratiquait surtout en salle d'opération, sous la supervision d'anesthésiologistes reçus.

Sophie peut rencontrer le patient quelques jours à l'avance en clinique d'évaluation préopératoire ou encore juste avant la chirurgie. Elle évalue alors sa condition physique et, s'il y a lieu, l'envoie passer des tests complémentaires, comme des prises de sang ou des radiographies. Elle détermine ainsi avec le principal intéressé si l'intervention nécessite qu'il soit insensibilisé localement ou «endormi».

Avant et pendant la chirurgie, Sophie administre des médicaments au patient afin de diminuer le plus possible la conscience ou la douleur. En cours de route, elle maintient et surveille ses fonctions vitales, comme son pouls et sa respiration, à l'aide de divers appareils, tel le respirateur artificiel. Une fois l'intervention termi-née, elle va voir le patient en salle de réveil pour s'assurer qu'il va bien et lui faire prendre des médicaments contre la douleur au besoin.

> MA MOTIVATION

Pour Sophie, l'anesthésiologie est une spécialité stimulante, car elle permet de voir toutes sortes de situations. «Je travaille autant avec des enfants, des adultes, des femmes enceintes que des personnes âgées. J'interviens dans une grande diversité de cas : ablation d'amygdales ou de kystes, chirurgies cardiaques, naissances, amputations, etc. En plus, je vois immédiatement l'effet de mes actions sur les patients et leur douleur. C'est très valorisant de faire du bien à quelqu'un qui a mal.

«Pour une personne qui ne veut pas avoir à faire de suivi de patient, c'est vraiment idéal, poursuit-elle. Une fois que le patient est bien, qu'il n'a plus de nausées ou de vomissements, qu'il respire bien, que sa douleur est contrôlée, qu'il a une bonne pression et un bon pouls, je peux l'envoyer à sa chambre pour sa convalescence. Mon intervention est terminée.»

> MON PARCOURS

Sophie a obtenu son diplôme d'études collégiales en sciences de la santé au Collège Jean-de-Brébeuf, puis son doctorat en médecine à l'Université Laval. Pendant sa **résidence** en anesthésiologie, elle travaillait de 50 à 80 heures par semaine dans différents hôpitaux liés à l'Université de Montréal, comme l'Hôpital Maisonneuve-Rosemont et l'Hôpital Sacré-Cœur de Montréal.

> MON CONSEIL

«En salle d'opération, il se passe de longues périodes où tout va bien, mais je dois quand même rester vigilante. Lorsque survient une situa-tion d'urgence, comme un saignement non maîtrisé, c'est à moi d'agir et de ramener le patient à un état normal. Mon calme agit alors sur toute l'équipe du bloc opératoire.» 06/03

MÉDECIN SPÉCIALISTE EN BIOCHIMIE MÉDICALE
> en milieu hospitalier

> Centres d'hébergement et de soins de longue durée

> Centres hospitaliers

> Centres locaux de services communautaires

> Cliniques privées

> MON TRAVAIL

Le médecin biochimiste, c'est le spécialiste de la chimie de la matière vivante. «Nous étudions et analysons différents prélèvements humains [sang, urine, salive, larmes, etc.] pour y déceler des anomalies pouvant être associées à une maladie, explique Jean Dubé, médecin biochimiste à l'Hôpital Fleurimont du Centre hospitalier de l'Université de Sherbrooke. Ces analyses déterminent, par exemple, le taux de sucre ou encore de cholestérol dans le sang. Les résultats aident les **médecins traitants** à établir le diagnostic et à ajuster le traitement des patients.»

Jean fait partie d'une équipe de six médecins biochimistes qui se partagent la supervision de plusieurs techniciens de laboratoire, lesquels exécutent les différents tests. Quand un résultat semble anormal, c'est à lui de vérifier, par exemple, si les instruments d'analyse fonctionnent bien et si le prélèvement a été fait dans les bonnes conditions. Jean enseigne également aux étudiants en médecine de l'Université de Sherbrooke.

> MA MOTIVATION

«J'ai toujours été passionné par la science médicale, la recherche et les personnes, raconte Jean. J'ai donc choisi la médecine tout simplement.» Il s'est ensuite dirigé vers la biochimie médicale pour des raisons de qualité de vie. «Je ne me voyais pas en médecin d'urgence. La biochimie me permet une carrière médicale de laboratoire, avec la possibilité de suivre des patients en clinique externe et d'être de garde à partir de mon domicile. Je peux ainsi vivre ma passion tout en me réservant du temps.» Seul sortant en biochimie médicale de son année, Jean a eu l'embarras du choix pour se trouver un emploi. «J'ai choisi ce poste à Sherbrooke parce qu'il se doublait d'un poste de professeur adjoint à la faculté de médecine de l'Université. Pour moi, c'était très important de pouvoir partager mes connaissances et de poursuivre des recherches. L'Université me donne accès à des locaux, à du matériel et à du personnel pour mes travaux.»

> MON PARCOURS

Jean a fait un baccalauréat en biologie médicale à l'Université du Québec à Trois-Rivières, suivi d'une maîtrise en sciences expérimentales à l'Institut national de la recherche scientifique. Ensuite, pendant cinq ans, il a mené de front un doctorat en médecine expérimentale et un doctorat en médecine à l'Université Laval. Après un an et demi de **résidence** en médecine interne, il a bifurqué vers une résidence en biochimie médicale d'une durée de cinq ans.

> MON CONSEIL

Pour devenir biochimiste médical, il faut être curieux de nature en plus d'aimer les sciences et le travail de laboratoire, qui implique beaucoup d'observation et d'analyse. «Il faut aussi être autonome dans ses études. Le programme de biochimie médicale est moins fréquenté, alors il y a moins de supervision et d'encadrement que dans d'autres programmes plus populaires. Il ne faut pas s'attendre à se faire tenir la main!» 08/03

Les mots en caractères **gras** sont définis dans le glossaire (p. 166 à 172).

MÉDECIN SPÉCIALISTE EN CARDIOLOGIE
> en milieu hospitalier

DES MILIEUX DE TRAVAIL POTENTIELS

> Centres d'hébergement et de soins de longue durée
> Centres hospitaliers
> Centres locaux de services communautaires
> Cliniques privées

> MON TRAVAIL

«Je m'occupe du dépistage, du diagnostic, du traitement et de la prévention des maladies du cœur et des problèmes de circulation sanguine dans les vaisseaux. Les principales maladies que je traite sont les infarctus du myocarde, les artères sclérosées et rétrécies, l'**arythmie**, la **péricardite**, le **souffle au cœur**, etc.», explique Simon Kouz, spécialiste en cardiologie et chef de l'unité de cardiologie au Centre hospitalier régional de Lanaudière à Joliette.

«Dans ma lutte contre les maladies du cœur, le bon vieux stéthoscope est mon principal outil de travail. Je fais aussi passer différents tests à mes patients, comme des examens biologiques [pour vérifier le **dosage des enzymes du muscle du cœur**, par exemple], des **électrocardiogrammes**, une **coronographie**, etc., pour obtenir des renseignements sur leur état de santé. Puis, j'analyse les résultats et pose un diagnostic. Je prescris des changements dans le mode de vie et les médicaments appropriés.»

> MA MOTIVATION

«J'ai choisi la médecine parce que j'aime les gens et que je veux les aider à mieux vivre. Je voulais une profession où les relations interpersonnelles occupent une bonne place. De plus, j'étais passionné par le corps humain et la biologie. Je voulais comprendre comment ça fonctionnait, relate Simon.

«J'ai choisi cette spécialité parce que j'aime les concepts clairs, la logique. Le principe de base de la cardiologie, ce n'est pas plus compliqué qu'une pompe et des tuyaux! J'ai toujours trouvé fascinant qu'une machine aussi complexe que le corps humain soit régie par quelque chose d'aussi simple.

«Dans cette discipline, il y a toujours de nouvelles découvertes, et il se fait d'ailleurs aujourd'hui beaucoup plus de prévention que d'opérations. Toute cette évolution fait en sorte que je suis perpétuellement en formation. Internet me permet d'apprendre beaucoup plus vite qu'auparavant, de voir des photos et de comprendre les nouveautés au fur et à mesure. J'ai le privilège de pouvoir aider mes patients grâce à mes connaissances, et en retour j'ai le devoir de tenir mes connaissances à jour pour pouvoir mieux les aider encore», confie Simon.

> MON PARCOURS

Pour devenir médecin spécialiste en cardiologie, on doit d'abord obtenir un doctorat en médecine, puis effectuer sa **résidence** dans cette discipline. Il est possible ensuite de faire une surspécialité en cardiologie d'intervention, en cardiopathie congénitale, en recherche clinique, etc.

> MON CONSEIL

Un cardiologue se doit d'être en bonne santé : le travail est en effet si exigeant qu'on n'a pas le temps d'être malade! On doit donc avoir une excellente hygiène de vie pour aspirer à cette profession. De plus, il faut être capable de prendre des décisions rapidement, de garder son sang-froid et de bien réagir au stress. On doit également avoir des aptitudes pour le travail en équipe, car on travaille de concert avec d'autres professionnels de la santé. 09/03

Les mots en caractères **gras** sont définis dans le glossaire (p. 166 à 172).

MÉDECIN SPÉCIALISTE EN CHIRURGIE CARDIOVASCULAIRE ET THORACIQUE

› en milieu hospitalier

› MON TRAVAIL

Un patient qui se présente à l'Institut de cardiologie de Montréal (ICM) n'a pas le cœur à rire. Louis Perrault, chirurgien cardiovasculaire et thoracique, le sait. «Le patient est déjà envoyé par un cardiologue. Le diagnostic est tombé, la chirurgie est souhaitable dans 95 % des cas. Je discute alors avec le patient des options, du déroulement de l'intervention, des bénéfices et des risques.»

Louis figure parmi les quelques dizaines de chirurgiens cardiovasculaires et thoraciques québécois. Des chirurgies, il en fait 270 par année. Trois jours par semaine, il effectue des **pontages coronariens**, des **chirurgies valvulaires**, des greffes cardiaques et des interventions chirurgicales cardiaques pour corriger des problèmes congénitaux.

La chirurgie cardiovasculaire, dit-il, est parmi les disciplines les plus exigeantes sur le plan technique. «C'est une chirurgie microvasculaire. On utilise des loupes pour opérer des vaisseaux qui font aussi peu que 1 mm de diamètre interne. De plus, la clientèle est à haut risque [parce que gravement malade]. Nous sommes comme des funambules...» En plus de la recherche fondamentale et appliquée qu'il effectue à l'ICM, Louis prend sous sa houlette les résidents en chirurgie cardiaque et les étudiants de maîtrise et de doctorat en pharmacologie de l'Université de Montréal.

› MA MOTIVATION

«J'ai choisi la médecine par défi, confie Louis. C'était le parcours qui me semblait le plus difficile.» Puis, ç'a été un coup de cœur pour l'univers de la chirurgie. «Les chirurgiens sont des gens d'action, pragmatiques, qui aiment les résultats immédiats. Cela correspondait à mon tempérament.»

Un patient en attente d'une greffe cardiaque peut avoir moins d'un an à vivre, illustre le chirurgien. Or, quelques jours après la greffe, il peut faire de la bicyclette stationnaire, alors qu'avant, le moindre geste l'épuisait. «C'est spectaculaire! Les résultats sont instantanés, la gratification aussi.» Louis aime particulièrement la décharge d'adrénaline qui accompagne le geste chirurgical.

› MON PARCOURS

Avant de travailler à l'ICM, Louis a traversé... 16 années d'études universitaires. À l'Université de Montréal, il a fait son doctorat de cinq ans en médecine, un même nombre d'années de **résidence** en chirurgie générale et trois ans de résidence en chirurgie cardiovasculaire et thoracique. Par la suite, il s'est expatrié en France, où il a fait un doctorat de trois ans en pharmacologie cellulaire et moléculaire à l'Université Louis-Pasteur de Strasbourg.

› MON CONSEIL

Bien connaître les implications du métier avant d'y plonger tête première est indispensable, selon Louis. «C'est une spécialité qui demande beaucoup psychologiquement et physiquement. On ne peut pas faire son travail en dilettante. Nos patients nous suivent toujours, même en vacances.»

L'investissement en temps est également considérable : les résidents peuvent consacrer 100 heures par semaine au travail. Louis estime donc que pour réussir la formation, il faut nécessairement trouver sa gratification dans le geste opératoire lui-même. 05/03

Les mots en caractères **gras** sont définis dans le glossaire (p. 166 à 172).

121

MÉDECIN SPÉCIALISTE EN CHIRURGIE GÉNÉRALE
> en milieu hospitalier et en clinique privée

DES MILIEUX DE TRAVAIL POTENTIELS

> Centres d'héber-gement et de soins de longue durée
> Centres hospitaliers
> Centres locaux de services communautaires
> Cliniques privées

> MON TRAVAIL

Bistouri, scalpel sont des mots qui en font frémir plusieurs, mais pas Nancy Roy, chirurgienne générale.

Cette branche de la médecine ratisse large, confirme Nancy. Elle comprend la chirurgie de la tête, du cou, des tissus mous (comme la peau, la graisse et les muscles), des seins, des **glandes endocrines** (sauf l'**hypophyse**), du thorax, de l'abdomen et des vaisseaux sanguins. «La vaste majorité des chirurgiens se spécialisent», nuance-t-elle toutefois.

Nancy exerce en cabinet privé ainsi qu'au Centre hospitalier des Vallées de l'Outaouais, à Gatineau. «Je pratique les interventions chirurgicales du système digestif et du sein. Il s'agit autant de chirurgies majeures en bloc opératoire [pour des cas de cancer, par exemple], que mineures [comme l'ablation d'un kyste ou encore d'une tumeur bénigne].»

Ses autres tâches englobent les consultations, notamment auprès des patients de l'urgence, les **endoscopies** et les **colonoscopies** ainsi que les rencontres pério-diques avec les patients qu'elle a opérés. Professeure à ses heures, elle enseigne également aux chirurgiens en herbe qui viennent faire leur stage à l'hôpital.

> MA MOTIVATION

Nancy a clairement le sentiment de jouer un rôle crucial. «Dernièrement, j'ai sauvé la vie d'une jeune femme de 28 ans aux prises avec la bactérie mangeuse de chair à l'abdomen. Alors qu'en théorie, ses chances de survie étaient presque nulles, l'opération chirurgicale lui a permis de s'en sortir et de repartir chez elle.»

La chirurgienne se dit également stimulée intellectuellement par sa profession, qu'elle qualifie de non routinière. «C'est toujours une surprise! Lorsqu'on est de garde, on peut être appelé d'urgence pour aller opérer un patient, donner un avis médical, assister un collègue, etc. Contrairement à d'autres disciplines très spécia-lisées, les cas sont plus complexes et plus variés.» Présentement, un projet l'enthousiasme particulièrement : elle souhaite implanter dans sa région une clinique des maladies du sein.

> MON PARCOURS

Nancy a d'abord effectué un docto-rat en médecine (un programme de cinq ans) à l'Université Laval. Son titre de médecin en poche, elle a fait ses cinq ans de **résidence** en chirurgie générale à la même université, avant d'être engagée comme chirurgienne générale au Centre hospitalier des Vallées de l'Outaouais.

> MON CONSEIL

Avant de choisir ce métier, il faut se demander si l'on est prêt à être dérangé en tout temps, concède Nancy. Week-ends, nuits, anniversaires, réveillons de Noël : rien n'est exclu. «Pour fonder une famille avec une carrière pareille, ça prend beaucoup d'organisation.»

Dans le feu de l'action, il faut aussi oser, souligne-t-elle. «Le mode d'emploi n'est pas toujours dans les manuels. On doit parfois inventer une nouvelle approche ou utiliser une technologie en émer-gence, comme la **laparoscopie**, qui n'existait pas encore quand j'étais aux études.» 05/03

Les mots en caractères **gras** sont définis dans le glossaire (p. 166 à 172).

MÉDECIN SPÉCIALISTE EN CHIRURGIE ORTHOPÉDIQUE
> en milieu hospitalier

DES MILIEUX DE TRAVAIL POTENTIELS

> Centres d'héber-gement et de soins de longue durée

> Centres hospitaliers

> Centres locaux de services communautaires

> Cliniques privées

> MON TRAVAIL

Hugo Viens est chirurgien orthopédique au Centre hospitalier du Haut-Richelieu, à Saint-Jean-sur-Richelieu. Sa spécialité l'amène à diagnostiquer et à traiter les blessures et les atteintes du système musculo-squelettique dans son ensemble, c'est-à-dire les maladies, les traumatismes et les malformations des os – notamment la colonne vertébrale – des articulations, des ligaments, des muscles et des tendons.

«Les traumatismes musculo-squelettiques, comme les fractures, les entorses et les luxations, concernent le chirurgien orthopédique, explique Hugo. Je m'occupe donc du traitement médical de ces atteintes, et s'il y a lieu, du traitement chirurgical. Le deuxième grand domaine d'activité des orthopédistes concerne toutes les pathologies dégénératives, comme l'arthrose ou le vieillissement des articulations, ainsi que toutes les maladies infectieuses qui touchent les os et les articulations.»

> MA MOTIVATION

Après avoir obtenu son doctorat en médecine générale, Hugo a choisi de devenir chirurgien orthopédique par intérêt pour la **biomécanique**, et l'aspect manuel et concret de cette spécialité. «Quand on travaille en orthopédie, on a parfois l'impression d'être dans un garage automobile! On travaille avec des outils pneumatiques, des marteaux, des perceuses, des scies, mais aussi avec des microscopes et différents instruments de précision pour les techniques microchirurgicales.»

Hugo estime également que c'est un domaine où l'on peut avoir une relation très gratifiante avec ses patients. «L'impact sur la qualité de vie des gens est très important en orthopédie, explique-t-il. L'intervention articulaire de la hanche, qui est une chirurgie orthopédique, est l'intervention chirurgicale qui améliore le plus la santé des gens. Des personnes qui ne pouvaient plus marcher reviennent me voir pour me remercier de leur avoir donné une nouvelle vie. C'est très valorisant.»

> MON PARCOURS

Hugo a étudié trois ans en biolo-gie à l'Université de Montréal. Son baccalauréat en poche, il s'est inscrit au doctorat en médecine générale à la même université, et a ensuite entamé sa **résidence** en orthopédie. Diplômé en mai 2003, il a com-mencé à pratiquer au Centre hospitalier du Haut-Richelieu.

> MON CONSEIL

«Je crois qu'il y a un ingénieur mécanique qui sommeille en chaque chirurgien orthopédique. La biomécanique requiert un intérêt pour le génie mécanique de façon générale, afin de bien comprendre le fonctionnement du corps humain», précise Hugo.

Il ajoute toutefois que cette spécialité implique un nombre d'heures de présence à l'hôpital qui est l'un des plus élevés de l'ensemble des spécialités médicales et chirurgicales. «Durant les gardes, on s'occupe des polytraumatisés et de toutes les pathologies de l'ap-pareil musculo-squelettique. Ce sont des types de cas qui entrent continuellement aux urgences.» 07/03

Les mots en caractères **gras** sont définis dans le glossaire (p. 166 à 172).

MÉDECIN SPÉCIALISTE EN CHIRURGIE PLASTIQUE
> en clinique privée

DES MILIEUX DE
TRAVAIL POTENTIELS

> Centres d'héber-
gement et de soins
de longue durée
> Centres hospitaliers
> Centres locaux
de services
communautaires
> Cliniques privées

> MON TRAVAIL

Ezat Hashim se dit d'abord médecin. «Mon rôle est d'améliorer la santé et la qualité de vie des personnes», dit-il. Mais au quotidien, ses interventions concernent surtout l'apparence des patients. «Je suis un sculpteur de corps. Mes principaux outils de travail sont mon sens artistique, mes connaissances médicales et ma minutie.»

Les patients qui le consultent à la Clinique de chirurgie plastique de Montréal le font principalement pour deux raisons. «Les uns veulent rétablir leur apparence à la suite d'un traumatisme, comme des brûlures ou encore l'ablation d'un sein.» Ces gens ont besoin d'une intervention en chirurgie plastique. «Les autres viennent plutôt par désir de modifier leur apparence, par exemple, pour refaire leurs seins, leur visage, leur nez, leurs mains, faire enlever une tache de naissance, des poches sous les yeux, etc.» On parle alors de chirurgie esthétique. Dans tous les cas, le médecin écoute, prend des photos, examine et détermine de quelle manière il peut aider la personne.

> MA MOTIVATION

«Jeune, j'aimais le dessin et les sciences, se souvient le Dr Hashim. J'ai donc choisi la médecine pour le côté scientifique, et la chirurgie plastique pour le travail sur la beauté.» En plus de combiner ses deux passions, sa pratique lui permet aujourd'hui un contact privilégié avec les personnes.

«C'est un grand plaisir d'opérer un patient, de rétablir les proportions de son visage ou de son corps et de constater, après la guérison, la beauté retrouvée. Mes interventions changent la vie des gens. Elles les aident à s'accepter et à s'aimer davantage en leur procurant un corps qui correspond mieux à l'idée qu'ils s'en font.» Mais il lui arrive aussi de refuser de pratiquer certaines interventions. «Je ne veux pas créer des clowns. L'éthique que j'observe est celle de la beauté naturelle», souligne-t-il.

> MON PARCOURS

Ezat Hashim a effectué un baccalauréat en chimie/biochimie à l'Université McGill avant d'y faire son doctorat en médecine, puis une maîtrise en chirurgie expérimentale. Il a fait sa **résidence** en chirurgie plastique à l'Hôpital général de Montréal, à l'Hôpital Royal Victoria et à l'Hôpital de Montréal pour enfants avant d'entreprendre deux surspécialités en chirurgie esthétique en Ontario, l'une au Cosmetic Surgery Hospital à Woodbridge et l'autre au General Hospital à Scarborough. Il pratique à la Clinique de chirurgie plastique de Montréal depuis 2000.

> MON CONSEIL

«Pour pratiquer la chirurgie plastique, il faut aimer les sciences parce qu'il faut d'abord devenir médecin, prévient-il. De plus, il faut aimer travailler minutieusement et délicatement, être patient et avoir un bon jugement.» Mais, puisque la discipline requiert aussi un bon sens artistique, le chirurgien insiste sur l'importance de développer ses connaissances en art, «par exemple en allant voir des expositions, en se tenant au courant des tendances, en fouillant l'histoire». 09/03

MÉDECIN SPÉCIALISTE EN DERMATOLOGIE
> en clinique privée et en milieu hospitalier

DES MILIEUX DE TRAVAIL POTENTIELS

> Centres d'héber-gement et de soins de longue durée

> Centres hospitaliers

> Centres locaux de services communautaires

> Cliniques privées

> MON TRAVAIL

Si, en revenant d'une escapade romantique en forêt, vous avez des cloches d'eau sur la peau accompagnées d'intenses démangeaisons, vous faites probablement une réaction allergique à l'herbe à puce. Comme ce jeune couple infortuné qui a consulté le dermatologue Pierre Ricard, vous devrez subir un traitement à la calamine ou à la cortisone pour guérir cette «dermite par contact vénéneuse». Pierre soigne des personnes de tout âge qui ont des maladies de peau, reliées ou non à l'esthétique : acné, rosacée, eczéma ou perte de cheveux, par exemple. Il précise que les dermatologues (ou dermatologistes) peuvent également soigner des maladies transmises sexuellement, comme la syphilis ou l'herpès, ainsi que les manifestations externes de maladies internes, comme les éruptions cutanées chez les personnes leucémiques. Ces médecins spécialistes sont aussi habilités à enlever les verrues, les poils, la couperose, les rides et les taches de vin à l'aide du laser, «un bistouri sans saignement qui pourra peut-être un jour traiter l'acné». Pierre souligne également le rôle que jouent les membres de sa profession dans la prévention du cancer de la peau. C'est grâce à eux si, aujourd'hui, la population est sensibilisée aux effets néfastes de l'exposition au soleil.

> MA MOTIVATION

L'aspect psychologique occupe une place importante dans le travail du derma-tologue, souligne le spécialiste. «Souvent, les gens ont une perception négative d'eux-mêmes», observe-t-il. Réconforter, rassurer et faire preuve d'entregent vont donc de pair avec la pratique. Une dame de 87 ans a un très léger cancer sur la joue? Il vaut sans doute mieux ne pas prononcer devant elle le mot tant redouté si elle semble inquiète de nature. En plus du contact humain, il apprécie de pouvoir déterminer ce dont souffre une personne. «C'est constructif. Par exemple, si vous voyez un **mélanome** chez quelqu'un, vous venez peut-être de lui sauver la vie.» Quand le diagnostic ne vient pas tout de suite, il consulte des livres spécialisés ou demande conseil à l'un des deux confrères avec qui il partage son cabinet.

> MON PARCOURS

Après sa formation classique, Pierre a entrepris un doctorat en médecine suivi d'une **résidence** de cinq ans en dermatologie, à l'Université de Montréal. Lui qui aspirait initialement à devenir gynécologue (comme son père) s'est aperçu en cours d'études que très peu de médecins savaient traiter les maladies de peau. C'était en 1965, et il n'y avait que 60 dermatologues au Québec. Intrigué par cette spé-cialité, il a décidé d'y plonger. Une décision qui ne semble pas lui avoir donné d'urticaire!

> MON CONSEIL

Pierre déplore avoir souvent vu des gens atterrir en douleur dans son bureau parce qu'on leur avait prescrit ailleurs un médicament inefficace. D'où l'importance de bien écouter les patients. Si un adolescent fait de l'acné, par exemple, son dermatologue doit savoir si d'autres membres de sa famille en font aussi. «Écouter permet d'établir l'histoire person-nelle du patient et de sa maladie, afin de lui proposer un traitement approprié.» 07/03

Les mots en caractères **gras** sont définis dans le glossaire (p. 166 à 172).

MÉDECIN SPÉCIALISTE EN ENDOCRINOLOGIE
> en milieu hospitalier

> MON TRAVAIL

«L'endocrinologie est la science médicale qui étudie les glandes endocrines. Ces glandes fabriquent les hormones qui se déversent dans le sang avant d'atteindre leurs tissus cibles. Parmi les glandes les plus connues, notons la thyroïde, les para-thyroïdes, le pancréas, les testicules, les ovaires, les surrénales et l'hypophyse», explique Fernand Labrie, médecin spécialiste en endocrinologie, directeur du Centre de recherche du Centre hospitalier de l'Université Laval.

«Les glandes endocrines produisent des hormones comme l'hormone de croissance, la testostérone et l'**estradiol**, pour parler des plus connues. Il arrive que ces glandes se dérèglent, amenant ainsi une déficience ou une augmentation de la fabrication des hormones. L'endocrinologue étudie ces dérèglements en procédant à des analyses sanguines afin de connaître les paramètres biologiques du patient et d'établir le traitement hormonal approprié. Les maladies les plus connues reliées au dérèglement hormonal sont le diabète, l'hypothyroïdie, l'ostéoporose, l'infertilité, etc.

«Mon travail de chercheur me permet de concentrer ma pratique professionnelle sur la recherche en laboratoire, alors que mon travail de directeur m'astreint à diverses tâches administratives incontournables pour assurer le succès de la recherche», ajoute Fernand.

> MON PARCOURS

Fernand a obtenu son doctorat en médecine à l'Université Laval, puis a poursuivi ses études de spécialisation en endocrinologie. Il a ensuite effectué des études postdoctorales au Département de biochimie de l'Université de Cambridge, puis à l'Université du Sussex et enfin au Laboratoire de biologie moléculaire de Cambridge, en Grande-Bretagne. Il a fondé le Laboratoire d'endocrinologie molé-culaire, qui est devenu le Centre de recherche en endocrinologie moléculaire et oncologique de l'Université Laval. Ses recherches ont, entre autres, permis la décou-verte de la castration chimique et du traitement hormonal combiné, utilisés dans le monde entier comme traitements standards du cancer de la prostate.

> MA MOTIVATION

«J'ai toujours été intéressé par les sciences. La chimie, la biochimie et les mathématiques étaient mes matières favorites. La médecine m'apparais-sait être la meilleure avenue pour travailler dans un milieu scientifique tout en apportant une contribution au soulagement de la souffrance humaine, spécialement le cancer qui est le plus grand fléau», explique le médecin.

> MON CONSEIL

«L'endocrinologie est une discipline scientifique qui requiert plusieurs qualités. Ainsi, une bonne dose de curiosité est nécessaire; il faut également se montrer tenace pour se reposer sans cesse les mêmes questions et refaire les mêmes analyses pour s'assurer que tout est aussi parfait que possible; on doit également avoir le goût d'apprendre et remettre les choses en question pour aller au-delà des connaissances actuelles», déclare Fernand. 09/03

Les mots en caractères **gras** sont définis dans le glossaire (p. 166 à 172).

MÉDECIN SPÉCIALISTE EN GASTRO-ENTÉROLOGIE
> en milieu hospitalier

> MON TRAVAIL

Un médecin spécialiste en gastro-entérologie se consacre aux problèmes du tube digestif et de ses glandes annexes, c'est-à-dire le foie, la vésicule biliaire et le pancréas. Chef du service de gastro-entérologie au Centre hospitalier de l'Université Laval (CHUL) à Québec, Pierre Gagnon explique la particularité de sa pratique.

«En gastro-entérologie, l'un des outils de diagnostic est l'endoscope. C'est un appareil vidéo qu'on introduit par la bouche ou le rectum, et qui permet d'aller voir l'intérieur du tube digestif. Lors de la réalisation de l'endoscopie, on peut également, avec des instruments adaptés à cette technique guidée par vidéo, poser des gestes thérapeutiques, comme enlever des polypes intestinaux. Ceci évite une chirurgie au patient.»

Pierre est responsable de l'admission des patients au service de gastro-entérologie du CHUL, mais il est également sollicité pour son expertise dans les autres services, notamment aux urgences.

> MA MOTIVATION

C'est après avoir effectué un stage en gastro-entérologie lors de sa formation en médecine générale que Pierre a décidé de choisir cette spécialité. «La gastro-entérologie n'est pas une pratique routinière. Il y a le côté analytique quand on est en consultation avec les patients, et il y a le côté technique lorsqu'on fait des endoscopies.»

Pierre a un intérêt tout particulier pour les problématiques causant des symptômes – douleurs abdominales, diarrhées, constipations, mauvaise digestion, par exemple – qui ne sont pas reliés à une maladie organique, mais aux émotions et au stress.

«Cela concerne de 50 à 60 % des patients reçus en clinique externe, précise-t-il. Il faut être capable de les prendre en charge et de les aider à bien canaliser leur énergie, non pas vers la douleur, mais vers ce qui génère la douleur, c'est-à-dire la sphère psychologique ou émotionnelle.»

> MON PARCOURS

Pierre a obtenu son doctorat en médecine à l'Université Laval. Il a ensuite effectué sa **résidence** en gastro-entérologie à l'Université McGill. Diplômé en 1988, il pratiquera un an au Centre hospitalier de l'Université Laval à Québec, avant de se perfectionner un an en France en endoscopie thérapeutique à l'hôpital Édouard-Hériot, à Lyon. Il est ensuite revenu au CHUL en 1990.

> MON CONSEIL

«À mon avis, la chose la plus importante est d'aimer le contact avec les patients et d'être à l'aise avec les malades, affirme Pierre. J'ai compris récemment que pour être un bon gastro-entérologue, il faut savoir apprivoiser sa propre souffrance. Si on la connaît, si on la comprend et qu'on l'accepte, cela crée une ouverture qui nous permet d'être réceptif à la souffrance du patient, une souffrance psychique qui se somatise dans le tube digestif.» 05/03

127

MÉDECIN SPÉCIALISTE EN GÉNÉTIQUE CLINIQUE
> en milieu hospitalier

> MON TRAVAIL

«Je suis responsable de la recherche et du dépistage des maladies des nouveau-nés pour tout le Québec. J'effectue des recherches sur l'hérédité – le bagage génétique qui nous vient de nos parents – et sur la **composition génétique**», explique Claude Laberge, médecin spécialiste en pédiatrie et génétique médicale, chef du laboratoire de génétique au Centre hospitalier de l'Université Laval (CHUL) et professeur de médecine pédiatrique à l'Université Laval.

«Je reçois des prélèvements sanguins de tous les bébés qui naissent au Québec, soit autour de 75 000 par année. Le laboratoire est entièrement automatisé. Je surveille les tests, les analyses et je commande de nouveaux prélèvements si besoin est. Finalement, j'envoie les résultats d'analyse aux médecins traitants et je leur explique les cas problèmes quand il y en a. Je peux également faire des tests sur des fœtus. Cela permet de savoir si l'enfant à naître sera en bonne santé ou s'il risque de développer une maladie héréditaire.»

> MA MOTIVATION

Issu d'une longue tradition familiale (son père, son grand-père et l'un de ses oncles étaient médecins), Claude a grandi au milieu de discussions à caractère médical. «Quand j'ai choisi la pédiatrie, la **génétique** en était encore à ses premiers balbutiements. J'avais un vif intérêt pour ces nouvelles applications de la science au service des populations. J'avais envie de contribuer à cet essor. Les deux spécialités combinées me permettaient d'aider à la fois les enfants et les parents.

«Pour moi, il était primordial de rendre accessibles les nouvelles connaissances par l'entremise des soins médicaux à l'ensemble de la population québécoise. En ce sens, le laboratoire du Centre de recherche du CHUL joue un rôle essentiel, car il permet d'avoir une vue d'ensemble. C'est très gratifiant de pouvoir aider des gens frappés par la maladie et de trouver des pistes d'explication et de solutions là où il n'y en avait pas auparavant», précise Claude.

> MON PARCOURS

Claude a obtenu son doctorat en médecine à l'Université Laval. Il a fait sa résidence en pédiatrie à l'Université de Toronto et sa **résidence** au Hospital for Sick Children. C'est aux Johns Hopkins Medical Institutions de Baltimore, au Maryland, qu'il a terminé sa surspécialité en génétique. Il a fait sa résidence au Johns Hopkins Hospital. Après ses études, il a participé à la création du laboratoire du Centre de recherche du CHUL.

> MON CONSEIL

«Pour devenir généticien, il faut être passionné de biologie, s'intéresser à l'humain et à la santé des populations. On doit aimer se poser des questions et chercher des réponses, effectuer des tests, des expérimentations et même des investigations. Il faut être prêt à apprendre toute sa vie, ne pas avoir peur du changement, ni de remettre en question des vérités établies. Même s'il faut savoir respecter l'autorité, il faut aussi avoir une tête de cochon!» s'exclame Claude en riant. Car ce scientifique visionnaire, qui n'a pas souvent été premier de classe, dit devoir sa réussite à sa persévérance. 09/03

DES MILIEUX DE TRAVAIL POTENTIELS

- Centres d'hébergement et de soins de longue durée
- Centres hospitaliers
- Centres locaux de services communautaires
- Cliniques privées

Les mots en caractères **gras** sont définis dans le glossaire (p. 166 à 172).

MÉDECIN SPÉCIALISTE EN GÉRIATRIE
› en milieu hospitalier

DES MILIEUX DE TRAVAIL POTENTIELS

- › Centres d'hébergement et de soins de longue durée
- › Centres hospitaliers
- › Centres locaux de services communautaires
- › Cliniques privées

› MON TRAVAIL

Au Département de gériatrie du Centre hospitalier de l'Université Laval (CHUL), on trouve des personnes âgées souffrant de problèmes de santé multiples (fractures, pneumonie, troubles cognitifs, insuffisance rénale, etc.) et dont l'autonomie est diminuée. «Mon but est de traiter physiquement les patients, mais aussi d'améliorer leur qualité de vie lors de leur retour à la maison», explique Mélanie Hains, médecin spécialiste en gériatrie.

Pour chaque cas, Mélanie évalue, outre les problèmes de santé, les antécédents médicaux, la prise de médicaments et le milieu de vie. Par exemple, le patient vit-il seul ou en couple? Dans son propre logement ou en centre d'hébergement? Elle pose ensuite son diagnostic, duquel découle un plan de traitement. Puis, avec l'aide de la famille et d'une équipe multidisciplinaire, composée notamment d'une **ergothérapeute**, d'une nutritionniste et d'une travailleuse sociale, Mélanie évalue les moyens d'assurer la sécurité et la stabilité du patient une fois qu'il aura quitté l'hôpital. Aide à domicile ou séjour dans une résidence pour personnes âgées font partie des solutions envisageables.

› MA MOTIVATION

«J'aime traiter les personnes âgées, car elles sont attachantes, confie Mélanie. Elles possèdent une grande expérience de vie, et c'est toujours enrichissant d'échanger avec elles.»

Encore récente, la gériatrie compte peu de praticiens. Mais avec le vieillissement de la population, les besoins augmentent, et les recherches vont bon train. «C'est une spécialisation où les découvertes futures sont prometteuses, et c'est très stimulant», souligne Mélanie, en évoquant notamment les percées dans le domaine des troubles cognitifs.

Mélanie aime travailler dans le milieu hospitalier, où le travail d'équipe fait partie du quotidien. «Je ne pourrais pas travailler en solitaire, j'ai besoin du contact avec les gens. À l'hôpital, je suis en constante interaction avec les malades et leur famille, mais aussi avec mon équipe. L'expertise de chacun permet de mieux traiter les patients.»

› MON CONSEIL

Selon Mélanie, un jeune qui se destine à la gériatrie doit avoir la vocation. «Les études sont longues et difficiles. Il faut s'investir au maximum. L'amour du métier permet de passer au travers plus facilement.»

› MON PARCOURS

Diplômée d'un doctorat en médecine de l'Université Laval, Mélanie a réalisé sa **résidence** en gériatrie sous la supervision du même établissement.

Cette spécialité demande aussi un intérêt pour le contact humain. «Il est important d'être à l'écoute des malades et de leur famille. Cela permet de faire une évaluation pertinente de l'état du patient et de mieux orienter le plan de traitement.» 08/03

Les mots en caractères **gras** sont définis dans le glossaire (p. 166 à 172).

129

MÉDECIN SPÉCIALISTE EN HÉMATOLOGIE
> en milieu hospitalier

DES MILIEUX DE TRAVAIL POTENTIELS

> Centres d'héber-gement et de soins de longue durée
> Centres hospitaliers
> Centres locaux de services communautaires
> Cliniques privées

> MON TRAVAIL

Jean-Sébastien Delisle est un spécialiste des maladies du sang, qu'elles soient bénignes comme l'**anémie**, ou malignes comme la **leucémie**.

L'hématologue voit au diagnostic, au traitement et à la prévention des maladies du sang et des organes où se forment les **globules sanguins**. Il examine les patients, fait passer des tests et des analyses, interprète les résultats et prescrit les traite-ments appropriés.

«Mais un hématologue ne fait pas que voir des patients, nuance Jean-Sébastien. Au Québec, nous sommes aussi des médecins de laboratoire. Les hématologues sont donc responsables des banques de sang dans les centres hospitaliers, et de la qualité et de l'interprétation des analyses effectuées au laboratoire d'hématologie de l'hôpital.»

Au moment de l'entrevue, Jean-Sébastien était résident. Il avait donc un statut d'ap-prenti. «J'exerçais mon métier sous supervision, précise-t-il. Je pouvais rencontrer seul des patients, mais tous les cas étaient ensuite discutés avec les professionnels.»

> MA MOTIVATION

Jean-Sébastien a opté pour la médecine, car elle lui permet de combiner une foule de matières qui le passionnent : les sciences fondamentales comme la biologie, et les sciences humaines comme la psychologie et la sociologie.

«Nous avons un contact humain très intense avec les patients puisque plusieurs subissent des traitements de chimiothérapie. C'est un lien difficile parfois, mais très enrichissant sur le plan humain. On aide les gens même lorsque les situations paraissent désespérées et ils nous en sont très reconnaissants», ajoute-t-il.

> MON CONSEIL

«Dans cette spécialité, il faut s'attendre à rencontrer des personnes qui souffrent de cancer, avec toute la charge émotive que cela implique. Certains médecins sont capables d'y faire face, d'autres trouvent ça difficile.» Jean-Sébastien estime qu'il faut avoir une bonne dose d'empathie et de compassion.

De plus, il conseille de s'impliquer dans le travail au laboratoire le plus tôt possible. «Je suggère de faire des stages de recherche en héma-tologie ou en oncologie, ou encore du travail de laboratoire pour voir rapidement si on aime le labo, car cela fait aussi partie de nos tâches.» 05/03

> MON PARCOURS

Jean-Sébastien a obtenu son doctorat en médecine à l'Université McGill, puis il a fait sa **résidence** en hématologie. Beaucoup d'hématologues se spécialisent ensuite en oncologie en prolongeant leur formation d'une autre année dans ce domaine, mais Jean-Sébastien s'intéresse plutôt à la recherche sur le cancer du sang.

Les mots en caractères **gras** sont définis dans le glossaire (p. 166 à 172).

MÉDECIN SPÉCIALISTE EN MÉDECINE D'URGENCE
> en milieu hospitalier

DES MILIEUX DE
TRAVAIL POTENTIELS

> Centres d'hébergement et de soins de longue durée
> Centres hospitaliers
> Centres locaux de services communautaires
> Cliniques privées

> MON TRAVAIL

À l'urgence spécialisée de l'Institut de cardiologie de Montréal s'affaire une équipe composée d'infirmières, de préposés aux bénéficiaires, de brancardiers et de techniciens en électrocardiogramme. Leur rôle? Recevoir les patients souffrant de problèmes cardiaques, par exemple d'arythmie, d'insuffisance cardiaque ou encore ayant fait un infarctus.

À la tête de cette équipe, Alain Vadeboncœur s'assure de poser le bon diagnostic et de prescrire les traitements appropriés. «En fait, je prends le patient en charge pour un court segment de son histoire. Tout d'abord, j'évalue son état et, s'il y a lieu, on le réanime à l'aide de médicaments, en utilisant des défibrillateurs ou des solutés. Ensuite, je l'examine, je lui pose des questions et je livre mon diagnostic. Je prescris alors des examens afin de confirmer ou d'infirmer le diagnostic. Finalement, je demande l'hospitalisation du patient ou je lui donne son congé. Si le cas est trop complexe, je fais appel à l'expertise d'autres spécialistes, comme des cardiologues. Ensemble, nous allons discuter de l'état du patient et trouver une marche à suivre», expose Alain.

> MA MOTIVATION

Alain adore l'atmosphère de l'urgence. «C'est très intense. On touche aux choses de base : la vie, la mort, la douleur. On ne connaît pas la routine et on ne sait jamais ce qui peut arriver dans les prochaines minutes. J'apprécie aussi la relation de camaraderie qui s'installe entre les membres du personnel», raconte Alain.

Pouvoir aider les patients est également une grande motivation. «Je me sens privilégié d'être présent pour eux à un moment aussi crucial. Il est alors facile d'établir un contact qui est bref, certes, mais très fort parce que les gens sont vulnérables.»

> MON PARCOURS

Titulaire d'un doctorat en médecine de l'Université de Montréal, Alain a fait sa **résidence** en médecine d'urgence. Il a ensuite œuvré à Urgences-santé, puis au Centre hospitalier Pierre-Boucher où il a occupé également le poste de chef du département de médecine d'urgence. Au moment de l'entrevue, il travaillait pour l'Institut de cardiologie de Montréal, à la fois comme spécialiste de médecine d'urgence, coordonnateur de l'urgence et chercheur en médecine préhospitalière et de cardiologie. Il était aussi chargé de formation clinique à l'Université de Montréal.

> MON CONSEIL

Selon Alain, la médecine d'urgence demande des qualités spécifiques. «Il faut aimer être mis en situation de déséquilibre, avoir la capacité de réagir rapidement et de façon cohérente dans des moments de stress important. On doit posséder une certaine force de caractère et beaucoup d'aplomb, afin d'être stimulé par l'urgence plutôt que de paniquer. C'est une profession particulière qu'on peut aimer ou non. Je conseille donc à l'étudiant qui songe à choisir cette spécialisation de passer une journée avec un médecin d'urgence. Il saura alors si cette voie lui convient.» 05/03

131

MÉDECIN SPÉCIALISTE EN MÉDECINE INTERNE
> en milieu hospitalier

DES MILIEUX DE TRAVAIL POTENTIELS

- Centres d'hébergement et de soins de longue durée
- Centres hospitaliers
- Centres locaux de services communautaires
- Cliniques privées

> MON TRAVAIL

«L'interniste, ou le spécialiste de la **médecine interne**, traite uniquement une clientèle adulte», affirme d'emblée Stéphane P. Ahern, médecin spécialiste en médecine interne.

Il ajoute que la médecine interne s'intéresse aux maladies débordant du champ d'action restreint des autres spécialités. Par exemple, lorsqu'une pneumonie s'aggrave, le patient peut voir sa tension artérielle diminuer, et développer des complications cardiaques, rénales, cérébrales ou hépatiques (au foie). L'interniste, qui connaît bien les différents systèmes et leur interaction, est alors appelé en renfort. On fait également appel à lui en cas de maladies rares ou inusitées.

Les internistes sont des spécialistes polyvalents, soutient Stéphane. «Toutefois, dans les grandes villes, on les voit se spécialiser. Par exemple, certains pratiquent uniquement aux soins intensifs.» Pour l'instant, puisqu'il est toujours résident, Stéphane touche à tout. Selon son horaire, il fait des consultations à l'urgence, auprès des patients hospitalisés, à la clinique externe ou encore aux soins intensifs.

> MA MOTIVATION

Dans sa profession, Stéphane estime qu'il a le privilège d'entrer en relation avec l'autre d'une façon toute particulière. «Vous ne connaissez pas quelqu'un et vous avez une mauvaise nouvelle à lui annoncer. Vous pénétrez dans sa vie privée aux endroits les plus intimes.» Les relations humaines, dans ce contexte, sont très intenses, dit-il.

Au moment de l'entrevue, Stéphane était résident. Il envisageait de se spécialiser en soins intensifs, car il aime travailler avec les patients très malades et gérer les situations critiques. «Ce qui me passionne en médecine interne, et particulièrement en soins intensifs, c'est cette obligation du diagnostic précis, complet, bien structuré, mais rapide. Nous sommes comme Sherlock Holmes. On cherche ce que tout le monde a oublié : un détail, un signe clinique, une erreur... C'est un travail très intellectuel.»

> MON PARCOURS

Titulaire d'un baccalauréat ès arts multidisciplinaire et d'une maîtrise ès arts en philosophie, Stéphane a été reçu en médecine à l'Université de Sherbrooke. En plus de son doctorat en médecine, il possède un doctorat en sciences cliniques. Il a effectué sa **résidence** dans le programme conjoint de médecine interne et de soins intensifs de l'Université de Montréal, dont la durée est de cinq ans. En cours de route, l'Hôpital Saint-Luc du Centre hospitalier de l'Université de Montréal et l'Hôpital Maisonneuve-Rosemont l'ont pris sous leur aile.

> MON CONSEIL

Pour Stéphane, seuls les étudiants qui sentent vibrer en eux une passion pour l'être humain devraient cheminer en médecine. «Il faut être à l'affût de la personne qui est devant nous et profiter de ce moment singulier qui nous est offert.»

Comme interniste, ajoute-t-il, il faut vouloir travailler avec une clientèle adulte, aimer les cas complexes, avoir le souci du détail et une bonne dose de curiosité scientifique. 06/03

Les mots en caractères **gras** sont définis dans le glossaire (p. 166 à 172).

MÉDECIN SPÉCIALISTE EN MÉDECINE NUCLÉAIRE
> en milieu hospitalier

DES MILIEUX DE TRAVAIL POTENTIELS

> Centres d'héber-gement et de soins de longue durée
> Centres hospitaliers
> Centres locaux de services communautaires
> Cliniques privées

> MON TRAVAIL

Au département d'imagerie médicale du Centre hospitalier régional de Lanaudière, l'équipe d'Hélène Bernier, composée de technologues et de médecins spécialisés en médecine nucléaire, s'occupe de recevoir les patients devant passer une **scinti-graphie**. Permettant de détecter une embolie pulmonaire, un infarctus, ou encore une fracture, l'examen consiste à injecter au malade un produit radioactif par voie buccale ou intraveineuse afin d'observer le fonctionnement de l'organe atteint.

Une fois que le technologue a fait passer la scintigraphie au patient, Hélène reçoit les résultats de l'examen et pose son diagnostic. Pour les cas particuliers qui deman-dent, par exemple, l'injection d'un médicament afin d'exercer une stimulation cardiaque ou contracter la vésicule biliaire, Hélène procède elle-même à l'examen.

De plus, elle traite par la médecine nucléaire les personnes dont la glande thyroïde est atteinte (traitement par **radio-isotopes**). Pour ce faire, Hélène leur fait passer différents tests, détermine la dose nécessaire de radio-isotopes que le patient prendra ensuite sous forme de médicament.

> MA MOTIVATION

Hélène adore le contact avec les patients. «C'est valorisant de pouvoir les aider. Souvent, ce sont des personnes qui traînent un problème depuis longtemps, et la médecine nucléaire permet de poser un diagnostic précis. Par la même occasion, j'aide aussi leur médecin à mieux orienter son traitement.» Le travail en équipe est également une source de motivation. «Il est agréable de pouvoir échanger avec les autres médecins et les technologues, et de mettre en commun nos connaissances et nos compétences respectives pour parvenir à un résultat.»

La médecine nucléaire a fait son apparition dans les années 1970. «C'est une spécialisation où les percées technologiques sont constantes. Je ne procède pas aujourd'hui de la même façon qu'il y a cinq ans, et cela sera encore différent dans cinq autres années. C'est passionnant d'assister à cette évolution et de maintenir ses connaissances à jour.»

> MON PARCOURS

Titulaire d'un doctorat en méde-cine de l'Université de Montréal, Hélène a fait sa **résidence** en médecine nucléaire dans le même établissement. Elle a ensuite décroché son emploi au Centre hospitalier régional de Lanaudière, où elle est devenue chef de ser-vice en médecine nucléaire.

> MON CONSEIL

«Pour exercer cette profession, il faut avoir la vocation et faire preuve d'une grande détermination, souligne Hélène. N'entre pas qui veut dans les facultés de médecine, et la formation est longue et ardue. À titre d'exemple, un résident va passer en moyenne 75 heures par semaine dans les hôpitaux. Il faut de plus posséder d'excellentes aptitudes scientifiques et avoir un esprit logique sans faille pour réussir aux examens. Et les études ne sont jamais terminées! Un médecin est en constant apprentissage et se doit d'être à l'affût des dernières nouveautés médicales.» 06/03

Les mots en caractères **gras** sont définis dans le glossaire (p. 166 à 172).

MÉDECIN SPÉCIALISTE EN MICROBIOLOGIE MÉDICALE ET INFECTIOLOGIE
> en milieu hospitalier

DES MILIEUX DE TRAVAIL POTENTIELS

> Centres d'héber-gement et de soins de longue durée
> Centres hospitaliers
> Centres locaux de services communautaires
> Cliniques privées

> MON TRAVAIL

«La microbiologie médicale a pour objet d'étude les principales infections humaines et les micro-organismes qui en sont responsables [bactéries, virus, champignons ou parasites]. Les grands sujets sont les flores humaines normales, les méthodes de contrôle des micro-organismes, les antibiotiques et les interactions entre l'humain et les micro-organismes», explique Jean Robert, médecin spécialiste en microbiologie-infectiologie et en santé communautaire à l'Hôtel-Dieu de Saint-Jérôme.

«Lorsque je suis responsable du laboratoire, je supervise le travail des techniciens médicaux qui procèdent aux différents tests, par exemple, les **cultures bactériennes** [par lesquelles on peut déterminer la nature d'une infection]. Je signe tous les résultats qui sortent du laboratoire, je les explique aux médecins traitants en plus de recommander et de prescrire des antibiotiques et des traitements. Je reçois aussi des patients pour lesquels je fais le suivi médical jusqu'à la guérison ou jusqu'au contrôle de la maladie.»

> MA MOTIVATION

Alors qu'il était résident en pneumologie à l'Hôpital Saint-Luc de Montréal, Jean a côtoyé un jeune médecin microbiologiste dont la passion était communicative. «Ça m'a incité à faire six mois de spécialité en microbiologie, juste pour voir, et j'ai finalement décidé de poursuivre dans cette voie. Ce qui a motivé chacune des décisions que j'ai eu à prendre, ce sont les gens que j'ai rencontrés, poursuit-il. Je me suis laissé guider par mon ouverture d'esprit et ma curiosité. J'ai voulu contribuer à quelque chose de plus grand qu'une carrière, je crois. Ma passion, c'est la vie, celle des gens qui m'entourent, celle de mes patients, celles que je peux sauver, améliorer, aider... Ce sont ces vies qui donnent un sens à la mienne.»

> MON PARCOURS

Jean a obtenu son doctorat en médecine à l'Université de Montréal. Puis, il a voyagé, entre autres en Amazonie, pour se familiariser avec la médecine tropicale, et il a fréquenté les ins-tituts Pasteur et Armand-Frappier à titre d'étudiant-chercheur. Il a ensuite fait sa **résidence** en microbiologie après un bref séjour en pneumologie. Il est devenu chef du Département de santé communautaire de l'Hôpital Saint-Luc de Montréal, avant de se joindre à l'Hôtel-Dieu de Saint-Jérôme pour y ouvrir le Service de microbiologie.

> MON CONSEIL

«Il faut une grande ouverture aux autres pour devenir médecin dans toute la noblesse du terme, ce qui exige dévouement, écoute et besoin de donner, affirme Jean. Pour devenir médecin microbiologiste, il importe aussi d'être curieux de la vie et de la science. Il faut sortir de son milieu, s'ouvrir sur le monde et ne pas juger : les maladies que je vois tous les jours portent des noms comme vaginite, herpès, sida. Les patients qui en sont atteints sont d'abord des personnes et ont besoin de réconfort et de traitement.» 09/03

Les mots en caractères **gras** sont définis dans le glossaire (p. 166 à 172).

MÉDECIN SPÉCIALISTE EN NÉPHROLOGIE
> en milieu hospitalier

> MON TRAVAIL

Paul Ayoub a opté pour la néphrologie. Cette spécialité de la médecine s'intéresse aux maladies rénales. «Le rein est l'organe du corps qui a pour fonction de maintenir l'**homéostasie** sanguine. Il agit en fait comme un filtre qui nettoie le sang, c'est-à-dire qu'il le purifie des déchets accumulés par le corps. Il agit aussi comme gestionnaire de l'eau et des **électrolytes corporels** [sodium, potassium...], ainsi que comme producteur d'hormones qui régulent la composition sanguine», explique-t-il.

Le rôle du néphrologue, précise Paul, est d'une part de comprendre et de traiter les maladies qui affectent le rein, et d'autre part «d'aider» le rein lorsque celui-ci ne fonctionne plus, par la médication, la **dialyse** ou la transplantation.

> MA MOTIVATION

«La néphrologie est une spécialité passionnante, mais également très rigoureuse et exigeante. Elle demande des connaissances médicales approfondies et est souvent jugée par nos confrères comme l'une des spécialités les plus complexes du monde médical», note Paul.

Selon lui, l'intérêt de la néphrologie réside dans sa pratique diversifiée et dynamique. En effet, on trouve ce spécialiste dans tout un éventail de cas : urgences médicales, soins intensifs, intoxications sévères (aux médicaments, aux drogues, etc.), **hémodialyses**, **dialyses péritonéales**, greffes rénales, **recherche fondamentale**, éthique médicale, néphrologie pédiatrique, etc.

«Les cas sont souvent complexes, car les patients ont généralement beaucoup d'antécédents médicaux et sont très malades. Par conséquent, c'est stimulant intellectuellement, mais cela peut être aussi fort exigeant.»

> MON CONSEIL

Selon Paul, plusieurs qualités sont essentielles pour apprécier pleinement la pratique en néphrologie. «En particulier, il faut savoir adopter une approche humaine avec les patients, tout en sachant gérer les situations d'urgence.

«Être à l'aise dans le travail d'équipe et avoir une approche multidisciplinaire sont également indispensables. En effet, le néphrologue doit travailler de pair avec les autres spécialistes, car la plupart des maladies affectent également les reins. Enfin, on doit être passionné de matières fondamentales comme la pharmacologie, la **biologie moléculaire** et la chimie.» 07/03

> MON PARCOURS

Après avoir obtenu son diplôme d'études collégiales en sciences pures au Collège François-Xavier-Garneau à Québec, Paul a décroché son doctorat en médecine générale à l'Université Laval en 1999. Il a effectué sa **résidence** en néphrologie au Centre hospitalier de l'Université de Montréal.

Les mots en caractères **gras** sont définis dans le glossaire (p. 166 à 172).

MÉDECIN SPÉCIALISTE EN NEUROCHIRURGIE
> en milieu hospitalier

> MON TRAVAIL

Le neurochirurgien Alain Roux est spécialiste du système nerveux. À l'Hôpital Charles-LeMoyne de Longueuil (arrondissement de Greenfield Park), il pratique des opérations au cerveau et à la colonne vertébrale. «J'interviens notamment dans les cas de tumeurs au cerveau, de **ruptures d'anévrisme**, de hernies discales ou d'autres pathologies de la colonne.»

Quand Alain reçoit un patient, il l'examine et décide s'il est préférable d'opter pour un traitement médical sous **pharmacopée** ou pour un traitement chirurgical. Quand une opération se révèle nécessaire, il la pratique et procède au suivi postopératoire pendant quelques mois.

> MA MOTIVATION

«J'aime traiter les cas lourds! confie le spécialiste. Mon degré de motivation augmente avec la complexité du problème. Parfois, je dois opérer une tumeur dont le diamètre n'est que de quelques millimètres, c'est extrêmement délicat.

«La science regorge d'enseignements, souligne-t-il, mais encore faut-il savoir les mettre en pratique. C'est là toute la difficulté : décider s'il est plus indiqué d'opérer ou non. On a beau avoir appris la théorie par cœur, si l'on n'a pas de jugement clinique, cela ne sert à rien. Je m'efforce de toujours agir dans le meilleur intérêt du patient, c'est un défi perpétuel.»

Pour Alain, avoir le sentiment qu'il vient en aide aux patients est le plus puissant des moteurs. «Je sens vraiment que je rends service. Quand je constate qu'un patient que j'ai opéré évolue bien, j'en suis très fier.»

DES MILIEUX DE TRAVAIL POTENTIELS

> Centres d'hébergement et de soins de longue durée
> Centres hospitaliers
> Centres locaux de services communautaires
> Cliniques privées

> MON PARCOURS

Alain a obtenu son doctorat de médecine à l'Université de Montréal, puis il a effectué sa **résidence** en médecine générale en 1979. Il a pratiqué sept ans comme médecin généraliste avant de s'inscrire en neurochirurgie. «Je sentais que j'avais fait le tour du jardin. J'avais besoin d'autres défis.» Médecin spécialisé en neurochirurgie depuis 1991, il a aussi fait une formation continue en **médecine d'expertise**, ce qui lui permet de témoigner comme médecin expert devant les tribunaux.

> MON CONSEIL

La neurochirurgie est un travail minutieux et délicat. Cela exige une dextérité manuelle absolument hors pair, insiste Alain. La plupart des opérations s'effectuent au microscope ou au moyen – mais rarement au Québec – d'un neuronavigateur, un ordinateur qui permet au médecin de visualiser l'intérieur du cerveau. «Il faut aussi avoir le sens de l'orientation spatiale, car tout en regardant au microscope, on doit savoir exactement où l'on est.» Un bon jugement et une aptitude pour le travail clinique sont aussi des qualités essentielles pour déterminer quel type d'intervention pratiquer sur le patient. «Ça prend du pif!» s'exclame Alain.

Le neurochirurgien a aussi... les nerfs solides! Il doit résister au stress, car il travaille souvent sous pression et dans des conditions extrêmes. Ainsi, une intervention au cerveau dure généralement entre six et huit heures, et le moindre faux mouvement peut avoir des conséquences désastreuses pour le patient. 06/03

Les mots en caractères **gras** sont définis dans le glossaire (p. 166 à 172).

MÉDECIN SPÉCIALISTE EN NEUROLOGIE
› en milieu hospitalier

DES MILIEUX DE
TRAVAIL POTENTIELS

- Centres d'héber-
  gement et de soins
  de longue durée
- Centres hospitaliers
- Centres locaux
  de services
  communautaires
- Cliniques privées

› MON TRAVAIL

Le neurologue est un médecin spécialiste des troubles du système nerveux dus à un accident (choc au cerveau ou à la moelle épinière) ou à une maladie (épilepsie, Alzheimer, Parkinson, etc.). Le neurologue ne fait pas de chirurgie, ce travail étant réservé au neurochirurgien. Éric Lalumière, neurologue, travaille depuis huit ans à la Cité de la Santé, un hôpital de plusieurs centaines de lits qui dessert Laval et sa couronne nord.

«Je fais de la clinique externe : je rencontre de nouveaux patients ou des gens que j'ai déjà vus, explique Éric. Je les interroge, les examine, j'établis un diagnostic, puis j'élabore un plan de traitement. Je peux aussi être de garde, c'est-à-dire faire des consultations à l'étage où séjournent les patients ou à l'urgence de l'hôpital, pour des personnes qui ont besoin de recevoir des soins rapidement.»

› MA MOTIVATION

Outre la satisfaction de soigner ses patients, Éric est fasciné par l'aspect scientifique de sa spécialité médicale, en constante évolution. «On peut toujours en apprendre davantage sur le système nerveux et son fonctionnement, c'est un domaine très vaste. Pour le moment, on n'en connaît qu'une infime partie. Les découvertes scientifiques n'ont pas nécessairement d'impact sur le plan thérapeutique, mais elles nous permettent de progresser dans la compréhension de différentes maladies. Ce sont souvent les premières pistes pour développer de nouveaux traitements.»

Tout un appareillage permet d'explorer le système nerveux. «À l'hôpital, je fais de l'électromyographie, avec un appareil de la dimension d'un lave-vaisselle. Des fils sont branchés sur le patient, un stimulateur envoie de petits chocs électriques et des électrodes enregistrent le passage du courant, ce qui nous donne une idée de la vitesse de conduction des nerfs, donc des problèmes neurologiques qui peuvent affecter le patient.»

› MON PARCOURS

Éric a obtenu son doctorat en médecine à l'Université de Montréal, puis il a effectué sa **résidence** en neurologie. Il a consacré dix années de sa vie à l'étude de la médecine avant d'être embauché à la Cité de la Santé.

› MON CONSEIL

«Pour devenir neurologue, on doit être conscient qu'il faudra étudier pendant de nombreuses années, au moins cinq ans à l'université, signale Éric. Il faut avoir un vif intérêt pour les sciences et on doit constamment mettre ses connaissances à jour. Il y a une grande part de formation continue dans toutes les spécialités médicales, qui se fait de différentes façons : lectures personnelles, colloques, congrès, présentations, etc. Tous les cinq ou six ans, il peut y avoir des changements scientifiques assez importants dans le domaine de la neurologie, on doit suivre de près l'évolution.» 05/03

Les mots en caractères **gras** sont définis dans le glossaire (p. 166 à 172).

MÉDECIN SPÉCIALISTE EN OBSTÉTRIQUE-GYNÉCOLOGIE
> en milieu hospitalier

DES MILIEUX DE TRAVAIL POTENTIELS

> Centres d'hébergement et de soins de longue durée
> Centres hospitaliers
> Centres locaux de services communautaires
> Cliniques privées

> MON TRAVAIL

Médecin **résidente** en obstétrique-gynécologie, Évelyne Caron apprenait sa future spécialité en effectuant des stages dans différents hôpitaux rattachés à l'Université McGill lorsqu'elle a accordé cette entrevue. «Le rôle de ce médecin spécialiste est d'accompagner médicalement les femmes tout au long de leur vie, explique-t-elle. Je vais m'occuper bien sûr des grossesses, des accouchements et des différentes pathologies affectant les organes génitaux, comme le cancer du col de l'utérus ou du vagin, mais aussi de la santé des femmes en général.» Évelyne rêvait du jour où elle serait autorisée à pratiquer et deviendrait une personne-ressource de premier ordre, notamment pour ce qui concerne la contraception, la planification familiale, la ménopause, l'autoexamen des seins et les problèmes menstruels.

L'obstétricien-gynécologue suit sa clientèle en cabinet privé ou en clinique externe. Il procède lui-même aux accouchements, en milieu hospitalier, mais envoie à d'autres spécialistes les patientes nécessitant des traitements particuliers, comme la chimiothérapie ou la radiothérapie dans les cas de cancer.

> MA MOTIVATION

Pour Évelyne, la santé des femmes représente plus qu'une simple question médicale. «Sur le plan humain, c'est très enrichissant. Les rapports médecin-patientes sont étroits. On parle de sujets intimes comme les relations sexuelles, la contraception ou l'autoexamen des seins. Les femmes me font confiance. Je deviens une confidente.

«Sur le plan médical, c'est très diversifié, ajoute-t-elle. Chaque femme est unique et réagit différemment selon sa biologie, mais aussi selon sa culture. De plus, un médecin qui choisit cette spécialité peut voir une clientèle de tous âges : des jeunes femmes pour leurs premiers examens, des couples pendant la grossesse ou en clinique de fertilité, etc. Et les naissances, c'est toujours magique!»

> MON PARCOURS

«Quand j'étais au secondaire, j'hésitais entre le journalisme, le droit et la médecine. J'ai pris soin de me garder toutes les portes ouvertes en suivant autant de cours de sciences que je pouvais», raconte Évelyne, qui a obtenu un diplôme d'études collégiales en sciences de la santé au Séminaire de Sherbrooke. Puis, elle a été acceptée à l'Université McGill, où elle a effectué un programme préparatoire d'un an en médecine avant de traverser les quatre années du doctorat en médecine. Elle a ensuite amorcé sa **résidence** en obstétrique-gynécologie.

> MON CONSEIL

«La personne qui se destine à la pratique de l'obstétrique-gynécologie doit être ouverte d'esprit et tolérante, soutient Évelyne. Quand on parle de sexualité, on parle d'une grande variété de pratiques. Par exemple, on voit de jeunes adolescentes qui viennent consulter pour se faire prescrire des contraceptifs alors qu'elles ne sont pas prêtes à avoir des relations sexuelles. D'autres viennent demander si l'attirance qu'elles ont pour une autre femme est normale. On voit des cas d'abus sexuels, de prostitution, etc. Il faut retenir nos propres valeurs et savoir écouter les patientes.» 06/03

Les mots en caractères **gras** sont définis dans le glossaire (p. 166 à 172).

MÉDECIN SPÉCIALISTE EN ONCOLOGIE MÉDICALE
> en milieu hospitalier

DES MILIEUX DE TRAVAIL POTENTIELS

> Centres d'héber-gement et de soins de longue durée
> Centres hospitaliers
> Centres locaux de services communautaires
> Cliniques privées

> MON TRAVAIL

Jean Latreille est médecin spécialiste en oncologie médicale et en hématologie à l'Hôpital Charles-LeMoyne de Longueuil (arrondissement de Greenfield Park), sur la Rive-Sud. Il diagnostique, traite et soulage le cancer par des procédés comme la chimiothérapie, l'hormonothérapie et l'immunothérapie.

«Je rencontre des patients atteints de cancer. Ils me sont envoyés par d'autres médecins. Ils viennent pour se faire préciser un diagnostic et pour se faire traiter, explique Jean. Je suis responsable d'établir le diagnostic. Pour cela, j'analyse les résultats des examens qu'ils ont déjà passés et j'en commande des complémentaires au besoin. Une fois le diagnostic posé, j'explique clairement la situation au patient : le type de cancer, son importance, les implications et effets des traitements possibles et je lui demande de choisir.»

> MA MOTIVATION

«L'un de mes oncles est médecin. Quand j'étais petit, il m'impressionnait beaucoup. J'aimais ce qui se dégageait de lui, sa façon d'être, sa philosophie de vie. J'ai donc décidé très tôt de suivre ses traces, poursuit Jean.

«L'oncologie m'a séduit pendant mon stage de chirurgie. J'ai vu un jeune homme aux prises avec un cancer des intestins. La chimiothérapie n'existait pas encore. Il n'y avait rien à faire pour lui, rien que le regarder mourir et apprendre. J'ai éprouvé tellement d'empathie pour cette personne, pour sa souffrance, pour sa mort inutile, pour sa vie trop brève, que j'ai voulu faire quelque chose. J'ai voulu m'impliquer et chercher des pistes de solutions. J'ai donc étudié l'hématologie puis l'oncologie, mais toujours dans l'optique de soigner, de soulager, de guérir les patients atteints de cancer.»

> MON PARCOURS

Jean a obtenu son doctorat en médecine générale à l'Université McGill, puis a effectué sa **résidence** en **médecine interne** à l'Hôpital général de Montréal, et sa résidence en hémato-oncologie à l'Hôpital du Sacré-Cœur. «J'ai ensuite complété avec une formation au M.D. Anderson Hospital and Tumor Institute à Houston au Texas. J'ai aussi effectué des études de troisième cycle en psychothérapie à l'Institut de formation humaine intégrale de Montréal.» Il a fait son entrée au service d'hématologie et d'oncologie médicale de l'Hôpital Charles-LeMoyne en 1999.

> MON CONSEIL

«Pour devenir oncologue, on doit être tenace. Aujourd'hui, on souligne mes succès, mais j'ai aussi connu des revers. J'ai dû m'accrocher à ma quête, à mes recherches et avancer souvent à contre-courant. Il faut savoir écouter les patients et leur parler, car ils sont plus vulnérables que les personnes en bonne santé. On doit leur expliquer leur maladie, les comprendre et les rassurer malgré la situation, mais aussi leur montrer les pistes d'espoir.» 09/03

Les mots en caractères **gras** sont définis dans le glossaire (p. 166 à 172).

139

MÉDECIN SPÉCIALISTE EN OPHTALMOLOGIE
> en milieu hospitalier

DES MILIEUX DE TRAVAIL POTENTIELS

> Centres d'hébergement et de soins de longue durée
> Centres hospitaliers
> Centres locaux de services communautaires
> Cliniques privées

> MON TRAVAIL

Ophtalmologiste, Patrick Boulos se définit comme un médecin spécialiste de l'œil. «Un ophtalmologiste diagnostique et traite toutes les maladies oculaires, explique-t-il. Il pratique également la chirurgie des yeux, que ce soit à l'extérieur de l'œil, par exemple les paupières, ou à l'intérieur, comme une chirurgie du cristallin ou de la rétine.»

Les ophtalmologistes utilisent des appareils extrêmement précis, comme le laser. «On a souvent recours au laser pour les traitements médicaux, dans le cadre d'une vitrectomie par exemple, qui est une chirurgie pour les patients diabétiques qui ont du sang dans les yeux. Après avoir aspiré le sang, on utilise le laser pour détruire les vaisseaux extrêmement fragiles qui auraient tendance à saigner de nouveau si on ne les ôtait pas. Ce sont des chirurgies qui se faisaient autrefois avec des bistouris.»

Diplômé en ophtalmologie, Patrick se spécialise actuellement en oculoplastie. «C'est une formation qui touche la chirurgie esthétique des paupières et les reconstructions après un traumatisme ou une tumeur.»

> MA MOTIVATION

«Ce qu'il y a de bien en ophtalmologie, c'est que le diagnostic se voit, explique Patrick. On utilise un microscope vertical qui envoie une lumière dans l'œil, qu'on appelle la lampe à fente. Si les structures semblent normales à l'intérieur de l'œil, tout va bien, mais s'il y a une pathologie, les changements sont apparents. C'est drôle à dire, mais c'est très visuel comme spécialité!»

Les sciences physiques ont également attiré Patrick vers cette spécialité. «En ophtalmologie, on joue avec des formules, des diagrammes, des rayons, des appareils très techniques. Je passe ma journée avec toutes sortes d'appareils : des lasers, des appareils d'imagerie numérique, des microscopes. Les technologies évoluent sans cesse. Il faut apprendre à les connaître, à les utiliser, et comprendre leur fonctionnement du point de vue physique-optique.»

> MON PARCOURS

Après une formation préuniversitaire de niveau collégial orientée vers les sciences de la santé, Patrick a été admis à la Faculté de médecine de l'Université de Montréal. Diplômé de médecine générale en 1997, il a ensuite effectué une **résidence** en ophtalmologie. Ophtalmologue diplômé depuis 2002, il a amorcé en 2003 sa surspécialisation en oculoplastie à l'Université de Montréal.

> MON CONSEIL

«La plupart des gens pensent que l'œil est un petit organe dont on a vite fait le tour, mais quand on commence sa spécialité en ophtalmologie, c'est comme si on partait à la découverte d'un nouveau monde. Même avec un doctorat en médecine, on a l'impression de recommencer à zéro! D'autant plus que les connaissances acquises durant le doctorat en médecine générale sont moins utilisées en ophtalmologie que dans d'autres spécialités.» 07/03

Les mots en caractères **gras** sont définis dans le glossaire (p. 166 à 172).

MÉDECIN SPÉCIALISTE EN OTO-RHINO-LARYNGOLOGIE
> en clinique privée et en milieu hospitalier

DES MILIEUX DE TRAVAIL POTENTIELS

> Centres d'héber-gement et de soins de longue durée

> Centres hospitaliers

> Centres locaux de services communautaires

> Cliniques privées

> MON TRAVAIL

ORL. En plus d'abréger un titre interminable, ces trois lettres désignent une spécialité des plus étendues. L'oto-rhino-laryngologiste, c'est le médecin qui voit au diagnostic, au traitement et à la prévention des problèmes qui affectent les oreilles, le nez ou la gorge, comme les otites, les amygdalites ou les affections de la **glande thyroïde**. Outre sa pratique en clinique privée, Marie-Claude Lanoie, ORL, travaille deux jours par semaine à l'Hôpital Hôtel-Dieu de Saint-Jérôme. Elle en consacre un à voir les patients en clinique externe, et l'autre, à effectuer des chirurgies en salle d'opération.

Lorsqu'elle reçoit un patient en clinique, Marie-Claude l'accueille et lui demande ce qui ne va pas. Ensuite, elle l'examine, évalue son cas, pose un diagnostic et prescrit un traitement, des médicaments ou une intervention chirurgicale.

Les journées de chirurgie, elle pratique des interventions de toute nature, par exemple l'enlèvement d'un kyste à la lèvre ou encore l'insertion d'implants dans les oreilles. Entre deux opérations, pendant le nettoyage de la salle, Marie-Claude ne dispose que de 10 à 15 minutes pour s'entretenir avec le patient suivant, préparer le dossier et les ordonnances postopératoires, voir le patient précédent en salle de réveil... et, à l'heure du dîner, prendre son repas.

> MA MOTIVATION

Alors qu'elle étudiait la médecine, Marie-Claude a particulièrement apprécié le cours d'anatomie ORL. Pour préciser son choix de spécialité, elle a donc fait un stage dans ce domaine. «Chaque jour pendant un mois, j'allais observer le travail d'un ORL. Les aspects médical et chirurgical m'ont fascinée. J'ai choisi cette pratique parce qu'elle me permettait d'être proche de la clientèle. Pouvoir voir le patient en clinique, diagnostiquer son problème et le résoudre en chirurgie, ça m'attirait beaucoup. C'est l'une des rares pratiques médicales à permettre cela.»

La variété des cas à traiter représente une grande source de stimulation pour Marie-Claude. «Le fait que la pratique s'étende aux patients de tous âges, des enfants aux aînés, me plaît énormément.» La rapidité des résultats qu'elle obtient a aussi de quoi nourrir son enthousiasme.

> MON PARCOURS

Marie-Claude a consacré cinq ans à son doctorat en médecine, à l'Université de Montréal. Elle a ensuite fait ses cinq années de **résidence** en oto-rhino-laryngologie à l'Hôpital Hôtel-Dieu de Saint-Jérôme, avant d'y entreprendre sa pratique professionnelle.

> MON CONSEIL

«Pour devenir ORL, il faut être décidé, tenace et acharné!» lance Marie-Claude, en évoquant les dix années d'études nécessaires pour accéder à la profession. Il faut aussi avoir un goût certain pour le travail en équipe, une bonne dextérité et une grande empathie envers les patients. «Comme la clientèle est très variée, les aspects psycho-logiques le sont aussi.» Elle ajoute que l'évolution des techniques et des médicaments suppose une mise à jour constante. Lectures, conférences et congrès vont donc de pair avec la pratique. 06/03

Les mots en caractères **gras** sont définis dans le glossaire (p. 166 à 172).

141

MÉDECIN SPÉCIALISTE EN PÉDIATRIE GÉNÉRALE
› en milieu hospitalier

› MON TRAVAIL

La pédiatrie est une spécialité médicale qui vise à prévenir, à diagnostiquer et à traiter les maladies de l'enfant, de la naissance jusqu'à l'adolescence. «Le domaine de la pédiatrie est très vaste, affirme Jean-Sébastien Joyal, qui était résident en pédiatrie à l'Hôpital Sainte-Justine de Montréal lorsqu'il a accordé cette entrevue. On n'est pas spécialiste d'un groupe d'organes, mais plutôt d'un groupe de population âgé de 0 à 18 ans.»

La pédiatrie reconnaît plusieurs périodes dans la vie de l'enfant, chacune correspondant à une étape différente du développement physiologique. «On fait beaucoup de **néonatologie** au début de notre résidence : on prend en charge les nouveau-nés, certains prématurés. C'est une tout autre médecine! Actuellement je fais un stage d'un mois à l'étage des adolescents. Je suis responsable de 25 patients qui ont entre 12 et 18 ans.»

› MA MOTIVATION

Jean-Sébastien voulait devenir chirurgien avant qu'un premier stage en pédiatrie lors de sa médecine générale ne vienne bouleverser son choix. «C'est fascinant de travailler avec de jeunes enfants qui ont l'avenir devant eux, mais qui rencontrent sur leur parcours un obstacle, une maladie. Ce sont souvent des problèmes aigus ou infectieux pour lesquels on a, en général, des solutions. On aide ces enfants à surmonter l'obstacle pour qu'ils deviennent des adultes en bonne santé.»

Cependant, il arrive aussi que des enfants souffrent de maladies plus pernicieuses, comme le cancer. «Voir un enfant malade, qui parfois va mourir, nous confronte aux grands questionnements de l'existence. C'est vrai dans toutes les professions médicales, mais, en pédiatrie, c'est plus difficile, car on a affaire à des enfants.»

› MON PARCOURS

Après son secondaire, Jean-Sébastien a décroché une bourse pour aller étudier deux ans au Collège Lester B. Pearson en Colombie-Britannique. Il y a obtenu un baccalauréat international avec option en physique-chimie. À son retour au Québec en 1995, il est entré à la Faculté de médecine de l'Université McGill où il a terminé son doctorat en médecine générale en l'an 2000. Il a ensuite entamé sa résidence en pédiatrie à l'Université de Montréal. Jean-Sébastien a mis ses études entre parenthèses durant six mois en 2002, pour participer en tant que pédiatre à un projet de Médecins du Monde dans la région du Chiapas au Mexique.

› MON CONSEIL

«On a toujours envie de faire et de donner le maximum à nos patients. Les parents sont également très exigeants envers les médecins, les pédiatres, car ils veulent aussi ce qu'il y a de mieux pour leur enfant. Il faut savoir poser des limites franches, mais raisonnables : on doit faire sentir aux patients que l'on est accessible, tout en sachant préserver du temps pour sa propre vie personnelle.» 07/03

Les mots en caractères **gras** sont définis dans le glossaire (p. 166 à 172).

MÉDECIN SPÉCIALISTE EN PHYSIATRIE

> en milieu hospitalier

DES MILIEUX DE TRAVAIL POTENTIELS

> Centres d'héber-gement et de soins de longue durée

> Centres hospitaliers

> Centres locaux de services communautaires

> Cliniques privées

> MON TRAVAIL

Le médecin spécialiste en physiatrie s'occupe du diagnostic, du traitement et de la prévention des douleurs et des troubles fonctionnels de l'appareil locomoteur causés par un accident, une maladie, une malformation congénitale ou une lésion d'origine sportive ou professionnelle.

Gaétan Filion œuvre auprès de la clientèle juvénile du Centre de réadaptation Marie-Enfant à Montréal, au Centre montérégien de réadaptation à Saint-Hubert et à l'Hôpital juif de réadaptation de Laval. Il évalue chaque cas et fait des recommandations aux divers intervenants comme les physiothérapeutes et les ergothérapeutes, pour fournir au patient les soins adaptés à ses besoins. «Si on prend l'exemple d'un enfant qui a subi un traumatisme au cerveau, mon objectif dans son cas est de minimiser au maximum les impacts sur son développement, sa croissance et son apprentissage. Je peux faire des recommandations au physiothérapeute sur des exercices à pratiquer. Pour un enfant atteint de paralysie cérébrale, je prescris des médicaments par injection, afin de détendre certains muscles et d'ainsi faciliter ses mouvements.» Puisqu'il doit aussi parfois apprendre de mauvaises nouvelles aux parents au sujet de l'état de leur enfant, Gaétan a également un rôle de soutien moral aux familles à jouer.

> MA MOTIVATION

Bien que sa profession soit parfois exigeante, Gaétan adore son travail. «Je m'amuse avec les enfants et aussi avec les parents. Bien sûr, il n'est pas toujours facile d'annoncer à des parents que leur bébé, qu'ils croyaient parfait, est handicapé pour le reste de ses jours... Mais j'essaie aussi d'apporter un sourire pour qu'à travers les pleurs, il y ait aussi un peu de réconfort.

«Au départ, je voulais devenir cardiologue, mais j'ai réalisé que c'était peut-être une branche trop stressante pour moi, avec des horaires très exigeants. En outre, plus jeune, j'avais eu l'occasion de travailler au camp Papillon avec des enfants handicapés. En physiatrie, j'ai retrouvé le plaisir d'évoluer avec eux et de les voir grandir.»

> MON PARCOURS

Après avoir fait son doctorat en médecine générale puis sa **résidence** en physiatrie à l'Université de Montréal, Gaétan a également suivi une formation postdoctorale en neurobiologie à l'Université Pierre et Marie Curie à Paris, et à l'Université Laval à Québec. «Par la suite, j'ai commencé à exercer en physia-trie. Nous sommes peu nombreux au Québec, et les besoins dans ce domaine sont grands. Par conséquent, on ne cherche pas très longtemps un emploi...»

> MON CONSEIL

Gaétan a retenu une grande leçon de sa pratique de la physiatrie : «Plus on pense en savoir, plus on réalise qu'on ne sait rien!» Malgré ses nombreuses années d'expérience dans la profession, il demeure conscient qu'il continue à en apprendre tous les jours, et c'est ce qui le stimule.

«J'ajouterai qu'il ne faut pas opter pour cette profession pour l'argent. Un peu comme pour toutes les spécialités en médecine, la physiatrie est une vocation. Il faut la pratiquer avec passion.» 09/03

Les mots en caractères **gras** sont définis dans le glossaire (p. 166 à 172).

MÉDECIN SPÉCIALISTE EN PNEUMOLOGIE
> en milieu hospitalier

> MON TRAVAIL

Pierre Larivée est pneumologue et chef du service de pneumologie au Centre hospitalier universitaire de Sherbrooke (CHUS). Il est également professeur titulaire à la Faculté de médecine et des sciences de la santé de l'Université de Sherbrooke, et effectue des travaux de recherche, notamment sur l'asthme, dans son propre laboratoire.

«Je reçois des patients atteints de problèmes respiratoires comme l'asthme, l'emphysème, la pneumonie et de maladies comme le cancer du poumon. J'effectue d'abord un examen physique. Puis je peux procéder moi-même à des tests plus poussés, par exemple une **bronchoscopie** ou une **ponction pleurale**, ou commander des examens complémentaires comme une radiographie. Ensuite, j'établis le diagnostic. Je traite la maladie ou j'en soulage les symptômes, avec des médicaments comme des comprimés, des inhalateurs ou de l'oxygène à domicile», explique-t-il.

Pierre travaille principalement à la clinique de pneumologie, mais il assure aussi régulièrement la permanence en pneumologie à l'urgence et aux soins intensifs du CHUS. Il peut alors traiter des cas de difficulté respiratoire critique en mettant, par exemple, un patient sous respirateur artificiel.

> MA MOTIVATION

Durant ses études en médecine, Pierre s'est découvert une passion pour l'étude du système respiratoire. «Les différentes maladies qui peuvent l'affecter sont autant d'obstacles à une bonne qualité de vie. Je voulais mieux les comprendre pour contribuer à soulager et à guérir les malades.

«La vraie vie, ce n'est pas comme dans les livres! poursuit-il. La situation est bien souvent plus complexe... Dans ce contexte, c'est très stimulant de parvenir à établir le bon diagnostic. Mais c'est encore plus valorisant de contribuer à améliorer la capacité respiratoire des personnes qui viennent me consulter et à leur donner une existence plus agréable.»

> MON PARCOURS

Pierre a décroché un diplôme d'études collégiales en sciences de la santé au Cégep de Maisonneuve en 1981. Il s'est ensuite inscrit à l'Université de Sherbrooke où il a obtenu un doctorat en médecine en 1985, puis sa spécialité en pneumologie en 1990.

Pierre a passé deux ans au Clinical Center des National Institutes of Health aux États-Unis pour suivre une formation postdoctorale en recherche sur la biologie pulmonaire. À son retour au pays en 1992, il a été embauché au service de pneumologie du CHUS. Il occupe le poste de directeur du service depuis 2005.

> MON CONSEIL

«Au cégep, les cours en sciences pures sont arides et semblent très éloignés des applications en santé. On peut se décourager», admet Pierre. Le cégep prépare toutefois les élèves à affronter l'université, où ils devront assimiler de grandes quantités d'information en peu de temps. «Il faut voir ça comme une gymnastique ou une période d'échauffement pour le cerveau. On doit persévérer et ne pas se laisser gagner par le découragement», conseille Pierre. 04/08

Les mots en caractères **gras** sont définis dans le glossaire (p. 166 à 172).

MÉDECIN SPÉCIALISTE EN PSYCHIATRIE
› en milieu hospitalier

> Centres d'hébergement et de soins de longue durée
> Centres hospitaliers
> Centres locaux de services communautaires
> Cliniques privées

› MON TRAVAIL

Prométhéas Constantinides était résident en psychiatrie au moment de l'entrevue. Il travaillait à l'Hôpital du Sacré-Cœur de Montréal. «Le rôle du psychiatre est de donner des soins aux patients à la demande de leur médecin de famille ou des cliniques, ou encore des urgences pour un problème de santé mentale nécessitant l'intervention d'un spécialiste. Ce sont généralement des personnes dépressives, maniaco-dépressives, qui souffrent de psychoses, qui ont des idées suicidaires, etc., explique-t-il.

«De plus, on s'occupe des patients hospitalisés, on leur apporte les soins médicamenteux et psychothérapeutiques, et on se charge des interventions sociales adéquates. On s'assure, par exemple, qu'un patient a un logement en sortant de l'hôpital. Le psychiatre gère une équipe multidisciplinaire comprenant notamment des intervenants sociaux, des psychologues et des ergothérapeutes pour la réadaptation physique et psychique si nécessaire.»

› MA MOTIVATION

«En psychiatrie, davantage que dans d'autres spécialités médicales, explique Prométhéas, on prend le temps de discuter pour apprendre à connaître ses patients. Les cas sont très variés : on peut voir une personne déprimée parce qu'elle a perdu un être cher, ou recevoir un patient qui se prend pour Bonaparte ou pour Dieu... Dans ce cas, il faut l'hospitaliser et établir un traitement par les médicaments. On peut ainsi vraiment l'aider : il rentre complètement désorienté et quelques semaines plus tard il reprend contact avec la réalité.

«La psychiatrie est un domaine en pleine expansion, poursuit-il. De 1990 à 2000, c'était "la décennie du cerveau". Aux États-Unis, il y a eu des recherches très poussées pour comprendre le fonctionnement de l'esprit humain, du cerveau, de la conscience, et on commence à peine à profiter des résultats de ces recherches. C'est fascinant! Un siècle après les premières découvertes de Freud, cette spécialité en est encore à ses débuts.»

› MON PARCOURS

Prométhéas a obtenu son doctorat en médecine générale à l'Université de Montréal et y a poursuivi sa **résidence** en psychiatrie. Pendant sa quatrième année de résidence, il a été stagiaire à l'Hôpital du Sacré-Cœur au Pavillon Albert-Prévost.

› MON CONSEIL

«La psychiatrie requiert une grande ouverture d'esprit, une curiosité, une expérience de vie aussi. Il faut avoir voyagé, avoir vu autre chose, être capable de se mettre à la place de l'autre et, surtout, il faut avoir envie de le faire! C'est un travail très relationnel et exigeant psychologiquement parlant. En médecine, on perd les gens par la mort, par l'évolution de la maladie. En psychiatrie, on peut aussi les perdre, entre autres par le suicide. Cela crée parfois un sentiment d'impuissance difficile à gérer, d'où l'importance de s'entourer d'une bonne équipe de travail.» 07/03

Les mots en caractères **gras** sont définis dans le glossaire (p. 166 à 172).

Médecin spécialiste en radiologie diagnostique
› en milieu hospitalier

- Centres d'hébergement et de soins de longue durée
- Centres hospitaliers
- Centres locaux de services communautaires
- Cliniques privées

› MON TRAVAIL

Les tâches d'un radiologue consistent à traiter les images, comme les scanners, les IRMN (imagerie par résonance magnétique nucléaire) ou les radiographies, pour pouvoir poser un diagnostic. «On est consultant pour les médecins de première ligne, les omnipraticiens, ou pour les spécialistes comme les chirurgiens, les pneumologues, les neurologues. Le technologue en radiologie prend les images, et c'est le radiologue qui en fait la lecture, les analyse et détermine ce qui doit être fait en fonction du diagnostic», explique Visal Pen, qui était résidente en radiologie diagnostique lorsqu'elle a accordé cette entrevue.

› MA MOTIVATION

«Je suis entrée en médecine parce que j'avais de bons résultats scolaires, avoue Visal. Ce n'était pas au départ une vocation. Puis, peu à peu, le corps humain m'a dévoilé ses mystères et j'ai trouvé cela fascinant. J'ai ensuite décidé de me spécialiser en radiologie parce que je trouve incroyable qu'on puisse voir des choses dans une personne vivante sans même la toucher.»

En effet, grâce aux progrès techniques, c'est le radiologue qui, le premier, peut détecter un petit nodule cancéreux de trois millimètres seulement, dans un sein par exemple. «On peut donc guérir la patiente plus facilement, car le cancer n'aura pas eu le temps de faire de ravages. C'est extraordinaire!»

Visal considère son choix de carrière comme très stimulant intellectuellement, mais très exigeant personnellement. «Pour arriver au terme de dix ans d'études, il faut de la persévérance, de la discipline, parce qu'à un moment donné, la passion s'épuise et on doit faire beaucoup de sacrifices dans sa vie personnelle.»

› MON PARCOURS

Visal a obtenu son doctorat en médecine à l'Université de Montréal en 1993. Elle a ensuite entamé sa **résidence** en radiologie diagnostique. Lors de sa quatrième année de résidence, elle a été appelée à effectuer des stages au Centre hospitalier de l'Université de Montréal, à l'Hôpital Sainte-Justine, au Centre de traumatologie de l'Hôpital du Sacré-Cœur, à l'Hôpital Maisonneuve-Rosemont et à l'Institut de cardiologie de Montréal.

› MON CONSEIL

«C'est un milieu qui demande toujours le meilleur de soi, conclut Visal, car tous les patients désirent avoir le meilleur médecin, le meilleur chirurgien, le meilleur radiologue. La médecine est vaste, elle se développe, elle évolue. Il y a de nouveaux appareils, de nouveaux médicaments, ça ne finit jamais. C'est impossible de tout savoir, mais il faut en apprendre le plus possible : pour être un bon médecin, on doit avoir une curiosité scientifique inépuisable.» 05/03

MÉDECIN SPÉCIALISTE EN RADIO-ONCOLOGIE
> en milieu hospitalier

DES MILIEUX DE TRAVAIL POTENTIELS

> Centres d'héber-gement et de soins de longue durée

> Centres hospitaliers

> Centres locaux de services communautaires

> Cliniques privées

> MON TRAVAIL

«Je traite des patients atteints de cancer en leur administrant des **radiations ionisantes**, selon le principe de la radiothérapie», explique Carole Lambert, médecin spécialiste en radio-oncologie aux hôpitaux Notre-Dame et Hôtel-Dieu du Centre hospitalier universitaire de Montréal.

Un tel traitement demande une grande préparation. Ainsi, la spécialiste rencontre chaque patient à plusieurs reprises avant de procéder. Lorsqu'un patient lui arrive pour la première fois, elle l'écoute et évalue son cas à partir de résultats d'examens. «La seconde visite a pour but de planifier le traitement. Par **tomodensitométrie**, je détermine la zone à traiter, les organes sains à éviter, la dose de radiations à libérer, les angles de traitement, le type de rayonnement, etc. Toutes ces données sont inscrites dans un logiciel spécialisé.»

La troisième visite est une sorte de répétition générale avant l'intervention. Par la suite, le nombre de séances varie selon la quantité de radiations nécessaire pour éliminer toutes les cellules cancéreuses. Carole suit chaque individu jusqu'à ce que tout rentre dans l'ordre. «J'ai sous ma responsabilité de 25 à 40 patients simulta-nément», précise-t-elle.

> MA MOTIVATION

La spécialité qu'elle exerce aujourd'hui n'a pas toujours été son objectif. «Initia-lement, je voulais devenir chiropraticienne ou naturopathe. C'est la santé qui m'intéressait avant tout. Je voulais aider, soulager la souffrance, mais surtout favoriser la santé. J'ai finalement choisi la médecine pour contribuer au mieux-être des personnes.

«L'idée de devenir radio-oncologue m'est venue d'un seul coup, poursuit-elle. J'étais en stage, en première année de médecine. Quand je suis arrivée au centre d'oncologie pour suivre le médecin qui m'était attitré, celui-ci m'a tellement impressionnée par son érudition, son expertise, son empathie et sa générosité que je suis repartie, à la fin de ma journée, avec le sentiment d'avoir trouvé ma voie.»

> MON PARCOURS

Après son doctorat en médecine à l'Université de Sherbrooke, Carole a fait des études spécialisées en radio-oncologie à l'Université de Montréal, suivies d'une **résidence** dans les hôpitaux affiliés à cet établissement. Elle travaille au Département de radio-oncologie du Centre hospitalier de l'Université de Montréal, aux hôpitaux Notre-Dame et Hôtel-Dieu. Au moment de l'entrevue, elle effectuait simultanément une maîtrise en pédagogie des sciences médicales à l'Université de Montréal.

> MON CONSEIL

«Pour devenir radio-oncologue, il faut avoir des aptitudes pour les sciences, mais ce n'est pas tout, souligne Carole. Il faut aussi faire preuve d'empathie, de respect et d'une grande ouverture d'esprit. Les patients que je vois m'arrivent tous avec un diagnostic de cancer. Souvent, je dois répondre à des questions graves concernant leur pronostic de vie. Comme chaque être humain a une façon unique de faire face à sa peur de la souffrance et de la mort, je dois faire preuve de beaucoup d'écoute et de discernement.» 09/03

Les mots en caractères **gras** sont définis dans le glossaire (p. 166 à 172).

147

MÉDECIN SPÉCIALISTE EN RHUMATOLOGIE

> en milieu hospitalier

> MON TRAVAIL

«Les rhumatismes touchent autant les enfants que les adultes ou les personnes âgées, explique Dominique Bourrelle, rhumatologue à l'Hôpital Notre-Dame de Montréal. Ils regroupent plusieurs maladies, comme l'**arthrite**, l'**arthrose**, l'**ostéoporose** et les **collagénoses**.»

Dominique reçoit ses patients en clinique externe. À l'affût de ce qui cause leur problème, elle les questionne, les examine de haut en bas (scrutant la peau, la bouche, le cœur, les ongles, le ventre, les ganglions, les articulations, etc.) et les envoie passer des examens complémentaires, comme des prises de sang ou des rayons X. Après avoir posé son diagnostic, elle leur prescrit des médicaments ou procède à des **infiltrations** pour les soulager.

Une semaine sur trois, Dominique est de garde à l'hôpital. Elle voit alors des malades admis à l'urgence qui nécessitent des soins en rhumatologie. Elle répond aussi aux demandes de collègues dont les patients hospitalisés ont besoin de son expertise. «Quand on pratique dans un centre hospitalier universitaire comme l'Hôpital Notre-Dame, on est considéré comme une référence.»

> MA MOTIVATION

«Ce qui m'a attirée dans cette spécialité, c'est qu'on peut découvrir beaucoup de choses uniquement en examinant le patient, à la manière d'un détective sur la piste des indices qui mènent au coupable, raconte Dominique. Il faut questionner le patient sur ses symptômes, ses douleurs, ses habitudes. Avec mes connaissances et de la pratique, je peux ainsi avoir une bonne idée de ce dont souffre une personne. Et les tests sanguins ou les rayons X viennent souvent confirmer le diagnostic que j'avais en tête.

«Si une personne a de la difficulté à bouger, à se lever ou à marcher, je peux faire en sorte que sa douleur soit moins grande et qu'elle puisse fonctionner dans son quotidien. Quand un patient revient me voir et que je constate que ça va mieux, c'est très valorisant.»

> MON CONSEIL

Au secondaire, Dominique avait déjà décidé qu'elle deviendrait médecin. «Je ne sais pas si c'était par vocation ou si j'ignorais simplement dans quoi je m'embarquais; c'est peut-être ça le meilleur truc... Et travailler fort, aborder une journée après l'autre, une année après l'autre, foncer tête baissée. Quand j'ai eu fini mes études, je me suis dit : mon Dieu, j'ai fait tout ça!» raconte-t-elle en riant. 06/03

DES MILIEUX DE TRAVAIL POTENTIELS

> Centres d'hébergement et de soins de longue durée
> Centres hospitaliers
> Centres locaux de services communautaires
> Cliniques privées

> MON PARCOURS

Dominique a entrepris ses études collégiales en sciences de la santé au Collège de Bois-de-Boulogne. Puis, elle a fait son doctorat en médecine générale à l'Université de Montréal, avant d'opter pour une spécialisation en rhumatologie et de faire sa **résidence** à l'Hôpital Notre-Dame. L'établissement a par la suite exigé que Dominique aille se surspécialiser ailleurs, comme le veut la pratique dans les centres hospitaliers universitaires. «Je suis donc partie étudier les maladies osseuses en France pendant un an avant de revenir pratiquer à Notre-Dame», conclut-elle.

Les mots en caractères **gras** sont définis dans le glossaire (p. 166 à 172).

MÉDECIN SPÉCIALISTE EN SANTÉ COMMUNAUTAIRE
› dans un organisme public

DES MILIEUX DE TRAVAIL POTENTIELS

› Centres d'héber-gement et de soins de longue durée

› Centres hospitaliers

› Centres locaux de services communautaires

› Cliniques privées

› MON TRAVAIL

Le médecin spécialiste en santé communautaire traite des aspects «populationnels» de la santé, c'est-à-dire que sa préoccupation première n'est pas tant le traitement des problèmes de santé que la prévention de leur propagation dans la population. «Mon patient, c'est la population», explique Faisca Richer, médecin en santé communautaire à la Direction de la santé publique de la Montérégie.

Son travail peut ainsi l'amener à tenter de prévenir la propagation de maladies infectieuses comme le SIDA, la gastro-entérite ou le SRAS, ou encore à s'occuper de la prévention relative au cancer, aux maladies chroniques ou reliées au tabac, etc. Elle peut également être appelée à conseiller des professionnels de la santé aux prises avec un cas de méningite invasive dans une école secondaire et qui veulent savoir s'ils doivent vacciner tous les élèves. Son avis est aussi requis dans le cas d'une catastrophe environnementale – par exemple un déversement de produits toxiques – pouvant porter atteinte à la santé de la population qu'elle dessert.

› MA MOTIVATION

Faisca avait initialement opté pour une autre spécialité médicale. Mais elle a vite été déçue de constater que la médecine guérit très peu. «Une fois que le problème est là, il est très rarement guérissable», explique-t-elle. Le fait de voir conti-nuellement revenir en consultation des personnes à qui elle n'avait jamais eu l'occasion d'expliquer comment prévenir leurs problèmes de santé lui donnait «l'impression de ramasser des pots cassés, de travailler beaucoup à des choses qui ne se règlent jamais».

Elle apprécie tout particulièrement la perspective que lui donne son travail en santé communautaire. Il lui permet en effet de s'attaquer aux problèmes non seulement sous l'angle des facteurs médicaux, mais aussi en tenant compte des facteurs sociaux et culturels qui les causent. Elle peut ainsi agir avant que les choses ne deviennent irréversibles.

› MON CONSEIL

«Dans la pratique, le médecin en santé communautaire a beaucoup de lectures à faire, de rapports à écrire. Il faut être un peu "rat de bibliothèque" pour apprécier. Et il faut aussi avoir le goût de réfléchir à des problèmes.»

Faisca conseille également de laisser tomber ses préjugés si on veut réussir dans ce domaine. «Il faut acquérir une vision large d'une population : ce n'est pas toujours de la mauvaise volonté qui est en cause; il y a des raisons pour lesquelles certaines personnes vont développer des problèmes spécifiques.» 05/03

› MON PARCOURS

Faisca a obtenu son doctorat en médecine à l'Université d'Ottawa, puis a effectué sa **résidence** en santé communautaire à l'Université McGill. «Ce n'était pas une spécialisation très populaire au moment où je l'ai choisie», souligne-t-elle.

Les mots en caractères **gras** sont définis dans le glossaire (p. 166 à 172).

MÉDECIN SPÉCIALISTE EN UROLOGIE
> en milieu hospitalier

DES MILIEUX DE TRAVAIL POTENTIELS

> Centres d'hébergement et de soins de longue durée

> Centres hospitaliers

> Centres locaux de services communautaires

> Cliniques privées

> MON TRAVAIL

Alain Duclos doit s'occuper des patients qui vont bientôt subir ou qui viennent de subir une opération en urologie dans un hôpital montréalais. Cette branche de la médecine traite les affections de l'appareil urinaire (pierres aux reins ou à la vessie, cancers, incontinence, etc.) et celles de l'appareil génital masculin. **Pyéloplastie**, correction de l'**hypospadias** et **orchidopexie** sont des interventions régulièrement pratiquées dans le domaine.

«Avant la chirurgie, je dois vérifier que le patient est prêt pour la salle d'opération et que les tests d'usage avant l'opération ont été passés avec succès. Quand, par exemple, on découvre qu'un patient a un **électrocardiogramme** anormal, il faut décider si c'est dangereux pour lui de se retrouver en chirurgie. Après la chirurgie, je dois m'assurer que le patient récupère bien et que ses plaies ne saignent pas. Si elles saignent, il faut intervenir [on enlève les points, on examine où ça saigne et on referme la plaie]. Il peut aussi arriver que quelqu'un fasse un infarctus après une chirurgie. À ce moment-là, il faut réagir très rapidement et demander l'aide des collègues cardiologues et chirurgiens cardiaques», explique Alain.

> MA MOTIVATION

«La première gratification que je tire de mon métier, c'est d'aider les gens», poursuit Alain. Une gratification qu'il aurait pu retrouver dans bien d'autres spécialités médicales. «Mon choix de me spécialiser en urologie a été influencé par les gens que j'ai côtoyés au cours de ma formation en médecine. En fait, un urologue et un chirurgien général font presque le même travail au niveau de l'abdomen...»

La communication avec les patients fait aussi partie des bons côtés du travail, selon Alain. «Pour moi, il est très important de prendre le temps d'expliquer à un patient quel est son état et quelles sont les mesures à prendre pour améliorer sa condition physique. Quand un patient comprend bien, il est plus enclin à suivre les directives, comme arrêter de fumer, faire de l'exercice, mieux s'alimenter, etc.», précise-t-il.

> MON PARCOURS

Alain a fait un doctorat en recherche en immunologie à l'Université McGill avant d'entreprendre son doctorat en médecine à l'Université de Montréal, puis sa **résidence** en urologie, sous la direction du même établissement. Au moment de l'entrevue, il prévoyait aller étudier un an en Californie afin d'apprendre des techniques de transplantation des reins et du pancréas.

> MON CONSEIL

Avant de s'embarquer dans une telle aventure, il faut bien y songer, prévient Alain. «Il y a des sacrifices à faire et il faut en être conscient. Une telle spécialisation représente en tout 10 ans sur les bancs de l'école. Pendant les deux premières années de résidence, il faut calculer environ 80 heures par semaine de présence en milieu hospitalier.» Par contre, la démarche comporte des avantages. «Par exemple, au terme des études, on est assuré d'avoir un emploi. Ce n'est pas à négliger!» 09/03

Les mots en caractères **gras** sont définis dans le glossaire (p. 166 à 172).

OMNIPRATICIENNE
› en centre de réadaptation

DES MILIEUX DE
TRAVAIL POTENTIELS

› Centres d'héber-
gement et de soins
de longue durée
› Centres hospitaliers
› Centres locaux
de services commu-
nautaires (CLSC)
› Cliniques privées

› MON TRAVAIL

Marianne Harvey, omnipraticienne, pratique au Centre de réadaptation Lucie-Bruneau à Montréal. Elle se consacre aux lésions musculo-squelettiques graves, et participe à un programme de traumatismes crâniens et cérébraux où, explique-t-elle, elle a d'abord un rôle de médecin-conseil.

«Je reçois des patients qui ont été blessés et j'évalue leur situation : quels sont leurs besoins en matière de gestion de la douleur; s'ils peuvent entreprendre un programme en réadaptation, etc.

«J'assure également la liaison entre le Centre de réadaptation et le médecin traitant des patients, poursuit-elle. Je tiens aussi le rôle de consultante auprès de l'équipe soignante du Centre, car on travaille de pair avec des psychologues, des ergo-thérapeutes, des physiothérapeutes et des éducateurs physiques.»

› MA MOTIVATION

Marianne a exercé durant huit ans le métier de sexologue dans un CLSC avant de se réorienter. «Je voulais une profession où l'on travaille avec des patients, qui comporte une part d'écoute, une part de psychothérapie. Je cherchais aussi un métier où l'on doit faire un travail de prise en charge, de prévention, de santé globale. Je me suis donc orientée vers la médecine.»

Elle avoue apprécier énormément le fait d'être membre d'une équipe au Centre de réadaptation. «C'est très important pour moi, confie-t-elle. Avant, je me penchais souvent seule sur des cas parfois très lourds à gérer. Ici, j'appartiens à un groupe interdisciplinaire. Chacun amène sa vision, ses connaissances en fonction de sa propre spécialité. Il y a un échange, c'est comme de la formation continue, ce qui est fort stimulant.»

› MON PARCOURS

Diplômée d'un baccalauréat en sexologie obtenu à l'Université du Québec à Montréal en 1980, Marianne a œuvré huit ans au CLSC de Pohénégamook comme sexologue. En 1988, elle a été admise à la Faculté de médecine de l'Université de Montréal, où elle a par la suite obtenu son doctorat. Elle a effectué sa **résidence** en médecine familiale avant de s'établir en Gaspésie où elle a exercé durant 10 ans au CLSC Baie-des-Chaleurs à Paspébiac, puis au CLSC Pabok, et à l'Hôpital de Chandler. Elle a ensuite bifurqué vers le Centre de réadaptation Lucie-Bruneau à Montréal, en février 2003.

› MON CONSEIL

«Quand on pratique la médecine, je crois qu'il faut avoir des convictions, et des doutes aussi. On doit avoir confiance en ce que l'on a appris, mais il faut garder des interrogations, car c'est ça qui permet de continuer à évoluer et qui donne envie d'apprendre.

«Il est également important de réussir à trouver un équilibre entre sa vie professionnelle et personnelle, c'est-à-dire de se sentir responsable de ses patients, sans négliger le fait que l'on est aussi responsable de sa propre vie.» 07/03

Gestion
du **système de santé**

Derrière les professionnels de la santé qui s'activent pour soigner nos petits et gros bobos, travaillent aussi un peu plus de 10 800 personnes[1] chargées de voir au bon fonctionnement des établissements du réseau. Ce sont les directeurs généraux, les cadres supérieurs et les cadres intermédiaires.

Par Guylaine Boucher (mise à jour : Marthe Martel)

En 2007, on estimait à plus de 300 le nombre de directeurs généraux actifs au Québec[2]. À la tête des établissements, ils voient à ce que tout se passe sans encombre, que ce soit du point de vue financier, humain ou clinique. Le développement de nouveaux services, l'attribution des ressources humaines et financières, la signature d'ententes de partenariat entre établissements pour assurer, par exemple, le suivi de la clientèle, doivent entre autres être autorisés par eux.

Présents surtout dans les grands établissements – comme les centres hospitaliers universitaires –, mais aussi dans certains centres jeunesse et les 18 agences de la santé et des services sociaux, les cadres supérieurs ont quant à eux pour fonctions de planifier les ressources nécessaires, de coordonner le travail des équipes de cadres intermédiaires et de voir à l'organisation des services. Leur nombre est estimé à environ 1 600[3].

Enfin, les cadres intermédiaires sont responsables des activités, c'est-à-dire qu'ils coordonnent les équipes qui livrent les services à la population. On les trouve dans tous les types d'établissements. Ils sont, par exemple, coordonnateurs des soins infirmiers ou encore responsables du maintien à domicile. Dans les plus petits établissements, ils peuvent aussi être responsables des ressources financières et matérielles. Beaucoup d'entre eux occupaient auparavant des fonctions cliniques, entre autres comme travailleurs sociaux, psychologues ou infirmières. Représentant plus de 8 800 travailleurs[4], ce sont les gestionnaires les plus nombreux du réseau.

LA FORMATION REQUISE

La plupart des gestionnaires du réseau de la santé et des services sociaux sont titulaires d'un baccalauréat ou d'une maîtrise en administration publique, en plus d'une formation clinique de base. Ils ont souvent accédé à leurs fonctions en gravissant progressivement les échelons. Entre 2007 et 2010, le réseau devra recruter près de 2 400 nouveaux gestionnaires[5], en raison notamment de la taille de plus en plus imposante des établissements et des nombreux postes à pourvoir à la suite de départs à la retraite. ◎

1., 2., 3. et 4. Ministère de la Santé et des Services sociaux. *Répartition du personnel en emploi au 31 mars 2007 incluant les agences.*

5. Ministère de la Santé et des Services sociaux.
Planification de la main-d'œuvre, 2007-2010.

CADRE INTERMÉDIAIRE
> dans un organisme public

DES MILIEUX DE TRAVAIL POTENTIELS

- Centres de réadaptation
- Centres d'hébergement et de soins de longue durée
- Centres hospitaliers
- Centres jeunesse
- Centres locaux de services communautaires

> MON TRAVAIL

Manon Desrochers est coordonnatrice des services de réadaptation en déficience intellectuelle dans une institution publique : Les services de réadaptation L'Intégrale, à Montréal. À ce titre, elle est responsable de l'ensemble des chefs de service.

«Je fais le bilan de la situation de nos quelque 1 000 clients, qui sont, en général, des autistes, des adolescents en état de crise et des adultes aux prises avec des troubles graves de comportement. Je tente de maintenir l'équilibre entre le soutien à leur apporter et les moyens dont on dispose pour le faire.

«En tant que cadre intermédiaire, je joue un rôle important, car je suis à la fois proche du terrain et de la direction. Je peux donc influencer les décisions et les actions.» Manon participe d'ailleurs à toutes les rencontres entre patrons et syndicat, et fait aussi partie du comité de direction.

> MA MOTIVATION

Passionnée par les relations humaines, Manon se dit très heureuse dans le milieu dans lequel elle évolue. Ce qu'elle aime par-dessus tout, c'est le défi des cas particuliers.

«On peut rencontrer des clients qui cassent tout, qui mangent tout, etc. On doit alors travailler en équipe pour parvenir à les contrôler.»

Manon doit aussi superviser le travail du personnel qui est sous ses ordres, et composer avec la personnalité de chacun pour en tirer le meilleur.

> MON PARCOURS

À la fin des années 1960, Manon a suivi un cours en éducation spécialisée à l'École normale Jacques-Cartier, à Montréal. Plus tard, elle a suivi les cours de formation générale au Cégep Marie-Victorin, et a ainsi obtenu un diplôme d'études collégiales en éducation spécialisée. Elle a également poursuivi trois certificats à l'Université de Montréal, l'un en créativité, l'autre en communication et le dernier en intervention auprès de la clientèle déficiente intellectuelle. «Mon certificat en créativité m'aide à trouver des solutions novatrices pour résoudre les différents problèmes que nous connaissons avec notre clientèle.» Avant d'obtenir son poste à l'Intégrale, Manon a aussi été chef de service dans un centre de services adaptés.

> MON CONSEIL

Manon estime que son métier lui en a appris beaucoup, notamment sur les relations humaines.

«Je crois également en avoir beaucoup appris sur moi-même, autant sur mes qualités que sur mes défauts. Le contact permanent avec les autres permet de faire le point sur ses forces et ses faiblesses.»

Selon elle, pour réussir dans le domaine de la réadaptation en déficience intellectuelle, il faut se faire confiance et être déterminé. 06/03

CADRE SUPÉRIEURE
› dans un organisme public

DES MILIEUX DE
TRAVAIL POTENTIELS

- Centres de réadaptation
- Centres d'hébergement et de soins de longue durée
- Centres hospitaliers
- Centres jeunesse
- Centres locaux de services communautaires (CLSC)

› MON TRAVAIL

Le Centre de réadaptation en déficience intellectuelle Gabrielle-Major à Montréal offre des services d'adaptation et de réadaptation aux personnes qui souffrent de déficiences intellectuelles. Directrice à la recherche et à la qualité des services, Mireille Tremblay travaille, avec son équipe, à offrir aux personnes déficientes des services permettant une meilleure intégration sociale, professionnelle et communautaire. «On évalue les besoins des clients et leurs performances. On regarde le niveau d'autonomie qu'ils peuvent atteindre et on met en place des services pour leur permettre d'évoluer, si cela est nécessaire en collaboration avec les CLSC, les commissions scolaires, la famille et certains organismes communautaires.»

Dans ses tâches, Mireille doit également évaluer la qualité des interventions cliniques et professionnelles offertes au Centre.

› MA MOTIVATION

La carrière de Mireille a été inspirée par une noble cause. «J'ai une passion, celle du respect des droits de la personne. J'œuvre pour que les relations interpersonnelles soient égalitaires, d'adulte à adulte, quel que soit le handicap ou la déficience, ce qui passe par le développement de l'autonomie. L'aspect recherche et développement est tout récent en centre de réadaptation, poursuit-elle. On explore, on innove, c'est très stimulant.»

Aider les personnes déficientes à s'intégrer dans la communauté demeure la motivation première de Mireille. «À partir du moment où elles vivent dans la communauté, qu'elles soient en institution ou non, les personnes déficientes ont droit à une vie personnelle, affective, sexuelle. Et c'est à nous de les aider dans ce sens.»

Mireille a aussi le désir d'améliorer la qualité des services offerts et des expertises que possèdent les personnes œuvrant au Centre.

› MON PARCOURS

Mireille a décroché sa maîtrise en psychologie à l'Université du Québec à Montréal en 1977, puis a travaillé en hôpital psychiatrique avant d'intégrer la Régie régionale de la santé de la Montérégie en 1983, à la planification et la coordination de services en santé mentale. En 1992, elle devient secrétaire générale, puis directrice générale de la Fédération québécoise des centres de réadaptation en déficience intellectuelle, poste qu'elle occupe jusqu'en 2000, année où elle obtient son doctorat en sciences humaines appliquées, à l'Université de Montréal. Elle a été embauchée au Centre de réadaptation en déficience intellectuelle Gabrielle-Major à l'automne 2001.

› MON CONSEIL

Mireille attribue sa réussite à sa passion pour les droits de la personne et pour l'équité. «Il faut avoir confiance en soi et aller jusqu'au bout de ses objectifs. En santé mentale, il faut penser à ce qu'il est possible d'accomplir pour aider les personnes les plus vulnérables à s'intégrer dans la communauté.» 05/03

DIRECTRICE GÉNÉRALE
> dans un organisme public

DES MILIEUX DE
TRAVAIL POTENTIELS

- Centres de réadaptation
- Centres d'hébergement et de soins de longue durée
- Centres hospitaliers
- Centres jeunesse
- Centres locaux de services communautaires

> MON TRAVAIL

Faire travailler harmonieusement plus de 340 personnes, voilà le défi que relève Madeleine Roy, directrice du Centre Dollard-Cormier, le plus important établissement public de traitement de la toxicomanie, de l'alcoolisme et du jeu compulsif et excessif au Québec. Personne clé dans le fonctionnement du Centre, Madeleine préside les réunions du conseil d'administration, signe tous les chèques et voit aux suivis budgétaires, requis par le ministère de la Santé et des Services sociaux à intervalles réguliers. «Tous les contrats qui sortent de l'établissement doivent être signés par moi, ajoute-t-elle. Je dois les lire et les comprendre pour les présenter au conseil d'administration afin d'obtenir l'autorisation de les signer.»

Ses journées commencent dès 7 h 15. En arrivant au bureau, elle prend ses messages pour ensuite réexpédier à ses collègues les courriels qui les concernent. Puis, elle se penche sur l'administration courante. Quand son adjointe arrive, elles regardent ensemble la planification de la journée. Vers 9 h, l'enfilade des réunions commence. Conseil d'administration, syndicat, employés... elle passe ainsi d'un groupe à l'autre jusqu'à la fin de l'après-midi. Il lui arrive aussi de donner de la formation, d'en suivre elle-même et de représenter le Centre lors d'événements publics.

> MA MOTIVATION

«Comme éducatrice, intervenante et présidente de syndicat, on me disait souvent que j'étais un leader naturel. C'est ce qui m'a amenée en gestion. Je suis bonne en animation de groupe, en présidence de groupe, j'ai fait beaucoup de médiation et je prône toujours la recherche de solutions», explique-t-elle. Femme de tête et de cœur, Madeleine apprécie grandement la possibilité qu'elle a de pouvoir gérer à sa manière un tel établissement. «Je favorise la médiation, l'approche gagnant-gagnant avec le personnel et les syndicats, même si ce n'est pas toujours facile. Je crois au partage de l'information et à la transparence des communications. Ici, tout circule, les procès-verbaux et le reste. Je crois aussi à l'écoute, et ma porte est toujours ouverte.»

> MON PARCOURS

Madeleine a obtenu un diplôme d'études collégiales en éducation spécialisée au Collège Marie-Victorin, puis un baccalauréat en orthopédagogie à l'Université de Montréal, une formation qui l'a amenée à travailler plusieurs années comme intervenante en éducation spécialisée. Puis, elle s'est vu confier des fonctions de direction, qu'elle a occupées tout en poursuivant une maîtrise en administration publique à l'ENAP. Elle a dirigé plusieurs établissements spécialisés (en déficience visuelle et intellectuelle, notamment), avant de prendre la barre du Centre Dollard-Cormier.

> MON CONSEIL

Même si son caractère de meneuse la prédisposait à occuper un poste de direction, Madeleine estime que sa formation en gestion a été déterminante. «Ma maîtrise à l'École nationale d'administration publique (ENAP) m'a donné des outils pour mieux diriger», explique-t-elle, en citant comme exemple les connaissances en droit administratif et en organisation du travail qu'elle a pu acquérir. 06/03

INDUSTRIE BIOPHARMACEUTIQUE

Découvertes
et innovation

Au Québec, l'industrie de la pharmaceutique et de la biotechnologie emploie près de 20 000 personnes. Active dans la mise au point de médicaments et de traitements thérapeutiques, elle ouvre la voie à des carrières scientifiques stimulantes.

par Emmanuelle Gril

158

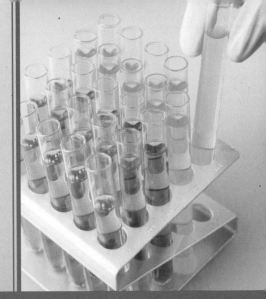

Avec ses quelque 225 entreprises, le Québec représente l'un des principaux pôles d'activité de l'industrie au Canada. La majorité des compagnies se trouvent dans les régions de Montréal et de Québec. On y compte de 40 à 50 compagnies pharmaceutiques de taille importante, comme GlaxoSmithKline, et environ 180 PME principalement du domaine des biotechnologies.

UNE INDUSTRIE MULTIDISCIPLINAIRE

Le domaine se divise en six sous-secteurs. Les **entreprises pharmaceutiques innovatrices** effectuent de la recherche et fabriquent des médicaments dits d'origine, pour lesquels elles déposent des brevets. Elles comptent dans leurs rangs des compagnies multinationales comme Pfizer et Sanofi-aventis. Les **entreprises pharmaceutiques génériques**, celles qui reproduisent les médicaments d'origine, représentent un autre sous-secteur. Ratiopharm, Pharmascience, Sandoz, par exemple, en font partie. L'industrie compte également les **firmes de biotechnologies de la santé humaine et animale**, qui utilisent des organismes vivants et leurs composantes pour développer des médicaments ou des traitements thérapeutiques. Elles peuvent, par exemple, synthétiser des protéines ou des enzymes

> Selon un sondage réalisé à l'automne 2007 par Pharmabio Développement, les chimistes et les techniciens de laboratoire sont au nombre des spécialistes les plus recherchés de l'industrie.

naturellement présentes dans le corps humain pour créer un médicament qui combat une maladie. BioSynthec et Les Laboratoires Æterna œuvrent dans ce sous-secteur.

Les **fabricants de nutraceutiques** qui conçoivent des produits aux propriétés médicinales tirés d'aliments, comme des oméga-3 à partir d'huile de poisson, font aussi partie de l'industrie. L'Institut Rosell et Les Laboratoires Swisse en sont des exemples. Les **entreprises spécialisées dans la production de molécules chimiques** servant à la fabrication des médicaments constituent un autre sous-secteur avec des firmes comme Canlac et DSM Biologics. Enfin, l'industrie comprend les **entreprises de recherche contractuelle**. Représentées par des compagnies comme Algorithme Pharma et Services Pharma MDS, elles réalisent les études nécessaires aux différentes étapes du développement des médicaments comme les études cliniques.

À VOS FIOLES!

Plusieurs entreprises de l'industrie peinent à pourvoir des postes spécialisés, car les candidats sont rares. Selon un sondage réalisé à l'automne 2007 par Pharmabio Développement, le Comité sectoriel de main-d'œuvre des industries des produits pharmaceutiques et biotechnologiques, les **chimistes** et les **techniciens de laboratoire** sont au nombre des spécialistes les plus recherchés de l'industrie. Ces derniers travaillent à différentes étapes de la création des médicaments comme la recherche, le développement et les essais.

Les **associés de recherche clinique, titulaires d'une maîtrise ou d'un doctorat en sciences pharmaceutiques, en pharmacologie, en physiologie ou en endocrinologie**, sont aussi prisés par les entreprises. Enfin, de nombreuses PME souhaitent mettre la main sur des gestionnaires qui possèdent à la fois une formation administrative et scientifique. Leur petite taille les force à miser sur des employés polyvalents. ◉

159

ASSOCIÉE DE RECHERCHE CLINIQUE
> à son compte

DES MILIEUX DE
TRAVAIL POTENTIELS

> Compagnies
pharmaceutiques
> Laboratoires
de recherche

> MON TRAVAIL

«Avant d'être mis en marché au Canada, chaque nouveau médicament doit avoir été approuvé par Santé Canada. Pour ce faire, il faut effectuer une **recherche clinique**», explique Marylène Vézina, associée de recherche clinique à son compte. Son rôle consiste à faire le lien entre la compagnie pharmaceutique qui pilote la recherche, et les médecins qui la réalisent auprès de leurs patients.

«Pour commencer, je prends connaissance du **protocole** préparé par les compagnies pharmaceutiques, puis j'assiste à des séminaires de formation au sujet du médicament à l'étude, de la maladie que le médicament doit traiter, etc. Ensuite, je recrute des médecins qui vont réaliser l'étude auprès de leurs patients.

«Pendant la recherche, je rends visite aux médecins pour vérifier qu'ils appliquent bien le protocole. Par exemple, je vérifie qu'ils documentent adéquatement les effets secondaires, qu'ils effectuent dans l'ordre prévu les tests requis, comme les prises de sang, qu'ils conservent les produits à la température indiquée. Je vois aussi à ce que le bien-être des patients et leurs droits [d'être pleinement informés de leur état de santé, des choix thérapeutiques qui s'offrent à eux, par exemple] soient respectés.»

> MA MOTIVATION

Marylène travaille à son compte, pour plusieurs compagnies pharmaceutiques. Elle peut donc choisir ses clients et les recherches auxquelles elle collabore. «Cela me donne des horaires de travail très souples tout en m'assurant des revenus confortables.»

Elle voyage aussi beaucoup pour assister à des réunions de démarrage de recherches cliniques où elle rencontre notamment des chercheurs et des professionnels de la santé, par exemple. «Je suis toujours entre deux avions! Je suis allée presque partout au Canada, aux États-Unis, en France, en Belgique, en Angleterre, etc.»

> MON PARCOURS

Marylène est titulaire d'un diplôme d'études collégiales en soins infirmiers obtenu au Cégep de Sainte-Foy (1992), d'un certificat en relations publiques de la Téluq (2004) et décrochera sous peu un baccalauréat en communication du même établissement.

Elle a travaillé pendant un an comme infirmière en milieu hospitalier avant d'accepter un poste d'infirmière de recherche clinique en 1999. En 2001, elle a été embauchée comme coordonnatrice de recherche par une compagnie biotechnologique, puis nommée directrice de projet en 2002. Depuis 2005, elle est associée de recherche clinique à son compte.

> MON CONSEIL

«Mon métier m'a permis de développer mes connaissances en relations publiques», raconte Marylène. C'est en effet un travail qui requiert beaucoup de tact et de doigté, puisqu'il faut inviter les médecins à participer aux recherches, gagner leur confiance et s'assurer de leur bonne collaboration. C'est d'ailleurs la raison pour laquelle elle a suivi une formation universitaire en relations publiques.

Le poste d'associé de recherche clinique demande aussi de la rigueur et un grand sens de l'organisation. Il faut savoir gérer son temps, car on doit s'occuper de plusieurs dossiers à la fois, tout en s'assurant d'effectuer tous les suivis nécessaires pour mener à bien la recherche en cours. 03/08

Les mots en caractères **gras** sont définis dans le glossaire (p. 166 à 172).

CHIMISTE
> dans une compagnie pharmaceutique

DES MILIEUX DE
TRAVAIL POTENTIELS

> Compagnies
  pharmaceutiques
> Laboratoires de
  recherche privés,
  publics ou
  universitaires

> MON TRAVAIL

Chimiste de formation, Cédrickx Godbout est chercheur adjoint en chimie médicinale au laboratoire lavallois de Boehringer-Ingelheim, spécialisé en **virologie**.

Le travail de Cédrickx consiste à synthétiser les **molécules** qui possèdent des **propriétés** biologiques particulières afin de développer de nouveaux médicaments. «La moitié de mon temps est consacré à l'expérimentation : j'assemble les atomes afin de créer des molécules qui ont des propriétés physiologiques bénéfiques. Je cherche à optimiser ces propriétés, ce qui permettra de développer des médicaments sécuritaires et efficaces», explique Cédrickx. Par exemple, une molécule peut avoir comme caractéristique de se dissoudre lentement dans l'estomac, ce qui la rend intéressante dans le cas d'un médicament qui requiert une libération graduelle.

«Je répartis le reste de mon temps entre des tâches plus administratives comme colliger sur support informatique les résultats obtenus lors des expérimentations, comparer les résultats entre eux, partager mes découvertes avec mes collègues, etc. Je me tiens aussi au courant des plus récentes avancées en chimie médicinale en lisant des journaux scientifiques, par exemple.»

> MA MOTIVATION

«Contribuer à soulager la souffrance humaine est la plus belle et la plus grande des motivations pour moi! J'aime l'idée que je peux aider à prolonger la vie des gens ou améliorer grandement leur qualité de vie, parce que j'aurai collaboré à trouver un nouveau médicament ou à en améliorer un qui existait déjà, s'exclame-t-il.

«Je trouve aussi un grand plaisir dans le travail en équipe. Bien que la recherche se fasse en solo, les résultats obtenus au quotidien sont partagés entre nous. Mes avancées profitent à mes collègues et je profite des leurs. C'est un partenariat où la compétitivité n'a pas sa place.» En effet, les possibilités de combinaisons de molécules sont infinies, et la découverte d'un chercheur peut faire faire des pas de géant au projet de recherche dans son ensemble.

> MON PARCOURS

Cédrickx a obtenu trois diplômes à l'Université de Sherbrooke : un baccalauréat en chimie (1997), une maîtrise en chimie organique (2002) et un doctorat en chimie (2005). Il a réalisé un stage post-doctoral de dix-huit mois dans un grand laboratoire en Allemagne avant d'accepter un poste de chercheur adjoint en chimie médicinale chez Boehringer-Ingelheim en novembre 2006.

> MON CONSEIL

Selon Cédrickx, pour devenir chercheur, «il faut faire preuve de beaucoup de patience, parce que même si elles ne sont jamais pareilles, les expériences demeurent nombreuses et répétitives». Il faut également être minutieux et précis, car on travaille sur des quantités infiniment petites de matière, rarement plus de quelques grammes à la fois. Rigueur et sens de l'organisation sont aussi nécessaires pour bien planifier le travail. 03/08

Les mots en caractères **gras** sont définis dans le glossaire (p. 166 à 172).

DIRECTRICE EN RECHERCHE ET DÉVELOPPEMENT – AFFAIRES RÉGLEMENTAIRES
› pour une entreprise de biotechnologie

DES MILIEUX DE TRAVAIL POTENTIELS

› Entreprises privées
› Laboratoires de recherche privés, publics et universitaires

› MON TRAVAIL

En biotechnologie, on utilise des organismes vivants (bactéries, enzymes, levures) à des fins pratiques dans plusieurs domaines comme la santé, l'environnement et l'agro-alimentaire. Évelyne Smaers, ingénieure en biotechnologie, a tâté de différents milieux de travail durant sa formation universitaire, notamment l'industrie pharmaceutique. Son diplôme en poche, elle a finalement opté pour Nuvac Science de la vie, une entreprise de Saint-Jean-sur-Richelieu active en santé animale et hygiène de l'environnement.

Évelyne voit à l'élaboration et à l'amélioration de divers produits. Elle a ainsi contribué au développement d'un supplément alimentaire destiné à renforcer le système immunitaire et favoriser le gain de poids des porcs. Elle a aussi perfectionné des produits qui rendent moins polluantes les boues issues du traitement des eaux d'égout, ce qui contribue à préserver la santé des êtres humains.

Évelyne supervise également les tests de produits sur le terrain afin d'évaluer leur efficacité et compile les données à cet effet. Elle rencontre aussi les clients (agriculteurs, municipalités, etc.) pour vérifier si les produits répondent parfaitement à leurs besoins, ou bien s'ils nécessitent certains ajustements.

› MA MOTIVATION

Évelyne trouve très stimulant d'être perpétuellement confrontée à des défis. «Plus on comprend comment une bactérie fonctionne, mieux on sait l'utiliser pour développer des produits plus performants.»

Férue de sciences, Évelyne apprécie le fait que les biotechnologies lui permettent d'acquérir des connaissances sur toutes sortes de sujets. Pendant ses études universitaires, elle en a d'ailleurs profité pour faire des stages dans des domaines variés, dont les cosmétiques et le pharmaceutique. «Dans mon emploi actuel, je peux apprendre autant sur les procédés utilisés dans les stations d'épuration que sur la biologie des animaux, par exemple», illustre-t-elle.

› MON PARCOURS

Après des études collégiales en sciences pures, Évelyne s'est inscrite à un nouveau programme, le baccalauréat en génie biotechnologique offert à l'Université de Sherbrooke. En décembre 2007, elle faisait partie de la première cohorte de diplômés. Pendant ses études, elle a acquis beaucoup d'expérience pratique grâce à cinq stages de quatre mois chacun. Elle a ensuite été embauchée par son employeur actuel.

› MON CONSEIL

Devant un tel éventail de possibilités, Évelyne suggère aux étudiants de cibler leurs principaux champs d'intérêt pendant leur formation, au moyen de stages notamment, afin de mieux orienter leur carrière. Elle conseille également de se tenir au courant des dernières avancées technologiques, une fois sur le marché du travail. «La concurrence entre les entreprises est très forte. Pour permettre à son employeur de demeurer compétitif, il faut toujours être à l'affût des changements et rester à la fine pointe des connaissances.»

Enfin, puisque le secteur des biotechnologies est encore relativement peu connu, il peut être utile de développer des talents de vulgarisateur pour expliquer le fonctionnement des produits aux clients potentiels. 03/08

MICROBIOLOGISTE
> pour une compagnie pharmaceutique

DES MILIEUX DE TRAVAIL POTENTIELS

> Centres hospitaliers
> Entreprises privées
> Laboratoires de recherche privés, publics ou universitaires

> MON TRAVAIL

Microbiologiste chez Sherings Canada, Carl Vachon s'occupe principalement du contrôle de la qualité d'une grande variété de produits médicamenteux, comme des remèdes contre le rhume des foins, des crèmes pour l'eczéma ou même des onguents pour les otites chez les chiens. «Nous devons nous assurer que les médicaments mis sur le marché sont propres à la consommation», explique-t-il. En gros, cela signifie que le nombre de micro-organismes détectés dans un médicament ne doit pas dépasser un certain seuil.

«Afin de ne pas contaminer nous-mêmes les produits que nous analysons, il faut travailler de façon **aseptique**, poursuit-il. Les micro-organismes, tels que les bactéries, la moisissure ou les virus, sont des organismes vivants qu'on ne peut voir à l'œil nu.» Carl travaille donc sous des hottes dites à flux laminaire, dont l'action purifie l'air. «Les micro-organismes ne sont pas toujours nuisibles», précise-t-il. Certains entrent même dans la fabrication d'antibiotiques. Il faut tout de même analyser ces produits pour s'assurer que la quantité de micro-organismes y est adéquate.

Carl est également chef d'un groupe de microbiologistes et de techniciens en chimie et en biologie, ce qui l'amène à vérifier les documents produits à la suite des analyses de tout un chacun.

> MA MOTIVATION

Carl avait d'abord songé à devenir chimiste, mais des cours en microbiologie au cégep lui ont donné la passion de l'étude du vivant, un domaine plus complexe, croit-il.

Doté d'un esprit analytique, Carl avoue qu'il aime découvrir des choses qui échappent d'abord à l'évidence. «J'aime travailler avec les éléments qu'on ne voit pas à l'œil nu», dit-il. Mais cela n'en représente pas moins un défi de taille. «Il faut de l'instinct pour s'en aller dans la bonne direction. Il y a des investigations qui peuvent prendre des mois avant d'aboutir à des résultats.» Par exemple, lorsqu'une contamination est détectée, il faut en trouver la source pour arriver à la maîtriser. Une démarche qui peut aller jusqu'à l'analyse de l'air et des surfaces de l'usine d'où proviennent les produits.

> MON PARCOURS

Après avoir obtenu un diplôme d'études collégiales en sciences de la nature au Cégep Lionel-Groulx, Carl a effectué un baccalauréat en microbiologie et immunologie à l'Université McGill. Il a commencé sa carrière dans une entreprise qui offre des services d'analyse à des compagnies pharmaceutiques avant d'entrer chez Sherings Canada.

> MON CONSEIL

Pour réussir en microbiologie, il faut être passionné, selon Carl. «La passion mène à se dépasser, et c'est ce qu'il faut faire pour être un bon microbiologiste.» Il est également primordial de pouvoir travailler dans des délais serrés. «Pour que les compagnies pharmaceutiques soient rentables, il leur faut mettre rapidement leurs produits sur le marché. Et elles ne peuvent le faire tant que les analyses en microbiologie ne sont pas terminées. On a donc de la pression.» 09/03

Les mots en caractères **gras** sont définis dans le glossaire (p. 166 à 172).

REPRÉSENTANT PHARMACEUTIQUE
> dans une compagnie pharmaceutique

> MON TRAVAIL

Francis Veillette est représentant pharmaceutique. Presque toujours sur la route, il rencontre les médecins pour leur présenter les produits de la compagnie pharmaceutique Pfizer Canada.

«Nous discutons des médicaments qui viennent d'être mis sur le marché ou des nouveautés concernant les produits déjà existants. Je leur parle aussi des dernières recherches réalisées sur des produits qu'ils connaissent déjà.»

Francis ne se rend aux bureaux de Pfizer à Montréal que deux fois par an. Le reste de l'année, il fonctionne de façon autonome et gère son emploi du temps. Il est responsable des régions de la Mauricie, de Lanaudière et d'une partie de la Montérégie et il s'assure de bien quadriller son territoire. «C'est moi qui cible les médecins et qui prends rendez-vous avec eux. Je contacte ceux qui sont spécialisés dans des champs de pratique liés au médicament que je présente. L'accès aux généralistes est moins aisé, mais plus ils connaissent le représentant, plus le contact est facilité.»

> MA MOTIVATION

Francis a deux passions : la science et le contact humain. Son métier lui permet d'allier les deux. «C'est pour cette raison que j'ai choisi cette branche. J'ai déjà travaillé en laboratoire, mais ce n'était pas la même chose, il me manquait le contact avec les gens.»

Les relations avec les médecins sont généralement très cordiales, dit-il. «Nous discutons de science, des récentes études, des interactions entre les médicaments. C'est très stimulant.»

Francis doit constamment se tenir informé. Parmi ses lectures de chevet figurent, par exemple, le *New England Journal of Medicine, Nature*, etc. «J'aime sentir que je maîtrise mon sujet à fond. Je suis un peu comme une PME : je suis responsable du succès de mon travail.»

> MON PARCOURS

Francis a obtenu son baccalauréat en biologie médicale à l'Université du Québec à Trois-Rivières. Il a ensuite effectué un stage de quatre mois en recherche fondamentale à l'Université de l'Alberta. De retour au Québec, il a été embauché par la société pharmaceutique Parke-Davis, qui est plus tard devenue la propriété de Pfizer.

> MON CONSEIL

L'autonomie et la discipline sont les principales qualités du représentant pharmaceutique. «Nous sommes laissés à nous-mêmes. Par exemple, je dois veiller à ma propre formation en ce qui concerne les nouveaux médicaments. Il faut savoir s'organiser, et accepter d'avoir parfois à travailler le soir.» Francis souligne aussi l'importance de l'ouverture d'esprit et de la soif de connaissances scientifiques. «Si on ne se tient pas à jour, on perd sa crédibilité», dit-il. Être un bon communicateur est également primordial. «C'est difficile pour les malades d'avoir accès à un médecin. Imaginez ce qu'il en est pour un représentant pharmaceutique!» 05/03

TECHNICIENNE DE LABORATOIRE – CHIMIE ANALYTIQUE

› pour une entreprise de recherche clinique

› MON TRAVAIL

Le travail des techniciens de laboratoire consiste essentiellement à effectuer des tests. On les trouve souvent au service d'hôpitaux, d'instituts de recherche ou d'entreprises œuvrant dans différents secteurs : minier, agroalimentaire, cosmétique, médical. Marie-Claude Deschênes, pour sa part, a opté pour le domaine pharmaceutique.

Elle est investigatrice bioanalytique pour un des laboratoires d'Anapharm, à Québec. Lorsqu'une compagnie pharmaceutique développe un nouveau médicament et doit tester ses effets sur l'organisme, elle peut faire appel à une entreprise de recherche clinique comme Anapharm. Marie-Claude se voit alors confier des échantillons de sang, d'urine ou de sérum, prélevés chez des personnes ou des animaux auxquels on a administré le médicament à étudier, afin de déterminer la quantité de médicament qui s'y trouve.

Elle coordonne et supervise le travail d'une petite équipe de techniciens qui analysent les échantillons en laboratoire. Enfin, elle révise les résultats avant qu'ils ne soient transmis au client.

› MA MOTIVATION

Marie-Claude s'intéresse à la chimie depuis l'école secondaire. «Je cherche toujours à savoir comment les choses sont faites. Tout ce que je touche, je veux l'analyser», dit-elle. Par exemple, lorsqu'elle voit la liste des ingrédients d'une boisson aux fruits, elle aimerait pouvoir effectuer des tests pour en vérifier la composition exacte.

Si elle aime passer beaucoup de temps en laboratoire, son poste implique aussi une bonne part de gestion. Elle apprécie cet aspect de son travail qui consiste à gérer une équipe et le budget attribué à différents projets. C'est également elle qui communique avec la clientèle. Elle admet toutefois que les conversations avec les clients étrangers représentaient un défi à ses débuts, principalement parce qu'elles ont souvent lieu en anglais.

› MON PARCOURS

Marie-Claude est employée chez Anapharm depuis 1999, année où elle a aussi obtenu son diplôme d'études collégiales en techniques de laboratoire (profil chimie analytique) au Cégep de Lévis-Lauzon. Devenue coordonnatrice de projets bioanalytiques en 2002, elle a accédé à son poste actuel en 2006. Avant de travailler pour cet employeur, elle avait fait ses premières armes dans une **meunerie** où elle analysait différentes moulées.

› MON CONSEIL

Les laboratoires doivent se soumettre à un ensemble de procédures visant à assurer de bonnes pratiques. «Si vous n'aimez pas l'encadrement, ce n'est peut-être pas un métier pour vous», souligne Marie-Claude. Elle mentionne également que l'esprit d'équipe est une qualité recherchée dans ce secteur, car le travail se fait toujours avec des collaborateurs.

Embauchée initialement comme technicienne de laboratoire, Marie-Claude a su démontrer des habiletés en gestion et en communication, ce qui lui a valu d'être promue au poste d'investigatrice bioanalytique. Sa curiosité, qui la poussait à toujours chercher à comprendre pourquoi on faisait les analyses de telle ou telle façon, a également été un atout. 03/08

Les mots en caractères **gras** sont définis dans le glossaire (p. 166 à 172).

GLOSSAIRE

A

ADN : Abréviation pour acide désoxyribonucléique, le constituant essentiel des chromosomes, porteurs des facteurs déterminants de l'hérédité.

Aide auditive (ou prothèse auditive) : Appareil acoustique de type électronique, électro-acoustique ou mécanique destiné à corriger une déficience du système auditif ou à suppléer aux incapacités qui en découlent.

Anémie : Trouble hématologique qui provoque la diminution de la concentration d'hémoglobine dans le sang en deçà des valeurs normales.

Anxiété : Sentiment d'un danger imminent et indéterminé s'accompagnant d'un état de malaise, d'agitation, de désarroi et d'anéantissement.

Apnée du sommeil : Interruption des efforts respiratoires survenant pendant le sommeil lorsque les centres respiratoires cessent de commander la contraction des muscles respiratoires.

Appareil d'électrochirurgie : Appareil de chirurgie qui utilise les diverses propriétés des courants de haute fréquence pour coaguler ou sectionner.

ARN : Abréviation pour acide ribonucléique, une molécule présente dans la cellule qui sert d'intermédiaire à la synthèse des protéines.

Arthrite : Inflammation d'une ou de plusieurs articulations.

Arthrose : Lésion chronique, dégénérative et non inflammatoire d'une articulation caractérisée entre autres par l'altération du cartilage et causant des douleurs, des déformations et des craquements.

Arthrose lombaire : Lésion chronique, dégénérative et non inflammatoire d'une articulation dans le bas du dos.

Arythmie : Irrégularité du rythme cardiaque.

Aseptique : Exempt de tout microbe.

Asthme : Affection pulmonaire chronique qui se caractérise par une difficulté à respirer. Les voies aériennes des personnes asthmatiques sont hypersensibles ou hyperréactives. Elles réagissent en se rétrécissant ou en s'obstruant lorsqu'elles sont irritées, ce qui entrave la circulation de l'air.

Audiogramme : Graphique représentant la valeur de l'audition de chaque oreille.

Audiologiste : Personne qui évalue les problèmes de l'ouïe et qui les traite avec des aides auditives ou un programme de réadaptation.

Autisme : Détachement de la réalité et repli sur soi avec prédominance de la vie intérieure.

B

Bioéthique : Champ d'étude et de recherche portant sur les enjeux éthiques posés par les progrès scientifiques et technologiques de la médecine et de l'ensemble des sciences de la vie.

Biologie moléculaire : Discipline qui étudie les mécanismes biologiques en fonction des structures et des interactions des constituants moléculaires de la cellule.

Biomécanique : Discipline qui étudie les structures et les fonctions physiologiques des organismes en relation avec les lois de la mécanique.

Biostatisticien : Spécialiste des statistiques qui s'occupe principalement de données biologiques.

Bronchite chronique : Syndrome caractérisé par une toux, permanente ou intermittente, liée à une augmentation de la sécrétion bronchique (et non obligatoirement de l'expectoration), survenant durant un minimum de trois mois, non forcément consécutifs dans l'année et pendant un minimum de deux années consécutives.

Bronchoscopie : Examen qui permet de voir directement à l'intérieur des bronches. On introduit dans la bronche à étudier un long tube qui comporte un système optique et un système d'éclairage.

Brucellose : Maladie infectieuse, contagieuse, chronique, due à la multiplication d'une bactérie du genre Brucella et affectant l'homme et divers animaux (bovins, ovins, caprins, porcins, équidés, carnivores, oiseaux).

Bursite : Inflammation aiguë ou chronique d'une bourse séreuse. Les bourses séreuses ont pour rôle de faciliter les mouvements des organes auxquels elles sont annexées (principalement les articulations).

C

Cataracte : Opacité du cristallin entraînant une insuffisance de la vue pouvant aller jusqu'à la cécité.

Centrifugeuse : Appareil pour la séparation de matériaux, dont l'élément constitutif essentiel est un réservoir tournant, dans lequel se trouve le mélange à séparer.

Chirurgie valvulaire : Chirurgie visant à réparer ou à remplacer par une prothèse une valvule cardiaque abîmée. Les valvules sont les groupes de valves qui permettent le passage unidirectionnel du sang dans les cavités du cœur.

Cognitif : Qualifie les processus cognitifs par lesquels un organisme acquiert des informations sur l'environnement et les élabore pour régler son comportement : perception, formation de concepts, raisonnement, langage, décision, pensée.

Colite : État inflammatoire affectant plusieurs ou la totalité des segments du côlon.

Collagénoses : Maladies qui ont pour caractéristique commune la dégénérescence du collagène, la substance qui donne au corps sa forme et son élasticité.

Colonoscopie (ou coloscopie) : Technique qui permet d'explorer le côlon et la muqueuse qui le tapisse, dans le but de poser des diagnostics ou de traiter des pathologies.

Composition génétique : Tous les gènes des êtres vivants sont constitués de quatre éléments de base : A, T, C et G. La diversité des organismes vivants de la planète provient des innombrables combinaisons différentes de ces quatre éléments, soit la composition génétique.

Cornée : Membrane fibreuse et transparente, véritable «hublot» qui constitue la face avant de l'œil.

Coronographie : Examen radiologique dont le principe est d'injecter directement dans les artères du cœur un produit réactif faisant apparaître un contraste visible sur une radiographie.

Cristallin : Organe en forme de petite lentille biconvexe, transparent et mou, situé à l'intérieur du globe oculaire, en arrière de l'iris et en avant du corps vitré.

Culture bactérienne : Technique permettant d'obtenir la multiplication des bactéries in vitro.

D

Dégénérescence maculaire : Altération de la macula (zone centrale de la rétine permettant la vision fine et précise) qui entraîne une perte progressive et importante de la vision.

Dialyse : Technique d'épuration extrarénale faisant appel à des appareils de dialyse fonctionnant sur circulation extracorporelle et appelés hémodialyseurs.

Dialyse péritonéale : Mode d'épuration du sang utilisant la membrane péritonéale (qui tapisse l'intérieur de l'abdomen et les viscères) comme «filtre» des déchets azotés retenus dans le sang, et consistant à introduire, entre les deux feuillets de la membrane, un liquide de dialyse qu'on évacue et qu'on renouvelle régulièrement pendant un temps déterminé.

Dosage des enzymes du muscle du cœur : Examen qui consiste à mesurer le taux d'enzymes dans le cœur. Par exemple, la troponine est une enzyme qui s'élève rapidement au cours de l'infarctus du myocarde.

E

Électrocardiogramme : Représentation graphique des signaux électriques émis par le cœur en fonction du temps.

Électrolyte corporel : Corps qui, à l'état soluble, peut se dissocier en anions et cations sous l'action d'un courant électrique.

Électrothérapie : Emploi des courants électriques continus ou alternatifs comme moyen thérapeutique.

Emphysème : Distension entraînée par la présence d'air dans les interstices du tissu conjonctif ou dans le tissu alvéolaire des poumons.

Endocrinologie : Science qui a pour objet l'étude de l'anatomie, de la physiologie et de la pathologie des glandes endocrines et de leurs hormones.

Endoscopie : Technique qui permet d'explorer l'intérieur des cavités naturelles du corps – appareils digestif, respiratoire et génital – au moyen d'un endoscope (instrument muni d'un tube optique et d'un système d'éclairage), dans le but de poser des diagnostics ou de traiter des pathologies.

▶

167

E

Équipe volante : Équipe dont les salariés polyvalents sont affectés individuellement ou collectivement à différents postes pour combler les besoins particuliers de l'entreprise au fur et à mesure qu'ils se présentent.

Ergothérapeute : Professionnel de la santé qui aide les personnes souffrant d'incapacité physique ou mentale à réaliser leurs activités quotidiennes. Au besoin, l'ergothérapeute propose des aides techniques et un aménagement de l'environnement du patient.

Estradiol : Principale hormone œstrogène sécrétée chez l'humain.

État nutritionnel : État de l'organisme résultant de l'ingestion, de l'absorption et de l'utilisation des aliments, ainsi que des facteurs de nature pathologique.

Examen direct de l'expectoration : Examen qui consiste à analyser un échantillon de crachat pour en déterminer le contenu.

Exploration fonctionnelle du système respiratoire : Examen qui consiste à faire souffler le patient de différentes façons dans l'embout d'un capteur relié à un écran informatique. Les résultats obtenus sont comparés avec des moyennes correspondant au profil du patient (sexe, âge, poids, etc.).

F

Fibrillation (cardiaque) : Contraction rapide et désordonnée des fibres du muscle cardiaque. Ce phénomène peut toucher les cavités supérieures du cœur (fibrillation auriculaire) ou les cavités inférieures (fibrillation ventriculaire). Lorsque le cœur est en fibrillation, il palpite et est incapable de pomper le sang.

Fièvre aphteuse : Maladie animale causée par le virus du genre *Aphthovirus*, fortement contagieux. Exceptionnellement transmissible à l'homme, elle affecte les porcs domestiques et certains ruminants sauvages. Elle se caractérise par de la fièvre et des lésions au niveau des muqueuses buccales et nasales, de même que sur les pieds.

Fluoroscopie : Méthode d'imagerie fonctionnelle qui consiste à observer l'image lumineuse des organes internes produite sur un écran fluorescent par l'interposition du corps entre cet écran et un faisceau de rayons X.

Formulation : Action de mettre en formule, d'écrire la composition chimique et thérapeutique d'un médicament.

G

Gavage : Introduction d'aliments dans l'estomac au moyen d'un tube qui passe habituellement par les narines, le pharynx et l'œsophage.

Génétique : Branche de la biologie qui étudie les caractères héréditaires et les variations accidentelles.

Glandes endocrines : Glandes à sécrétion interne, dont les produits (hormones) sont déversés directement dans le sang et la lymphe.

Glande thyroïde : Glande endocrine située dans la partie antérieure et inférieure du cou, responsable de la synthèse, du stockage et de la sécrétion d'hormones ayant une action activatrice sur le métabolisme en général.

Globule sanguin : Cellule arrondie semifluide que l'on trouve dans le sang.

Groupe sanguin : Classification des individus selon les caractéristiques de leur sang permettant de déterminer la compatibilité entre le donneur et le receveur lors d'une transfusion sanguine. Le système ABO, qui comprend les groupes sanguins A, B, O et AB, englobe la plupart des individus.

H

HACCP (pour *Hazard Analysis Critical Control Point*) : Système qui vise à assurer la salubrité des aliments grâce à l'application de rigoureux mécanismes de contrôle d'un bout à l'autre de la chaîne de production. Les usines d'abattage canadiennes sont tenues d'appliquer le système HACCP pour exporter aux États-Unis.

Hématologie : Branche de la médecine qui étudie le sang et les organes qui fabriquent les cellules sanguines.

Hémodialyse : Voir dialyse.

Hernie discale : Saillie anormale du disque intervertébral dans le canal rachidien, due à l'expulsion, en arrière, à la suite d'un traumatisme, du nucleus pulposus.

Homéostasie : Tendance de l'organisme à maintenir ses différentes constantes à des valeurs ne s'écartant pas de la normale (l'homéostasie assure, par exemple, le maintien de la température, du débit sanguin, de la tension artérielle, du pH, des volumes liquidiens de l'organisme, de la composition du milieu intérieur, etc.).

Homologation : Au Canada, acte par lequel Santé Canada reconnaît qu'un médicament est efficace et sécuritaire, et accepte qu'il soit commercialisé.

Hydrothérapie : Traitement basé sur une utilisation externe de l'eau, sous toutes ses formes et à des températures variables : bains, douches, enveloppements, compresses humides, sacs à glace ou à eau chaude, etc.

Hyperactivité : Instabilité du comportement de certains enfants, toujours actifs, qui ont des difficultés à se concentrer sur une seule activité.

Hypophyse : Glande endocrine qui sécrète des hormones agissant sur le fonctionnement d'autres glandes endocrines.

Hypospadias : Malformation congénitale de l'urètre de l'homme caractérisée par la situation anormale de son orifice sur la face ventrale du pénis.

I

Immunofluorescence : Technique qui consiste à rendre fluorescent un antigène déterminé à l'intérieur d'une cellule (un antigène est une substance capable de déclencher une réponse immunitaire). Cette méthode permet de détecter et de localiser les antigènes viraux dans la cellule infectée.

Immunoglobuline : Terme générique désignant l'ensemble des globulines sériques constituant les anticorps.

Infiltration : Injection, généralement dans une articulation, d'un médicament qui permet de diminuer la douleur.

Infirmière clinicienne : Désigne une infirmière titulaire d'un baccalauréat en sciences infirmières.

Inhalothérapeute : Professionnel paramédical spécialisé dans les soins du système cardiorespiratoire, par exemple, l'humidification des voies respiratoires, la réanimation cardiorespiratoire ou encore la ventilation artificielle prolongée. On le trouve souvent en salle d'opération, où il assiste l'anesthésiologiste dans la surveillance des fonctions vitales du patient.

Innocuité : Terme souvent utilisé pour parler de médicaments qui ne comportent aucun risque.

Interaction médicamenteuse : Phénomène qui survient lorsque deux ou plusieurs médicaments ayant été administrés simultanément ou successivement, les effets de l'un sont modifiés par la présence du ou des autres.

Iris : Structure pigmentée donnant sa couleur à l'œil et percée d'un trou, la pupille.

L

Laparoscopie : Endoscopie de la cavité abdominale, qui se pratique à l'aide d'un endoscope rigide, soit un laparoscope, introduit au travers d'une courte incision. La laparoscopie diagnostique permet de visualiser les organes. La laparoscopie opératoire permet de pratiquer, dans un but thérapeutique, des interventions chirurgicales à l'aide d'instruments miniaturisés.

Leucémie : Terme générique recouvrant un groupe d'affections caractérisées par la présence en excès dans la moelle osseuse et parfois dans le sang de leucocytes ou de leurs précurseurs.

Luxation : Déplacement anormal de l'un des os d'une articulation.

M

Machine cœur-poumon (ou cœur-poumon artificiel) : Machine qui permet d'arrêter le cœur et les poumons du patient durant une chirurgie cardiaque. Le sang qui arrive au cœur est collecté par une canule (petit tuyau) puis dirigé vers un oxygénateur, qui remplit le rôle des poumons en oxygénant le sang et en le débarrassant du gaz carbonique. Le sang est ensuite réinjecté dans l'organisme par l'action d'une pompe.

Maladies respiratoires environnementales : Aussi pneumoconioses. Ensemble des désordres broncho-pulmonaires liés à l'accumulation de particules minérales dans les poumons et à la réaction des tissus à la présence de ces particules. Sont souvent reliées au milieu de travail.

▶

169

M

Maniaco-dépression : Affection mentale caractérisée par des accès d'excitation psychique qui alternent avec des périodes de dépression.

Médecine d'expertise : Expertise médicale qui permet de fournir au juge saisi d'une affaire un avis scientifique qualifié sous la forme d'un rapport.

Médecine interne : Branche de la médecine qui se consacre au diagnostic et au traitement des maladies générales affectant un ou plusieurs organes, ou des problèmes de santé difficiles à évaluer par une approche conventionnelle.

Médecin traitant : Médecin généraliste qui a la responsabilité du suivi de ses patients et qui les dirige, au besoin, vers un spécialiste ou un hôpital.

Mélanome : Tumeur maligne caractérisée par sa couleur brune et noire.

Méridien : Canal ou vaisseau dans lequel circule l'énergie vitale, véritable ligne de flux énergétique continu, comportant une source, une ligne d'écoulement, des champs d'élargissement et de rétrécissement, de passage et de chute, et sur le trajet duquel se trouvent situés les points cutanés, lieux privilégiés permettant d'en régulariser le débit.

Mésadapté socio-affectif : Personne qui manifeste des problèmes de comportement affectif et social incompatibles avec la qualité et la quantité des situations et des actes éducatifs de l'enseignement régulier.

Meunerie : Usine où s'effectue la transformation des grains de céréales en farine.

Microscope ophtalmologique : Microscope spécialisé servant à examiner les yeux.

Microscopie électronique : Technique d'observation qui fait appel à une variété de microscopes à très fort pouvoir grossissant, utilisant un faisceau d'électrons et des lentilles magnétiques au lieu d'un faisceau lumineux et de lentilles optiques.

Molécule : La plus petite partie d'un élément formé d'une association d'atomes : le gaz carbonique CO_2 est une molécule contenant un atome de carbone et deux atomes d'oxygène.

Monographie : Texte qui décrit un médicament et qui comporte des renseignements essentiels ainsi qu'impartiaux à son sujet, par exemple la posologie du médicament selon l'âge et le poids et des mises en garde.

N

Nanotechnologie : Conception, fabrication et utilisation de structures extrêmement petites, qui se situent à l'échelle des atomes et des molécules. On les mesure en nanomètres (un milliardième de un mètre).

Néonatologie : Branche de la médecine qui a pour objet la surveillance et les soins spécialisés du nouveau-né à risques ou de celui dont l'état s'est dégradé après la naissance.

O

Obturation : Opération consistant à insérer un matériau dans la cavité préparée d'une dent.

Œdème : Infiltration séreuse excessive, indolore et sans rougeur des tissus conjonctifs sous-cutanés et sous-muqueux.

Ophtalmoscope : Instrument destiné à la fois à éclairer et à examiner le fond de l'œil.

Orchidopexie : Intervention chirurgicale qui a pour but d'abaisser un testicule, qui n'est pas descendu naturellement dans les bourses.

Orthèse : Aide technique destinée à suppléer ou à corriger une fonction déficiente, à compenser les limitations ou même à accroître le rendement physiologique d'un organe ou d'un membre qui a perdu sa fonction, qui ne s'est jamais pleinement développé ou est atteint d'anomalies congénitales.

Ostéoporose : Diminution de la masse osseuse.

Oto-rhino-laryngologiste (ORL) : Médecin spécialisé dans le traitement des affections des oreilles, du nez et de la gorge.

P

Paranoïa : Perturbation mentale caractérisée par de la méfiance et une interprétation exagérée des événements.

Patch test : Test qui consiste à poser dans le dos du patient des pastilles collantes enduites de réactif et à vérifier, au bout de 48 heures, si certaines d'entre elles ont provoqué une inflammation sur la peau.

Péricardite : Inflammation aiguë ou chronique du péricarde (membrane qui enveloppe le cœur) sous l'influence d'une infection.

Pharmacologie : Science qui étudie les médicaments, notamment leur source, leur préparation, leur action, leurs propriétés thérapeutiques et leur emploi.

Pharmacopée : Ensemble de matières premières (végétales, minérales et animales) ayant des propriétés médicales et thérapeutiques.

Physiatre : Médecin dont la spécialité concerne le diagnostic, le traitement et la prévention des affections de l'appareil locomoteur (ensemble des fonctions osseuses, musculaires et articulatoires qui permettent le déplacement).

Physiothérapeute : Personne qui pose un acte thérapeutique ayant pour objet d'obtenir le rendement fonctionnel maximal des diverses capacités d'un individu par l'utilisation de thérapies manuelles, d'exercices physiques ou par d'autres agents physiques comme la chaleur, le froid, l'eau et l'ultrason.

Polygraphie ou polysomnographie : Ensemble des techniques permettant l'observation et l'enregistrement de diverses activités physiologiques survenant pendant le sommeil. Permet notamment de détecter l'apnée du sommeil.

Ponction pleurale : Introduction par endoscopie d'une aiguille dans la plèvre (membrane enveloppant le poumon) pour évacuer ou prélever un fluide.

Pontage coronarien : Lorsqu'un segment d'artère coronaire est rétréci ou bouché, la circulation du sang vers le cœur se trouve compromise. Pour y remédier, le chirurgien crée un canal contournant la région obstruée au moyen d'une greffe de vaisseau sanguin.

Propriété : On distingue les propriétés physico-chimiques (état, couleur, solubilité, pouvoir rotatoire, etc.) et les propriétés pharmacodynamiques. Ces dernières sont les effets provoqués sur l'organisme. La molécule d'atropine a, par exemple, la propriété de dilater la pupille. C'est de la connaissance des propriétés que découlent les indications et les contre-indications.

Prothèse : Aide technique destinée à remplacer en tout ou en partie un organe ou un membre et à lui restituer sa fonction ou son aspect original.

Prothèse dentaire : Appareil fixe ou mobile porteur de plusieurs dents (prothèse partielle) ou remplaçant la totalité des dents (prothèse totale).

Protocole : Document écrit qui définit en détail l'objectif, la conception, la méthodologie, les méthodes statistiques, les conditions de réalisation et les diverses étapes d'un essai clinique ou de toute étude biomédicale.

Psychomotricité : Intégration des fonctions mentales et motrices résultant de l'éducation et de la maturation du système nerveux.

Pyéloplastie : Reconstruction chirurgicale du rein visant à en corriger une occlusion.

Radiation ionisante (ou rayonnement ionisant) : Radiation utilisée dans le traitement du cancer. On la dit «ionisante» parce qu'elle forme des ions en passant à travers les tissus, ce qui a pour effet de détruire ou d'affaiblir les cellules cancéreuses.

Radio-isotope : Isotope radioactif d'un élément chimique.

Radiothérapie : Emploi thérapeutique des rayons X.

Réactif : Substance qui permet d'en identifier une autre lors d'une réaction chimique.

Recherche clinique : Recherche effectuée sur l'homme afin d'améliorer les connaissances dans le domaine de la santé, notamment sur les effets des médicaments dans l'organisme.

Recherche fondamentale : Travaux entrepris essentiellement dans la perspective de reculer les limites des connaissances scientifiques sans avoir en vue aucune application pratique spécifique. Ils peuvent aboutir à la découverte de lois et d'éléments nouveaux.

Résidence : Voir résident.

Résident : Étudiant diplômé en médecine qui poursuit en milieu hospitalier un programme de deux ans en médecine familiale ou un programme de spécialisation de quatre ou cinq ans dans une discipline approuvée.

Rétine : Membrane du fond de l'œil sensible au stimulus lumineux.

Rétinite pigmentaire : Affection d'origine héréditaire consistant en une dégénérescence progressive de la rétine qui aboutit à une cécité totale.

▶

171

R

Rétinopathie : Toute affection de la rétine et, en particulier, une affection non inflammatoire (bien qu'il y ait des exceptions à cette règle).

Rupture d'anévrisme : Éclatement des parois d'un anévrisme, qui provoque une hémorragie dans les tissus environnants.

S

Salmonellose : Infection due à des germes appartenant au genre Salmonella.

Scanographie : Radiographie obtenue par un scanner.

Schizophrénie : Affection mentale caractérisée par un repli sur soi et une perte de contact avec la réalité.

Scintigraphie : Procédé permettant de repérer dans l'organisme un isotope radioactif qui y a été introduit.

Soins de longue durée : Soins personnels et infirmiers, de légers à moyens, qui sont prodigués à des personnes âgées ou atteintes d'une maladie chronique ou d'une incapacité, dans une maison de soins infirmiers ou à domicile, pendant une longue période de temps.

Souffle au cœur : Souffle perçu à l'auscultation du cœur et qui a son origine dans cet organe.

Subluxation : Luxation incomplète d'une articulation. Luxation ou entorse partielle.

Système MF : Système de transmission du son par ondes radio composé d'un émetteur et d'un récepteur. L'enseignant porte l'émetteur, dont le microphone est épinglé sur son vêtement, vis-à-vis du menton. L'élève sourd, quant à lui, porte le récepteur, qui se branche dans ses appareils auditifs. Ce système permet à l'élève de mieux entendre dans les situations où l'enseignant se tient à plus de deux mètres de lui, se déplace constamment dans la classe ou parle parmi un bruit de fond.

T

Tendinite : Inflammation d'un tendon, soit la structure fibreuse par laquelle un muscle se fixe à un os.

Test cutané (prick test) : Test qui consiste à injecter dans le bras du patient de très petites doses de différents réactifs et à vérifier au bout d'une vingtaine de minutes si certaines injections ont provoqué une inflammation sur la peau.

Test Pap (ou colpocytologie) : Examen microscopique des cellules prélevées sur le col de l'utérus permettant le dépistage précoce du cancer.

Thérapie cellulaire : Ensemble des procédures ayant pour objectif d'utiliser des cellules pour guérir des maladies.

Tomodensitométrie (aussi appelée «tomographie axiale assistée par ordinateur» ou, plus familièrement, «scan») : Technique d'imagerie qui permet de visualiser par coupes n'importe quelle partie de l'anatomie en plus de révéler les différences de densité des divers tissus.

Traumatologie : Branche de la médecine qui se consacre à l'étude des traumatismes physiques et au traitement des patients ayant subi de graves blessures, généralement au cours d'un accident.

Troubles de l'attention : Toute maladie mentale s'accompagnant de troubles de l'attention passagers (délires, hallucinations) ou permanents (débilité mentale, schizophrénie, par exemple).

Troubles du comportement : Difficultés d'adaptation, voire inadaptations qui peuvent être transitoires ou permanentes.

Tubage gastrique : Procédure qui consiste à glisser une sonde gastrique par le nez ou par la bouche jusqu'à l'estomac, afin d'alimenter le patient artificiellement lorsque ce dernier a trop de difficulté à respirer, dans les cas de tuberculose infantile notamment.

Tuberculose : Maladie contagieuse et inoculable, commune à l'homme et aux animaux, due à une bactérie (le Mycobacterium tuberculosis ou bacille de Koch).

U

Ultrasons : Sons de très grande fréquence ondulatoire (non perceptibles par l'oreille humaine) utilisés comme traitement.

V

Virologie : Partie de la microbiologie qui a pour objet l'étude des virus.

Vitré : Masse visqueuse transparente occupant l'espace entre la face postérieure du cristallin et la rétine.

Note de l'éditeur : Ces définitions sont principalement tirées du *Grand dictionnaire terminologique* de l'Office québécois de la langue française (www.granddictionnaire.com). Au besoin, certaines définitions ont été complétées par des sources spécialisées.

Comment régler un conflit avec son patron
Vol.9 n°5, mai 2008

En présentoir partout au Québec
Découvrez toutes les facettes de la vie au travail – même les plus tendues – avec le Magazine Jobboom.

ACTUALITÉS • DOSSIERS • MODE DE VIE

magazine jobboom
jobboom.com/magazine

RÉPERTOIRE DES PRINCIPALES FORMATIONS
> liées à la santé et aux services sociaux

› LA FORMATION PROFESSIONNELLE

Voici les principaux programmes d'études professionnelles pouvant mener à une carrière dans le domaine de la santé et des services sociaux. Ils visent l'obtention d'un diplôme d'études professionnelles (DEP) ou d'une attestation de spécialisation professionnelle (ASP).

- › Assistance à la personne à domicile (DEP)
- › Assistance à la personne en établissement de santé (DEP)
- › Assistance dentaire (DEP)
- › Assistance technique en pharmacie (DEP)
- › Santé, assistance et soins infirmiers (DEP)
- › Secrétariat médical (ASP)

› LA FORMATION COLLÉGIALE

Voici les principaux programmes d'études collégiales pouvant mener à une carrière dans le domaine de la santé et des services sociaux. La majorité visent l'obtention d'un diplôme d'études collégiales (DEC) en formation technique. Nous avons aussi ajouté des programmes permettant d'obtenir une attestation d'études collégiales (AEC) lorsque ce diplôme constitue la principale voie d'accès à la pratique de professions traitées dans ce livre.

- › Acupuncture (DEC)
- › Archives médicales (DEC)
- › Audioprothèse (DEC)
- › Cytotechnologie (AEC)
- › Soins infirmiers (DEC)
- › Soins préhospitaliers d'urgence (DEC)
- › Techniques ambulancières (AEC)
- › Techniques d'éducation spécialisée (DEC)
- › Techniques d'électrophysiologie médicale (DEC)
- › Techniques d'hygiène dentaire (DEC)
- › Techniques d'inhalothérapie (DEC)
- › Techniques d'intervention en délinquance (DEC)
- › Techniques d'intervention en loisir (DEC)
- › Techniques d'orthèses et de prothèses orthopédiques (DEC)
- › Techniques d'orthèses visuelles (DEC)
- › Techniques de denturologie (DEC)
- › Techniques de diététique (DEC)
- › Techniques de laboratoire (DEC)
- › Techniques de prothèses dentaires (DEC)
- › Techniques de réadaptation physique (DEC)
- › Techniques de recherche sociale (DEC)
- › Techniques de santé animale (DEC)
- › Techniques de stérilisation (AEC)
- › Techniques de thanatologie (DEC)

> Techniques de travail social (DEC)
> Technologie de la production pharmaceutique (DEC)
> Technologie d'analyses biomédicales (DEC)
> Technologie de l'électronique (DEC) – voir aussi le certificat universitaire Technologies biomédicales : instrumentation électronique
> Technologie de médecine nucléaire (DEC)
> Technologie de radiodiagnostic (DEC)
> Technologie de radio-oncologie (DEC)
> Technologie de systèmes ordinés (DEC) – voir aussi le certificat universitaire Technologies biomédicales : instrumentation électronique

> LA FORMATION UNIVERSITAIRE

Voici les principaux programmes d'études universitaires pouvant mener à une carrière dans le domaine de la santé et des services sociaux. La majorité mènent à l'obtention d'un diplôme de baccalauréat. Nous avons aussi inclus des programmes d'études supérieures lorsque ceux-ci constituent la principale voie d'accès à la pratique de professions traitées dans ce livre. Les titres des programmes sont généraux et peuvent différer d'une université à une autre.

> Audiologie (Bac)
> Biochimie clinique (Diplôme d'études postdoctorales)
> Bio-informatique (Bac)
> Biologie (Bac)
> Biologie médicale (Bac)
> Biophysique (Bac)
> Chimie (Bac)
> Chimie pharmaceutique (Bac)
> Chiropratique (Doctorat)
> Diététique/Nutrition (Bac)
> Endrocrinologie (Maîtrise)
> Ergothérapie (Bac)
> Génie biomédical (Maîtrise ou doctorat)
> Génie biotechnologique (Bac)
> Kinésiologie (Bac)
> Médecine dentaire (Doctorat)
> Médecine familiale (Doctorat en médecine)
> Médecine spécialisée (Diplôme d'études supérieures spécialisées en médecine)
> Médecine vétérinaire (Doctorat)
> Microbiologie (Bac)
> Optométrie (Doctorat)
> Orthophonie (Bac)
> Perfusion extra-corporelle (Certificat)
> Pharmacie (Bac)
> Pharmacologie (Bac et maîtrise)
> Physiologie (Maîtrise)
> Physiothérapie (Bac)
> Physique médicale (Maîtrise et doctorat)
> Podiatrie (Doctorat) ▷

175

› LA FORMATION UNIVERSITAIRE (SUITE)

- › Pratique sage-femme (Bac)
- › Psychoéducation (Bac)
- › Psychologie (Bac, maîtrise et doctorat)
- › Sciences biomédicales (Bac)
- › Sciences de l'activité physique (Bac)
- › Sciences infirmières (et nursing) (Bac)
- › Sciences infirmières (Maîtrise)
- › Sciences infirmières, spécialisation en cardiologie ou en néphrologie (DESS)
- › Sciences pharmaceutiques (Maîtrise)
- › Sexologie (Bac)
- › Technologies biomédicales : instrumentation électronique (Certificat)
- › Travail social (ou service social) (Bac et maîtrise)

› LES PRINCIPALES FORMATIONS UNIVERSITAIRES LIÉES À L'ADMINISTRATION

- › Baccalauréat en administration des affaires
  (finance, marketing, gestion des ressources humaines, etc.)
- › Baccalauréat en comptabilité ou sciences comptables
- › Baccalauréat en économie
- › Maîtrise en administration des affaires (MBA)
- › Maîtrise ou doctorat en administration publique

Plusieurs universités offrent également divers programmes d'études liés à l'administration publique et à la gestion des services de santé (microprogrammes, programmes courts, certificats, diplômes d'études supérieures spécialisées [DESS], diplômes de deuxième et de troisième cycle [maîtrises et doctorats]). Certains baccalauréats peuvent aussi offrir une spécialisation en administration publique.

Renseignez-vous auprès des établissements d'enseignement qui vous intéressent. ◎

COMMENT SAVOIR OÙ EST OFFERT UN PROGRAMME D'ÉTUDES?

› LA FORMATION PROFESSIONNELLE ET TECHNIQUE

Vous pouvez consulter le site de l'Inforoute FPT de la formation professionnelle et technique du ministère de l'Éducation, du Loisir et du Sport, à l'adresse suivante : **www.inforoutefpt.org/**.

Dans ce site, vous pouvez orienter vos recherches à partir d'un secteur de formation ou encore directement à partir du nom du programme désiré. Vous aurez ainsi accès à de l'information sur le programme sélectionné : les établissements d'enseignement offrant la formation, les conditions d'admission, la durée, les objectifs et le contenu du programme.

› LA FORMATION UNIVERSITAIRE

Pour connaître les universités qui offrent un programme spécifique, vous pouvez consulter le Répertoire des universités canadiennes à l'adresse suivante : **http://oraweb.aucc.ca/showdcu_f.html**. Effectuez une recherche par province, par discipline, par diplôme ou par programme.

Pour obtenir une information juste et à jour, consultez les sites Internet des universités qui vous intéressent. Vous y trouverez des renseignements sur les programmes d'études, les modalités d'inscription, les cours offerts et la vie étudiante.

Nous vous présentons ici les statistiques tirées des enquêtes Relance du ministère de l'Éducation, du Loisir et du Sport du Québec. Ces chiffres illustrent la situation des diplômés au mois de janvier 2007 pour les titulaires d'un baccalauréat, d'une maîtrise ou d'un doctorat de premier cycle (environ 20 mois après l'obtention du diplôme) et au mois de mars 2007 pour les diplômés de la formation professionnelle et technique (environ 9 mois après l'obtention du diplôme). À noter qu'il n'y a pas de données disponibles pour les titulaires d'une attestation d'études collégiales (AEC) ou d'un certificat universitaire.

Programmes d'études et disciplines	Nombre de diplômés	Taux d'emploi	Poursuite des études	Emploi à temps plein	Emploi en rapport avec la formation	Taux de chômage
FORMATION PROFESSIONNELLE						
Assistance à la personne en établissement de santé (DEP)	1 936	84,4 %	6,3 %	70,2 %	84,5 %	4,8 %
Assistance dentaire (DEP)	309	84,3 %	7,3 %	84,5 %	88,2 %	5,3 %
Assistance à la personne à domicile (DEP)	515	84,2 %	7,0 %	74,0 %	92,2 %	4,5 %
Assistance technique en pharmacie (DEP)	307	89,5 %	2,7 %	82,2 %	90,7 %	3,4 %
Santé, assistance et soins infirmiers (DEP)	1 805	86,0 %	4,0 %	67,6 %	88,8 %	6,9 %
Secrétariat médical (ASP)	349	88,3 %	3,4 %	86,8 %	78,8 %	5,6 %
FORMATION COLLÉGIALE						
Acupuncture (DEC)	21	85,7 %	0,0 %	25,0 %	n.d.	0,0 %
Archives médicales (DEC)	80	91,7 %	6,7 %	90,9 %	88,0 %	0,0 %
Audioprothèse (DEC)	12	100,0 %	0,0 %	90,0 %	100,0 %	0,0 %
Soins infirmiers (DEC)	2 408	68,8 %	28,7 %	81,7 %	97,2 %	1,0 %
Techniques d'éducation spécialisée (DEC)	1 016	80,1 %	17,5 %	64,9 %	91,6 %	0,2 %
Techniques d'électrophysiologie médicale (DEC)	18	100,0 %	0,0 %	83,3 %	100,0 %	0,0 %
Techniques d'hygiène dentaire (DEC)	247	97,2 %	1,7 %	86,2 %	99,3 %	0,6 %
Techniques d'inhalothérapie (DEC)	174	98,3 %	0,8 %	83,6 %	99,0 %	0,0 %
Techniques d'intervention en loisir (DEC)	108	76,1 %	23,9 %	75,9 %	73,2 %	0,0 %
Techniques d'orthèses et de prothèses orthopédiques (DEC)	40	92,3 %	3,8 %	95,8 %	100,0 %	0,0 %
Techniques d'orthèses visuelles (DEC)	63	94,7 %	2,6 %	97,2 %	100,0 %	0,0 %
Techniques de denturologie (DEC)	21	86,7 %	0,0 %	76,9 %	100,0 %	13,3 %
Techniques de diététique (DEC)	141	85,1 %	10,5 %	76,3 %	75,7 %	2,0 %
Techniques de laboratoire (DEC), spécialisation en biotechnologies	98	47,9 %	47,9 %	85,3 %	93,1 %	5,6 %
Techniques de laboratoire (DEC), spécialisation en chimie analytique	64	79,5 %	11,4 %	94,3 %	81,8 %	5,4 %

Programmes d'études et disciplines	Nombre de diplômés	Taux d'emploi	Poursuite des études	Emploi à temps plein	Emploi en rapport avec la formation	Taux de chômage
Techniques de réadaptation physique (DEC)	177	86,2 %	12,2 %	70,8 %	97,3 %	0,0 %
Techniques de santé animale (DEC)	225	87,7 %	11,7 %	94,7 %	87,3 %	0,7 %
Techniques de thanatologie (DEC)	18	80,0 %	13,3 %	75,0 %	88,9 %	7,7 %
Techniques de travail social (DEC)	386	68,4 %	26,9 %	87,1 %	82,3 %	2,0 %
Techniques dentaires (DEC)	n.d.	n.d.	n.d.	n.d.	n.d.	n.d.
Technologie d'analyses biomédicales (DEC)	214	88,8 %	7,2 %	85,2 %	98,3 %	2,9 %
Technologie de médecine nucléaire (DEC)	19	100,0 %	0,0 %	100,0 %	100,0 %	0,0 %
Technologie de radiodiagnostic (DEC)	160	97,3 %	1,8 %	93,5 %	99,0 %	0,0 %
Technologie de radio-oncologie (DEC)	41	100,0 %	0,0 %	88,9 %	95,8 %	0,0 %

FORMATION UNIVERSITAIRE

Biochimie (Bac)	294	38,7 %	59,7 %	88,9 %	60,9 %	0,0 %
Biochimie (Maîtrise)	40	64,3 %	25,0 %	100,0 %	83,3 %	0,0 %
Biophysique (Bac)	5	20,0 %	80,0 %	100,0 %	0,0 %	0,0 %
Biophysique (Maîtrise)	n.d.	n.d.	n.d.	n.d.	n.d.	n.d.
Chiropratique (Doctorat de 1er cycle)	42	96,0 %	4,0 %	66,7 %	100,0 %	0,0 %
Diététique et nutrition (Bac)	123	79,5 %	13,6 %	71,4 %	94,0 %	1,4 %
Diététique et nutrition (Maîtrise)	n.d.	n.d.	n.d.	n.d.	n.d.	n.d.
Ergothérapie (Bac)	165	88,3 %	9,0 %	90,8 %	98,9 %	0,0 %
Études pluridisciplinaires en sciences de la santé (Bac)	51	32,3 %	64,5 %	100,0 %	50,0 %	9,1 %
Génie biologique et biomédical (Maîtrise)	36	75,0 %	20,0 %	93,3 %	78,6 %	0,0 %
Médecine dentaire (Doctorat de 1er cycle)	147	85,4 %	10,1 %	75,0 %	100,0 %	2,6 %
Médecine dentaire (Maîtrise)	11	71,4 %	28,6 %	60,0 %	66,7 %	0,0 %
Médecine et chirurgie expérimentale (Maîtrise)	42	58,1 %	38,7 %	83,3 %	73,3 %	5,3 %
Médecine vétérinaire (Doctorat de 1er cycle)	n.d.	n.d.	n.d.	n.d.	n.d.	n.d.
Médecine vétérinaire (Maîtrise)	18	90,9 %	9,1 %	90,0 %	66,7 %	0,0 %
Microbiologie (Bac)	169	27,0 %	69,4 %	90,0 %	70,4 %	6,3 %
Microbiologie (Maîtrise)	57	52,6 %	44,7 %	95,0 %	84,2 %	4,8 %
Optométrie (Doctorat de 1er cycle)	43	100,0 %	0,0 %	95,8 %	100,0 %	0,0 %
Orthophonie et audiologie (Bac)	62	89,7 %	7,7 %	88,6 %	100,0 %	2,8 %
Orthophonie et audiologie (Maîtrise)	105	93,2 %	2,7 %	89,7 %	100,0 %	0,0 %
Pharmacie et sciences pharmaceutiques (Bac)	334	80,2 %	18,0 %	94,3 %	98,8 %	0,6 %

▶

Programmes d'études et disciplines	Nombre de diplômés	Taux d'emploi	Poursuite des études	Emploi à temps plein	Emploi en rapport avec la formation	Taux de chômage
FORMATION UNIVERSITAIRE (SUITE)						
Pharmacie et sciences pharmaceutiques (Maîtrise)	105	93,2 %	2,7 %	89,7 %	100,0 %	0,0 %
Physiothérapie (Bac)	159	89,2 %	9,0 %	93,9 %	100,0 %	0,0 %
Psychoéducation (Bac)	276	68,6 %	28,7 %	79,8 %	93,2 %	0,8 %
Psychoéducation (Maîtrise)	49	90,3 %	9,7 %	85,7 %	95,8 %	0,0 %
Psychologie (Bac)	1 109	37,2 %	58,1 %	74,7 %	54,8 %	4,1 %
Psychologie (Maîtrise)	255	54,7 %	43,1 %	72,7 %	94,4 %	0,0 %
Santé communautaire et épidémiologie (Bac)	56	97,4 %	2,6 %	83,8 %	80,6 %	0,0 %
Santé communautaire et épidémiologie (Maîtrise)	86	69,2 %	17,3 %	94,4 %	91,2 %	7,7 %
Sciences biologiques (Bac)	631	36,2 %	55,9 %	87,8 %	62,0 %	12,0 %
Sciences biologiques (Maîtrise)	110	57,4 %	35,3 %	92,3 %	75,0 %	7,1 %
Sciences de l'activité physique (Bac)	362	67,1 %	27,3 %	70,3 %	78,9 %	4,3 %
Sciences de l'activité physique (Maîtrise)	53	65,9 %	31,7 %	81,5 %	72,7 %	0,0 %
Sciences fondamentales et sciences appliquées de la santé (Bac)	226	23,6 %	74,3 %	82,4 %	67,9 %	5,6 %
Sciences fondamentales et sciences appliquées de la santé (Maîtrise)	214	42,0 %	53,1 %	90,0 %	85,2 %	7,7 %
Sciences infirmières et nursing (Bac)	894	91,2 %	5,0 %	85,6 %	97,5 %	0,4 %
Sciences infirmières et nursing (Maîtrise)	214	42,0 %	53,1 %	90,0 %	85,2 %	7,7 %
Service social (Bac)	645	86,5 %	7,8 %	90,1 %	93,9 %	1,1 %
Service social (Maîtrise)	139	93,0 %	3,5 %	82,5 %	87,9 %	0,0 %
Sexologie (Bac)	74	66,0 %	28,3 %	74,3 %	65,4 %	2,8 %
Sexologie (Maîtrise)	n.d.	n.d.	n.d.	n.d.	n.d.	n.d.
PROGRAMMES D'ÉTUDES UNIVERSITAIRES MENANT À DES POSTES DE DIRECTION						
Administration des affaires (Bac)	2 206	83,6 %	12,8 %	97,0 %	85,0 %	2,5 %
Administration des affaires (Maîtrise)	1 492	92,1 %	3,2 %	98,9 %	85,9 %	2,3 %
Administration publique (Maîtrise)	282	89,6 %	3,3 %	97,5 %	82,4 %	5,2 %
Comptabilité et sciences comptables (Bac)	911	89,3 %	6,6 %	97,3 %	93,2 %	2,4 %
Comptabilité et sciences comptables (Maîtrise)	n.d.	n.d.	n.d.	n.d.	n.d.	n.d.
Économique	442	56,0 %	35,3 %	93,3 %	48,4 %	9,4 %
Gestion des services de santé (Bac)	n.d.	n.d.	n.d.	n.d.	n.d.	n.d.

Sources : MELS, *La Relance au secondaire en formation professionnelle*, 2007. MELS, *La Relance au collégial en formation technique*, 2007. MELS, *La Relance à l'université*, 2007.

Questionnaire

À VOUS LA PAROLE!

**1. Le guide *100 carrières de la santé et des services sociaux*
répond-t-il à vos besoins d'information en matière d'emploi et de formation?**

- ○ Oui, dans l'ensemble
- ○ Oui, à part quelques lacunes (veuillez préciser)

_____

- ○ Non (veuillez indiquer pourquoi)

_____

_____

**2. Quelle(s) section(s) du guide avez-vous consultée(s)?
(Vous pouvez choisir plus d'une section.)**

- ○ Les portraits
- ○ Les dossiers
- ○ Le questionnaire
- ○ Les répertoires
- ○ Le glossaire

**3. À l'aide des chiffres 1 à 5, veuillez numéroter les sections du guide,
de la plus utile (1) à la moins utile (5).**

- ○ Les portraits
- ○ Les dossiers
- ○ Le questionnaire
- ○ Les répertoires
- ○ Le glossaire

**4. Y a-t-il des sujets en particulier que vous souhaiteriez retrouver
dans la prochaine édition? (Veuillez préciser.)**

_____

_____

5. Commentaires généraux relatifs à la publication.

_____

_____

6. Êtes-vous :

- ○ Un élève en processus de choix de carrière
- ○ Le parent d'un élève
- ○ Un travailleur en processus de réorientation
- ○ Un conseiller d'orientation
- ○ Un enseignant, un conseiller ou un directeur dans un établissement de formation
- ○ Autre (veuillez préciser) : _____

_____

_____

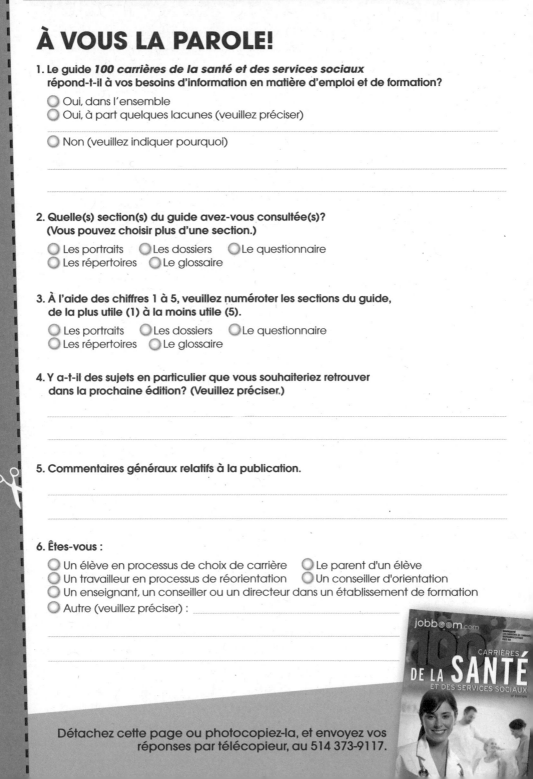

jobboom.com
100
CARRIÈRES
DE LA SANTÉ
ET DES SERVICES SOCIAUX

**Détachez cette page ou photocopiez-la, et envoyez vos
réponses par télécopieur, au 514 373-9117.**

À chaque **région** ses besoins

Pour chacune des régions du Québec, voici des professionnels de la santé pour lesquels les perspectives d'emploi sont «favorables» et «très favorables», selon Emploi-Québec.

ABITIBI-TÉMISCAMINGUE

- Assistant technique en pharmacie
- Dentiste
- Hygiéniste dentaire
- Infirmier auxiliaire
- Infirmier (DEC, bac ou maîtrise)
- Inhalothérapeute
- Omnipraticien
- Perfusionniste
- Pharmacien
- Physiothérapeute
- Psychoéducateur
- Psychologue
- Technicien ambulancier
- Technicien de laboratoire
- Technicien en stérilisation
- Technologue en médecine nucléaire
- Technologue en radiodiagnostic
- Technologue en radio-oncologie
- Thérapeute en réadaptation physique
- Travailleur social

BAS-SAINT-LAURENT

- Assistant dentaire
- Assistant technique en pharmacie
- Audioprothésiste
- Auxiliaire familial et social
- Dentiste
- Infirmier auxiliaire
- Infirmier (DEC)
- Inhalothérapeute
- Omnipraticien
- Perfusionniste
- Pharmacien
- Physiothérapeute
- Préposé aux bénéficiaires
- Représentant pharmaceutique

- Secrétaire médical
- Technicien ambulancier
- Technicien de laboratoire
- Technicien en stérilisation
- Technologue en médecine nucléaire
- Technologue en radiodiagnostic
- Technologue en radio-oncologie
- Thérapeute en réadaptation physique
- Travailleur social

CAPITALE-NATIONALE

- Assistant technique en pharmacie
- Audiologiste
- Audioprothésiste
- Auxiliaire familial et social
- Biochimiste clinique
- Chimiste
- Dentiste
- Denturologiste
- Ergothérapeute
- Hygiéniste dentaire
- Infirmier auxiliaire
- Infirmier (DEC, bac ou maîtrise)
- Ingénieur en biotechnologie
- Inhalothérapeute
- Médecin vétérinaire
- Nutritionniste
- Omnipraticien
- Opticien d'ordonnances
- Optométriste
- Orthésiste-prothésiste
- Orthophoniste
- Perfusionniste
- Pharmacien
- Physiothérapeute
- Préposé aux bénéficiaires
- Psychoéducateur
- Psychologue
- Représentant pharmaceutique

- Secrétaire médical
- Technicien ambulancier
- Technicien de laboratoire
- Technicien en stérilisation
- Technologue en médecine nucléaire
- Technologue en radiodiagnostic
- Technologue en radio-oncologie
- Thérapeute en réadaptation physique
- Travailleur social

CENTRE-DU-QUÉBEC

- Assistant dentaire
- Assistant technique en pharmacie
- Audioprothésiste
- Auxiliaire familial et social
- Biochimiste clinique
- Chimiste
- Denturologiste
- Ergothérapeute
- Hygiéniste dentaire
- Infirmier auxiliaire
- Infirmier (DEC, bac ou maîtrise)
- Ingénieur en biotechnologie
- Médecin vétérinaire
- Omnipraticien
- Pharmacien
- Physiothérapeute
- Préposé aux bénéficiaires
- Psychologue
- Représentant pharmaceutique
- Secrétaire médical
- Technicien ambulancier
- Technicien de laboratoire
- Technicien en stérilisation
- Technologue en médecine nucléaire
- Technologue en radiodiagnostic
- Technologue en radio-oncologie
- Thérapeute en réadaptation physique
- Travailleur social

CHAUDIÈRE-APPALACHES

- Assistant technique en pharmacie
- Audioprothésiste
- Auxiliaire familial et social
- Biochimiste clinique
- Chimiste
- Dentiste
- Ergothérapeute
- Hygiéniste dentaire
- Infirmier auxiliaire
- Infirmier (DEC, bac ou maîtrise)
- Inhalothérapeute
- Médecin vétérinaire
- Nutritionniste
- Omnipraticien
- Orthésiste-prothésiste
- Perfusionniste
- Pharmacien
- Physiothérapeute
- Préposé aux bénéficiaires
- Psychoéducateur
- Psychologue
- Représentant pharmaceutique
- Secrétaire médical
- Technicien ambulancier
- Technicien de laboratoire
- Technicien en stérilisation
- Technologue en médecine nucléaire
- Technologue en radiodiagnostic
- Technologue en radio-oncologie
- Thérapeute en réadaptation physique
- Travailleur social

CÔTE-NORD

- Assistant technique en pharmacie
- Hygiéniste dentaire
- Infirmier auxiliaire
- Infirmier (DEC, bac ou maîtrise)
- Omnipraticien
- Organisateur communautaire
- Physiothérapeute
- Préposé aux bénéficiaires
- Psychoéducateur

- Psychologue
- Représentant pharmaceutique
- Technicien ambulancier
- Technicien de laboratoire
- Technicien en éducation spécialisée
- Technicien en stérilisation
- Technologue en médecine nucléaire
- Technologue en radiodiagnostic
- Technologue en radio-oncologie
- Thérapeute en réadaptation physique
- Travailleur social

ESTRIE

- Archiviste médical
- Assistant dentaire
- Assistant technique en pharmacie
- Auxiliaire familial et social
- Biochimiste clinique
- Chimiste
- Dentiste
- Ergothérapeute
- Infirmier auxiliaire
- Infirmier (DEC, bac ou maîtrise)
- Inhalothérapeute
- Omnipraticien
- Opticien d'ordonnances
- Optométriste
- Perfusionniste
- Pharmacien
- Physiothérapeute
- Préposé aux bénéficiaires
- Psychoéducateur
- Psychologue
- Représentant pharmaceutique
- Secrétaire médical
- Technicien ambulancier
- Technicien de laboratoire
- Technicien en stérilisation
- Technologue en médecine nucléaire
- Technologue en radiodiagnostic
- Technologue en radio-oncologie
- Thérapeute en réadaptation physique
- Travailleur social

GASPÉSIE–ÎLES-DE-LA-MADELEINE

- Auxiliaire familial et social
- Infirmier auxiliaire
- Infirmier (DEC, bac ou maîtrise)
- Omnipraticien
- Pharmacien
- Physiothérapeute
- Préposé aux bénéficiaires
- Psychoéducateur
- Psychologue
- Technicien ambulancier
- Technicien de laboratoire
- Technologue en médecine nucléaire
- Technologue en radiodiagnostic
- Technologue en radio-oncologie
- Thérapeute en réadaptation physique
- Travailleur social

LANAUDIÈRE

- Assistant dentaire
- Assistant technique en pharmacie
- Audiologiste
- Audioprothésiste
- Auxiliaire familial et social
- Biochimiste clinique
- Chimiste
- Dentiste
- Denturologiste
- Ergothérapeute
- Hygiéniste dentaire
- Infirmier auxiliaire
- Infirmier (DEC, bac ou maîtrise)
- Inhalothérapeute
- Médecin vétérinaire
- Nutritionniste
- Omnipraticien
- Opticien d'ordonnances
- Optométriste
- Organisateur communautaire
- Orthésiste-prothésiste
- Orthophoniste
- Perfusionniste
- Pharmacien
- Physiothérapeute

À CHAQUE RÉGION SES BESOINS (SUITE)

LANAUDIÈRE (SUITE)

› Préposé aux bénéficiaires
› Psychoéducateur
› Psychologue
› Représentant pharmaceutique
› Secrétaire médical
› Technicien ambulancier
› Technicien de laboratoire
› Technicien dentaire
› Technicien en éducation spécialisée
› Technicien en stérilisation
› Technologue en médecine nucléaire
› Technologue en radiodiagnostic
› Technologue en radio-oncologie
› Thérapeute en réadaptation physique
› Travailleur social

LAURENTIDES

› Assistant dentaire
› Assistant technique en pharmacie
› Audiologiste
› Audioprothésiste
› Auxiliaire familial et social
› Biochimiste clinique
› Chimiste
› Chiropraticien
› Dentiste
› Ergothérapeute
› Hygiéniste dentaire
› Infirmier auxiliaire
› Infirmier (DEC, bac ou maîtrise)
› Ingénieur en biotechnologie
› Inhalothérapeute
› Kinésiologue
› Médecin vétérinaire
› Nutritionniste
› Omnipraticien
› Optométriste
› Organisateur communautaire
› Orthésiste-prothésiste
› Orthophoniste
› Perfusionniste
› Pharmacien
› Physiothérapeute

› Préposé aux bénéficiaires
› Psychoéducateur
› Psychologue
› Représentant pharmaceutique
› Secrétaire médical
› Technicien ambulancier
› Technicien de laboratoire
› Technicien en éducation spécialisée
› Technicien en stérilisation
› Technologue en médecine nucléaire
› Technologue en radiodiagnostic
› Technologue en radio-oncologie
› Thérapeute en réadaptation physique
› Travailleur social

LAVAL

› Assistant dentaire
› Assistant technique en pharmacie
› Audioprothésiste
› Biochimiste clinique
› Chimiste
› Dentiste
› Ergothérapeute
› Hygiéniste dentaire
› Infirmier auxiliaire
› Infirmier (DEC, bac ou maîtrise)
› Inhalothérapeute
› Nutritionniste
› Omnipraticien
› Opticien d'ordonnances
› Optométriste
› Organisateur communautaire
› Orthésiste-prothésiste
› Perfusionniste
› Pharmacien
› Physiothérapeute
› Préposé aux bénéficiaires
› Psychoéducateur
› Psychologue
› Représentant pharmaceutique
› Secrétaire médical
› Technicien ambulancier
› Technicien de laboratoire
› Technicien en éducation spécialisée

› Technicien en stérilisation
› Technologue en médecine nucléaire
› Technologue en radiodiagnostic
› Technologue en radio-oncologie
› Thérapeute en réadaptation physique
› Travailleur social

MAURICIE

› Assistant technique en pharmacie
› Audioprothésiste
› Dentiste
› Ergothérapeute
› Infirmier (bac ou maîtrise)
› Ingénieur en biotechnologie
› Inhalothérapeute
› Omnipraticien
› Perfusionniste
› Pharmacien
› Physiothérapeute
› Préposé aux bénéficiaires
› Technicien ambulancier
› Technicien de laboratoire
› Technicien en stérilisation
› Technologue en médecine nucléaire
› Technologue en radiodiagnostic
› Technologue en radio-oncologie
› Thérapeute en réadaptation physique

MONTÉRÉGIE

› Assistant dentaire
› Assistant technique en pharmacie
› Audiologiste
› Audioprothésiste
› Auxiliaire familial et social
› Dentiste
› Denturologiste
› Ergothérapeute
› Hygiéniste dentaire
› Infirmier auxiliaire
› Infirmier (DEC, bac ou maîtrise)
› Ingénieur en biotechnologie
› Inhalothérapeute
› Médecin vétérinaire

- Nutritionniste
- Omnipraticien
- Opticien d'ordonnances
- Optométriste
- Organisateur communautaire
- Orthésiste-prothésiste
- Orthophoniste
- Perfusionniste
- Pharmacien
- Physiothérapeute
- Préposé aux bénéficiaires
- Représentant pharmaceutique
- Secrétaire médical
- Technicien de laboratoire
- Technicien dentaire
- Technicien en éducation spécialisée
- Technicien en stérilisation
- Technologue en médecine nucléaire
- Technologue en radiodiagnostic
- Technologue en radio-oncologie
- Thérapeute en réadaptation physique
- Travailleur social

MONTRÉAL

- Assistant dentaire
- Assistant technique en pharmacie
- Audiologiste
- Audioprothésiste
- Auxiliaire familial et social
- Biochimiste clinique
- Chimiste
- Dentiste
- Ergothérapeute
- Hygiéniste dentaire
- Infirmier (bac ou maîtrise)
- Ingénieur en biotechnologie
- Inhalothérapeute
- Médecin vétérinaire
- Nutritionniste
- Omnipraticien
- Opticien d'ordonnances
- Optométriste
- Orthésiste-prothésiste
- Orthophoniste
- Perfusionniste
- Pharmacien
- Physiothérapeute
- Préposé aux bénéficiaires

- Psychologue
- Secrétaire médical
- Technicien ambulancier
- Technicien de laboratoire
- Technicien en stérilisation
- Technologue en médecine nucléaire
- Technologue en radiodiagnostic
- Technologue en radio-oncologie
- Thérapeute en réadaptation physique
- Travailleur social

NORD-DU-QUÉBEC

- Assistant technique en pharmacie
- Infirmier auxiliaire
- Infirmier (DEC, bac ou maîtrise)
- Omnipraticien
- Organisateur communautaire
- Physiothérapeute
- Préposé aux bénéficiaires
- Psychoéducateur
- Psychologue
- Représentant pharmaceutique
- Technicien ambulancier
- Technicien de laboratoire
- Technicien en éducation spécialisée
- Technicien en stérilisation
- Technologue en médecine nucléaire
- Technologue en radiodiagnostic
- Technologue en radio-oncologie
- Thérapeute en réadaptation physique
- Travailleur social

OUTAOUAIS

- Assistant technique en pharmacie
- Audioprothésiste
- Biochimiste clinique
- Chimiste
- Dentiste
- Ergothérapeute
- Hygiéniste dentaire
- Infirmier auxiliaire
- Infirmier (DEC, bac ou maîtrise)
- Inhalothérapeute
- Nutritionniste
- Omnipraticien

- Optométriste
- Orthésiste-prothésiste
- Perfusionniste
- Pharmacien
- Physiothérapeute
- Préposé aux bénéficiaires
- Psychoéducateur
- Psychologue
- Représentant pharmaceutique
- Technicien ambulancier
- Technicien de laboratoire
- Technicien dentaire
- Technicien en stérilisation
- Technologue en médecine nucléaire
- Technologue en radiodiagnostic
- Technologue en radio-oncologie
- Thérapeute en réadaptation physique
- Travailleur social

SAGUENAY–LAC-SAINT-JEAN

- Chiropraticien
- Dentiste
- Denturologiste
- Infirmier auxiliaire
- Infirmier (DEC, bac ou maîtrise)
- Ingénieur en biotechnologie
- Inhalothérapeute
- Nutritionniste
- Omnipraticien
- Optométriste
- Perfusionniste
- Pharmacien
- Physiothérapeute
- Préposé aux bénéficiaires
- Psychoéducateur
- Psychologue
- Technicien ambulancier
- Technicien de laboratoire
- Technicien dentaire
- Technologue en médecine nucléaire
- Technologue en radiodiagnostic
- Technologue en radio-oncologie
- Thérapeute en réadaptation physique
- Travailleur social

Source : Emploi-Québec. *Perspectives professionnelles 2007-2011*, 2007.

Le meilleur du Web : ça clique! Pour mieux connaître l'univers de la santé et des services sociaux, allez naviguer! Vous trouverez à l'adresse suivante des dizaines de liens traitant de ce secteur d'emploi : www.jobboom.com/sante.

A

Acupuncture
Ordre des acupuncteurs du Québec
Tél. : 514 523-2882
www.ordredesacupuncteurs.qc.ca

Archives médicales
Association québécoise des
archivistes médicales
Tél. : 819 823-6670 • www.aqam.ca

Assistance dentaire
Association des assistant(e)s dentaires
du Québec • Tél. : 514 722-9900
www.cdaa.ca/f/provincial/index.asp#qc

Assistance familiale et sociale
Association canadienne de soins palliatifs
Tél. : 613 241-3663 ou 1 800 668-2785
www.acsp.net

Association des auxiliaires familiales
et sociales du Québec • Tél. : 450 477-6302
www.familis.org/riopfq/membres/aafs.html

Assistance technique en pharmacie
Association québécoise des assistant(e)s
techniques en pharmacie • www.aqatp.ca

Audiologie
Association canadienne des orthophonistes
et audiologistes
Tél. : 613 567-9968 • www.caslpa.ca

Ordre des orthophonistes et
audiologistes du Québec
Tél. : 514 282-9123 • www.ooaq.qc.ca

Audioprothèse
Association professionnelle des
audioprothésistes du Québec
Tél. : 450 857-3030 • www.apaqaudio.qc.ca

Ordre des audioprothésistes du Québec
Tél. : 514 640-5117 • www.ordreaudio.qc.ca

B

Biochimie clinique
Association des médecins biochimistes
du Québec • Tél. : 514 350-5105
www.ambq.med.usherbrooke.ca

Ordre des chimistes du Québec
Volet biochimie clinique
Tél. : 514 844-3644 • www.ocq.qc.ca

Biologie médicale
Société québécoise de biologie clinique
www.sqbc.qc.ca

C

Chiropratique
Association des chiropraticiens du Québec
Tél. : 514 355-0557 • www.chiropratique.com

Ordre des chiropraticiens du Québec
Tél. : 514 355-8540
www.chiropratique.com/fr/sec_inf_
organismes.php

Cytologie
Association des cytologistes du Québec
www.cyto.qc.ca

Ordre professionnel des technologistes
médicaux du Québec
Tél. : 514 527-9811 • www.optmq.org

D

Denturologie
Ordre des denturologistes du Québec
Tél. : 450 646-7922 ou 1 800 567-2251
www.odq.com

Diététique / Nutrition
Association des diététistes au Québec
Tél. : 514 954-0047
www.adaqnet.org/accueils/Accueil.html

Ordre professionnel des diététistes du Québec
Tél. : 514 393-3733 ou 1 888 393-8528
www.opdq.org

Société des technologues en nutrition
Tél. : 418 990-0309 • www.stnq.ca

E

Ergothérapie
Association québécoise des ergothérapeutes
en pratique privée
Tél. : 514 940-6541 • www.aqepp.com

Ordre des ergothérapeutes du Québec
Tél. : 514 844-5778 • www.oeq.org

G

Génie biomédical
Association des physiciens et ingénieurs
biomédicaux du Québec • www.apibq.org

Association des technicien(ne)s en génie
biomédical • www.atgbm.org

Ordre des ingénieurs du Québec
Tél. : 514 845-6141 ou 1 800 461-6141
www.oiq.qc.ca

Gestion du réseau de la santé et des services sociaux

Association des cadres de la santé et des services sociaux du Québec
Tél. : 514 933-4118 • www.aper.qc.ca

Association des cadres supérieurs de la santé et des services sociaux
Tél. : 450 465-0360 • www.acssss.qc.ca

Association des directeurs généraux des services de santé et des services sociaux du Québec
Tél. : 514 281-1896 • www.adgsssq.qc.ca

Association des gestionnaires des établissements de santé et de services sociaux
Tél. : 450 651-6000 • www.agesss.qc.ca

H

Hygiène dentaire

Association canadienne des hygiénistes dentaires
Tél. : 613 224-5515 ou 1 800 267-5235
www.cdha.ca

Ordre des hygiénistes dentaires du Québec
Tél. : 514 284-7639 ou 1 800 361-2996
www.ohdq.com

I

Inhalothérapie

Ordre professionnel des inhalothérapeutes du Québec
Tél. : 514 931-2900 ou 1 800 561-0029
www.opiq.qc.ca

K

Kinésiologie

Fédération des kinésiologues du Québec
Tél. : 514 343-2471 • www.kinesiologue.com

M

Médecine

Association des allergologues et immuno-logues du Québec • Tél. : 514 350-5101
www.allerg.qc.ca/indexf.htm

Association des anesthésiologistes du Québec
Tél. : 514 843-7671 ou 1 877 843-7691
www.fmsq.org/f/specialites/associations/anesthesiologie.html

Association des cardiologues du Québec
Tél. : 514 350-5106
www.fmsq.org/f/specialites/associations/cardiologie.html

Association des chirurgiens cardio-vasculaires et thoraciques du Québec
Tél. : 514 340-8222, poste 5598
www.fmsq.org/f/specialites/associations/chirurgie_cardiaque.html

Association québécoise de chirurgie
Tél. : 514 350-5107 • www.chirurgiequebec.ca

Association des conseils des médecins, dentistes et pharmaciens du Québec
Tél. : 514 858-5885 • www.acmdp.qc.ca

Association des dermatologistes du Québec
Tél. : 514 350-5111 • www.adq.org

Association des gastro-entérologues du Québec
Tél. : 514 350-5112 • www.ageq.qc.ca

Association des jeunes médecins du Québec
Tél. : 514 879-9203 • www.ajmq.qc.ca

Association des médecins biochimistes du Québec • Tél. : 514 350-5105
www.ambq.med.usherbrooke.ca

Association des médecins d'urgence du Québec
Tél. : 418 658-7679 • www.amuq.qc.ca

Association des médecins endocrinologues du Québec
Tél. : 514 350-5135 • www.ameq.qc.ca

Association des médecins généticiens du Québec • Tél. : 514 350-5141
www.fmsq.org/f/specialites/associations/genetique_medicale.html

Association des médecins gériatres du Québec
Tél. : 514 350-5145 • www.fmsq.org/amgq/

Association des médecins microbiologistes infectiologues du Québec
Tél. : 514 350-5104 • www.ammiq.org

Association des médecins ophtalmologistes du Québec
Tél. : 514 350-5124 • www.amoq.org

Association des médecins psychiatres du Québec
Tél. : 514 350-5128 • www.ampq.org

Association des médecins rhumatologues du Québec • Tél. : 514 350-5136
www.fmsq.org/f/specialites/associations/rhumatologie.html

Association des médecins spécialistes en médecine nucléaire du Québec
Tél. : 514 350-5133
www.fmsq.org/f/specialites/associations/medecine_nucleaire.html

Association des médecins spécialistes en santé communautaire du Québec
Tél. : 514 350-5138 • www.amsscq.org

Association des néphrologues du Québec
Tél. : 514 350-5134 • www.sqn.qc.ca

Association des neurochirurgiens du Québec
Tél. : 514 350-5120 • www.ancq.net

▶ **187**

Association des neurologues du Québec
Tél. : 514 350-5122 • www.anq.qc.ca

Association des obstétriciens
et gynécologues du Québec
Tél. : 514 849-4969 • www.gynecoquebec.com

Association des pathologistes du Québec
Tél. : 514 350-5102 • www.apq.qc.ca

Association des pédiatres du Québec
Tél. : 514 350-5127 • www.pediatres.ca

Association des physiatres du Québec
Tél. : 514 350-5119 • www.fmsq.org/f/
specialites/associations/physiatrie.html

Association des pneumologues de
la province de Québec
Tél. : 514 350-5117 • www.pneumologue.ca

Association des radiologistes du Québec
Tél. : 514 350-5129 • www.arq.qc.ca

Association des radio-oncologues du Québec
Tél. : 514 350-5130 • www.fmsq.org/e/
specialites/associations/radio_oncologie.html

Association des spécialistes en chirurgie
plastique et esthétique du Québec
Tél. : 514 350-5109 • www.ascpeq.org

Association des spécialistes en médecine
d'urgence du Québec
Tél. : 514 350-5115 • www.asmuq.org

Association des spécialistes en médecine
interne du Québec
Tél. : 514 350-5118 • www.asmiq.qc.ca

Association des urologues du Québec
Tél. : 514 350-5131 • www.auq.org

Association d'orthopédie du Québec
Tél. : 514 844-0803 • www.orthoquebec.ca

Association d'oto-rhino-laryngologie et de
chirurgie cervico-faciale du Québec
Tél. : 514 350-5125 • www.orlquebec.org

Collège des médecins du Québec
Tél. : 514 933-4441 ou 1 888 MÉDECIN
www.cmq.org

Fédération des médecins omnipraticiens
du Québec
Tél. : 514 878-1911 ou 1 800 361-8499
www.fmoq.org

Fédération des médecins résidents
du Québec
Tél. : 514 282-0256 • www.fmrq.qc.ca

Fédération des médecins spécialistes du Québec
Tél. : 514 350-5000 ou 1 800 561-0703
www.fmsq.org

Groupe d'études en oncologie du Québec
Tél. : 514 350-5121 • www.geoq.info

Médecine dentaire
Association des chirurgiens dentistes du Québec
Tél. : 514 282-1425 ou 1 800 361-3794
www.acdq.qc.ca

Association des conseils des médecins,
dentistes et pharmaciens du Québec
Tél. : 514 858-5885 • www.acmdp.qc.ca

Association des spécialistes en chirurgie
buccale et maxillo-faciale du Québec
Tél. : 450 445-5695, poste 3

Ordre des dentistes du Québec
Tél. : 514 875-8511 ou 1 800 361-4887
www.odq.qc.ca

Médecine vétérinaire
Ordre des médecins vétérinaires du Québec
Tél. : 450 774-1427 ou 1 800 267-1427
www.omvq.qc.ca

Microbiologie
Association des microbiologistes du Québec
Tél. : 514 728-1087
www.cooptel.qc.ca/~amqweb

Optique
Ordre des opticiens d'ordonnances du Québec
Tél. : 514 288-7542 ou 1 800 563-6345
www.oodq.qc.ca

Optométrie
Association des optométristes du Québec
Tél. : 514 288-6272 • www.aoqnet.qc.ca

Ordre des optométristes du Québec
Tél. : 514 499-0524 • www.ooq.org

Organisation communautaire
Regroupement québécois des intervenants et
intervenantes en action communautaire en
CLSC et en Centre de santé • www.rqiiac.qc.ca

Orthophonie
Association canadienne des orthophonistes
et audiologistes
Tél. : 613 567-9968 • www.caslpa.ca

Ordre des orthophonistes et audiologistes
du Québec
Tél. : 514 282-9123 • www.ooaq.qc.ca

Perfusion
Société canadienne de perfusion clinique
Tél. : 1 888 496-2727
www.cscp.ca/francais/index.html

Pharmacie

Association des conseils des médecins, dentistes et pharmaciens du Québec
Tél. : 514 858-5885 • www.acmdp.qc.ca

Association des pharmaciens des établissements de santé du Québec
Tél. : 514 286-0776
www.apesquebec.org/index.asp

Association québécoise des pharmaciens propriétaires
Tél. : 514 254-0676 ou 1 800 361-7765
www.aqpp.qc.ca

Ordre des pharmaciens du Québec
Tél. : 514 284-9588 ou 1 800 363-0324
www.opq.org

Physiothérapie

Fédération des physiothérapeutes en pratique privée du Québec
Tél. : 514 287-1011 ou 1 877 666-1011
www.physioquebec.com

Ordre professionnel de la physiothérapie du Québec
Tél. : 514 351-2770 ou 1 800 361-2001
www.oppq.qc.ca

Physique médicale

Association des physiciens et ingénieurs biomédicaux du Québec • www.aplbq.org

Podiatrie

Ordre des podiatres du Québec
Tél. : 514 288-0019
www.ordredespodiatres.qc.ca

Pratique sage-femme

Ordre des sages-femmes du Québec
Tél. : 514 286-1313 • www.osfq.org

Psychoéducation

Ordre des conseillers et conseillères d'orientation et des psychoéducateurs et psychoéducatrices du Québec
Tél. : 514 737-4717 ou 1 800 363-2643
www.occoppq.qc.ca

Psychologie

Ordre des psychologues du Québec
Tél. : 514 738-1881 ou 1 800 363-2644
www.ordrepsy.qc.ca

R

Recherche clinique

Association québécoise de recherche clinique
Tél. : 450 542-9229 • www.aqrc.org

S

Sexologie

Association des sexologues du Québec
Tél. : 514 270-9289
www.associationdessexologues.com

Soins infirmiers

Association des infirmières et infirmiers d'urgence du Québec
Tél. : 514 845-0202 • www.aiiuq.qc.ca

Fédération interprofessionnelle de la santé du Québec
Tél. : 514 987-1141 ou 1 800 363-6541
www.fiqsante.qc.ca

Ordre des infirmières et infirmiers auxiliaires du Québec
Tél. : 514 282-9511 ou 1 800 283-9511
www.oiiaq.org

Ordre des infirmières et infirmiers du Québec
Tél. : 514 935-2501 ou 1 800 363-6048
www.oiiq.org

Stérilisation

Association des gestionnaires en stérilisation
www.sterilisationags.com

T

Techniques ambulancières

Rassemblement des employés techniciens ambulanciers-paramédics du Québec
Tél. : 514 728-6565 • www.retaq.org

Techniques de laboratoire médical

Ordre professionnel des technologistes médicaux du Québec
Tél. : 514 527-9811 • www.optmq.org

Techniques dentaires

Ordre des techniciennes et des techniciens dentaires du Québec
Tél. : 514 282-3837 • www.ottdq.com

Technologie de médecine nucléaire/ radiodiagnostic/radio-oncologie

Ordre des technologues en radiologie du Québec
Tél. : 514 351-0052 ou 1 800 361-8759
www.otrq.qc.ca

Thanatologie

Corporation des thanatologues du Québec
Tél. : 418 622-1717 ou 1 800 463-4935
www.corpothanato.com

Travail social

Ordre professionnel des travailleurs sociaux du Québec
Tél. : 514 731-3925 ou 1 888 731-9420
www.optsq.org

REMERCIEMENTS
À NOS ANNONCEURS

193

L'ÉQUIPE DERRIÈRE LE GUIDE
100 carrières de la santé et des services sociaux

RÉDACTION

DIRECTRICE DE LA PUBLICATION
Julie Gobeil

RÉDACTRICES EN CHEF
Emmanuelle Gril • Julie Leduc

COLLABORATEURS
Hélène Belzile • Guylaine Boucher • Suzanne Bouilly • Carole Boulé • Brigit-Alexandre Bussières • Louise Casavant • Geneviève Dubé • Séverine Galus • Claudia Larochelle • Johanne Latour • Jean-Sébastien Marsan • Anick Perreault-Labelle • Kareen Quesada • Julie Rémy • Sylvie L. Rivard Martine Roux • Anne-Marie Trudel • Valérie Vézina

RECHERCHISTES
Peggy Bédard • Mariève Desjardins • Karine Moniqui

SECRÉTAIRE À LA RÉDACTION
Stéphane Plante

RÉVISEURE
Johanne Girard

PRODUCTION

CHEF D'ÉQUIPE
Nathalie Renauld

COORDONNATEURS DE LA PRODUCTION
Sylvain Legault • Madeleine Lemieux • Roland Comtois

CONCEPTION DE LA GRILLE GRAPHIQUE ET DE LA PAGE COUVERTURE
Louise Émond

PHOTO DE LA PAGE COUVERTURE
Nathalie St-Pierre

INFOGRAPHIE
Gestion d'impressions Gagné inc.

DISTRIBUTION
Messageries ADP

VENTES PUBLICITAIRES

DIRECTEUR DES VENTES
Tony Esposito

REPRÉSENTANTES
Geneviève Carrier • Marie Chantale Lang • Vicky O'Connor

DATE DE PUBLICATION
Novembre 2008

DÉPÔT LÉGAL
Bibliothèque nationale du Québec
ISBN : 978-2-89582-098-7
Bibliothèque nationale du Canada
ISSN : 1708-5705

Le guide *100 carrières de la santé et des services sociaux* est publié par Les éditions Jobboom, une division de Jobboom, membre du réseau Canoë. Le genre masculin est utilisé au sens neutre et désigne aussi bien les femmes que les hommes. Les articles de cette publication ne peuvent être reproduits sans l'autorisation des éditeurs.
Les opinions exprimées dans cette publication ne sont pas nécessairement partagées par les éditeurs et les commanditaires.

Recyclé
FSC
Contribue à l'utilisation responsable des ressources forestières
www.fsc.org Cert no. SW-COC-002550
© 1996 Forest Stewardship Council

CANOË

PRÉSIDENT
Bruno Leclaire

VICE-PRÉSIDENTE ET DG, JOBBOOM
Julie Phaneuf

DIRECTRICE GÉNÉRALE DES CONTENUS, JOBBOOM
Patricia Richard

800, rue du Square-Victoria,
Mezzanine – bureau 5
Montréal (Québec) H4Z 0A3
Téléphone : 514 871-0222
Télécopieur : 514 373-9117
www.jobboom.com

DE LA MÊME COLLECTION

jobboom.com
LES ÉDITIONS
travaillent pour vous

194